L'ARTE DELLA CUCINA SECONDO LA TRADIZIONE NAPOLETANA

MARINELLA PENTA DE PEPPO

L'ARTE DELLA CUCINA SECONDO LA TRADIZIONE NAPOLETANA

MONDADORI

Coordinamento editoriale: Simona Aguzzoni
Realizzazione editoriale: Lettura s.a.s., Milano
Copertina: Fabrizio Confalonieri

MONDADORI

© 1994 Arnoldo Mondadori Editore S.p.A., Milano
Libri Illustrati
Prima edizione cartonata: maggio 1994
Prima edizione aggiornata paperback: settembre 1999

http://www.mondadori.com/libri/

ISBN 88-047249-9

Finito di stampare nel mese di settembre 1999
presso le Artes Gráficas Toledo
Printed in Spain
D.L. TO: 1497 - 1999

SOMMARIO

*Dedico questi scritti ai miei cari nipoti perché mantengano
viva quella tradizione che dette ai loro avi
eleganza alla tavola e gusto al palato*

Per questa nuova edizione dell'*Arte della cucina secondo la tradizione napoletana*
è stata approntata una raccolta d'immagini, suddivisa in quattro parti, che arric-
chisce e completa la già notissima opera. L'apparato iconografico è frutto di
un'attenta ricerca mirata allo scopo di dare immediatezza visiva del contesto cul-
turale e sociale di un periodo - il Settecento e l'Ottocento - che tanta parte ha
avuto nel consolidamento degli usi gastronomici partenopei.
Le illustrazioni, da ora parte integrante di questo "classico" della letteratura culinaria, non rappresentano tanto questa o quella preparazione, ma si concentrano
sull'humus più profondo della Napoli dell'epoca, offrendo un ulteriore tassello a
una visione più globale di una tradizione straordinaria.
Ambienti, espressioni vive della popolarità, personaggi comuni del tempo e altre
suggestive figurazioni, in perfetta sintonia con la penna dell'autrice, offrono al let-
tore una più puntuale ricostruzione della memoria gastronomica di Napoli, un
tempo capitale di un regno ma ancora oggi una delle capitali del buon gusto e del
piacere dei cibi.

PREFAZIONE

Vi sono valori delle nostre tradizioni che, per il loro merito, perdurano nei tempi.
Le nostre nonne solevano ricevere con semplice eleganza, e tale comportamento
veniva trasmesso ai figli attraverso l'esempio dei continui pranzi che praticavano.
Erano amanti di un'arte in cucina basata sulle ricette avute dalla loro madre
e conservate in quadernetti dalla copertina nera custoditi nei cassetti della scriva-
nia. Ogni signora era gelosa delle proprie ricette perché la sua casa vantava
manicaretti che dovevano essere un'esclusiva! Tale patrimonio non è appuntato
su libri o su ricettari perché trasmesso a voce di madre in figlia.
I Munzù, cuochi francesi giunti nel Regno di Napoli al seguito della Corte
napoleonica, allietarono per lungo tempo con leccornie raffinate le mense
dell'aristocrazia napoletana. Durante la mia infanzia ho potuto apprendere
dai Munzù incontrati nelle cucine delle mie nonne e di mia madre i "segreti" che
permettevano loro di elaborare sublimi timballi, sartù, choux à la crème...
E sono riconoscente a mia madre Olga che mi ha lasciato un bagaglio ricco
di regole e di quelle ricette contenute nei quadernetti dai fogli ingialliti.
Questo è quanto ho cercato di dare. L'amore e la pratica per quest'arte mi hanno
indotta, sempre prendendo spunto dalla genuina lavorazione dell'Ottocento,
a semplificare, modernizzare, creare le ricette che ho racchiuso in questo classico.
Mi è parso opportuno farle precedere dalle tradizionali regole sulla tavola
e da consigli pratici su come operare in cucina. Spero che tutti coloro che amano
trattenersi tra i fornelli possano apprezzare questo mio lavoro: i più giovani
che non hanno vissuto le mie tradizioni, i meno giovani che potranno ritrovare
il gusto del passato.

Marinella Penta de Peppo

INTRODUZIONE

Le ricette qui raccolte sono il frutto dell'esperienza personale e di una rielaborazione di piatti tradizionali della cucina partenopea e di quelle regionali italiane, fatta sulla scorta di una grande passione per l'arte culinaria. Ciò risulterà evidente sia dalla ricetta della salsetta più semplice sia da quella della preparazione più elaborata: in ciascuna di esse è possibile individuare un tocco personale dell'Autrice – un ingrediente insolito, o un procedimento di lavorazione o un tipo di cottura o qualche particolare accorgimento – che le rende diverse. Nel realizzare questo libro, che vuole essere un invito a recuperare i valori della tradizione, non sono stati ignorati i mutamenti avvenuti nel corso degli ultimi decenni, quali la minore disponibilità della donna a trascorrere molte ore ai fornelli, la diffusione sempre maggiore degli alimenti conservati e la necessità di proporre una cucina non grassa; pertanto nel proporre ricette delle generazioni passate è stata, talvolta, operata una semplificazione, così come è stata offerta la possibilità di gustare anche i cibi surgelati consigliando come cucinarli nel modo migliore.

La parte introduttiva di questo libro è costituita dalle tradizionali regole su come si riceve in casa: l'allestimento della tavola, del buffet, del servizio, la scelta dei menù, dei vini. Esse rappresentano un'indispensabile guida per la donna che voglia affrontare il piacevole ma difficile impegno dell'ospitalità.
Sempre nella prima parte sono stati inseriti dei Consigli utili attinenti a nozioni re-

lative ai tipi di ingredienti, ai procedimenti di lavorazione, lievitazione, cottura, riscaldamento, refrigerazione, conservazione e macerazione che la lettrice è invitata a considerare parte integrante delle ricette stesse. Da ultimo è stata inserita una tabella di Pesi e Misure, essenziale soprattutto per le meno esperte.

Seguono le ricette. Sono quattrocento e riguardano sia le varie portate, sia la preparazione di conserve con cui arricchire la dispensa. Il loro grado di difficoltà è estremamente vario; la lettrice troverà modo di realizzare i piatti più semplici o di cimentarsi con i più elaborati manicaretti: in entrambi i casi le indicazioni fornite sono tali da assicurarle il successo. È stata infatti cura dell'Autrice dare precisi dosaggi – proporzionati al numero delle persone per le quali è stata pensata la ricetta o alle dimensioni del contenitore indicato come il più adatto al tipo di preparazione –, descrivere minuziosamente ogni fase della lavorazione, indicare i tempi di lievitazione, cottura, refrigerazione, conservazione, macerazione, ecc., a seconda della loro rilevanza specifica. Inoltre all'interno delle ricette, quando necessario, sono stati inseriti dei rinvii espliciti per agevolare l'individuazione di alcuni "consigli utili" e di altre ricette cui si fa riferimento per l'esecuzione di una determinata preparazione, oppure relative a un contorno o a un dessert con cui si consiglia di accompagnarla. Infine l'intero corpo delle ricette è stato strutturato in modo tale da offrire la possibilità di organizzare pranzi completi, dal più semplice al più raffinato.

RICEVERE IN CASA

*Ogni donna deve essere orgogliosa della propria casa: non ostenti mai
quel che non ha e non faccia più di quanto l'ambiente sociale in cui è vissuta
le abbia insegnato; al contrario, si dimostri fiera delle proprie abitudini,
della propria famiglia, delle proprie cose.
Il senso dell'ospitalità è qualcosa che, se anche molti sentono, pochi riescono
a esprimere con successo. Eppure, se ci si attiene ad alcune semplici regole,
in ogni casa, anche in quelle dove le esigenze della vita moderna o criteri di saggia
economia impongono limiti di tempo e di spesa, è possibile comunicare
ai propri ospiti quel senso di benessere e di piacevole cordialità che fa sentire tutti a
proprio agio. È importante che l'ambiente venga creato dalla qualità
degli invitati: essi debbono conoscersi, essere affiatati, avere una eguale cultura.
Perché un ricevimento riesca bene, tutto va organizzato in precedenza:
la casa in ordine, l'argenteria e la porcellana ben lucide,
qualche oggetto pregiato esposto, i fiori scelti con cura e disposti con armonia.
La padrona di casa deve apparire di buon umore, senza mai dare
segno di agitazione o di insicurezza; deve, con garbo, essere presente e vigile
ovunque con naturalezza e senza manifestare eccessive premure:
il suo atteggiamento sereno e disinvolto sarà la dimostrazione
di quanto piacere ella stessa provi nel trascorrere in casa sua
un po' di tempo in compagnia di amici.*

LA TAVOLA

*Se gli invitati sono personalità di riguardo ed estranee alla famiglia, la tavola deve
assumere un carattere di particolare eleganza, il servizio risultare impeccabile, il
menù riuscire perfetto. Se gli ospiti sono amici o familiari, il tono della tavola può essere più semplice, il servizio può venire agevolato e il menù ridotto di qualche portata; importante è che tutto resti nello stile delle regole tradizionali che seguono.*

Che il pasto sia ricco o modesto, lo si gode certamente di più se seduti a una tavola
preparata in modo invitante. È essenziale controllare che tutto – i piatti, le posate, i
bicchieri – sia nitido e brillante, e che i vari servizi si intonino per colore e importanza con la tovaglia scelta o che con essa formino un armonioso contrasto.
Il centrotavola rivela il gusto della padrona di casa e lo stile che vuole conferire al-
l'occasione: pochi fiori sono la soluzione più semplice; una composizione di frutta

può costituire una decorazione allegra e più informale; due bei candelabri, di stile e dimensioni adeguati a quelli della tavola, danno un tocco di eleganza.

I piatti

Per ogni commensale disporre sulla tavola un piatto piano e su di esso un piatto fondo. Se il menù prevede un antipasto, mettere sul piatto piano un piatto più piccolo, che in seguito verrà ritirato e sostituito con quello fondo. Il tovagliolo va ripiegato semplicemente e posto sul piatto del commensale. In alto a sinistra del piatto si può disporre un piattino per il burro, che è necessario solo quando vengono serviti antipasti freddi.

Se, contemporaneamente alla portata di carne o di pesce, viene servita un'insalata, aggiungere, solo prima di servirla, un piattino alla sinistra del piatto.

Sul piatto da frutta, predisporre una piccola coppa con poca acqua affinché il commensale, dopo averla deposta alla sua sinistra, possa tergersi le dita. Se il servizio non comprende i piattini da dolce, se ne possono usare di diversi, purché siano tutti uguali e non contrastino per stile e qualità con quelli del servizio stesso.

I piatti da portata

I primi si servono nei piatti tondi e fondi, se sono risotti nei piatti concavi. I secondi di carne e di pesce nei piatti ovali sui quali si può disporre anche un contorno.

Gli antipasti, se si è sprovvisti dell'apposito piatto con sei vaschette, vanno sistemati in questo modo: le olive e i sottaceti nelle vaschette ovali, le mousse nei piattini tondi, le tartine in un piatto rettangolare, le uova nei piatti tondi (tagliate a metà, farcite secondo la ricetta, e guarnite con foglie di insalata), oppure nei piatti ovali (se accompagnano salumi, sardine, tonno sott'olio).

Infine i pesci secchi, i salumi, le galantine si servono, come tutte le carni, nei piatti ovali. Ovviamente le minestre si servono nelle zuppiere, le insalate si pongono nelle insalatiere, le creme nelle coppe, la frutta nella fruttiera.

Le posate

Vanno disposte, in ordine di uso, dall'esterno all'interno; i coltelli con la lama volta verso il piatto, le forchette con le punte rivolte verso l'alto, i cucchiai poggiati sulla parte concava. A sinistra del piatto, dall'esterno, porre la forchettina da antipasto, poi la forchetta da pesce e infine la forchetta per la carne. A destra del piatto, sempre dall'esterno, il primo posto spetta al coltellino da antipasto (o al cucchiaio da brodo), il secondo al coltello da pesce, il terzo al coltello per la carne. In alto poggiare, iniziando dall'esterno rispetto al piatto, prima il cucchiaio da gelato (o la forchettina da dolce) con il manico rivolto verso destra, poi la forchetta da frutta con il manico rivolto verso sinistra, e infine il coltello da frutta, con il manico rivolto verso destra. Se si può contare su del personale di servizio, non mettere in tavola tutte le posate necessarie al pranzo, onde evitare un eccessivo ingombro; sarà il cameriere che, dopo aver ritirato il piatto e le posate sporchi, porterà il piatto per la portata successiva, con dentro le posate necessarie. Per pranzi più semplici e familiari, disporre, per ogni posto a tavola, le posate più necessarie.

I bicchieri

Vanno disposti, per ogni commensale, in alto verso la destra del piatto: primo da sinistra il bicchiere da acqua, poi quello per il vino bianco e quello per il vino rosso, per ultimo il bicchiere per lo champagne o per il porto, che può essere disposto anche dietro i bicchieri per il vino.

IL SERVIZIO

All'epoca dei nostri nonni, i padroni di casa sedevano a capotavola, l'uno di fronte all'altra, anche in occasione dei pranzi familiari. Pur se noi oggi conduciamo una vita più semplice e più pratica, potremo ugualmente mantenere questa simpatica usanza: daremo maggior senso di ordine alla vita e più rispetto ai valori della famiglia. La praticità moderna consente comunque, anche a chi non dispone di servitù, di offrire colazioni e pranzi eleganti; la padrona di casa non deve sentirsi "declassata" dall'assenza di un cameriere, al contrario: con il suo personale stile può comunicare più tangibilmente il piacere dell'ospitalità.

La padrona di casa, prima di sedere, indica agli ospiti il loro posto a tavola: alla sua destra l'ospite maschile più importante, alla sua sinistra quello che è secondo in ordine di importanza. Così pure il padrone di casa dà la destra alla signora di maggior riguardo e la sinistra alla signora che segue nell'ordine. Il cameriere serve per prima la signora alla destra del padrone di casa, poi la signora a sinistra e di seguito tutte le altre invitate; ultima la padrona di casa, infine serve i signori seguendo la stessa regola.

Per la seconda portata o per le successive, il cameriere serve per primi ogni volta una signora o un signore diversi, secondo quanto gli è stato indicato dalla padrona di casa in precedenza. Il pane, tagliato a fettine sottili e disposto in un cestino, verrà offerto ai commensali dal cameriere che, prima di servire il dolce o la frutta, ne ritirerà i resti e le briciole con l'apposita spazzolina. Oppure se ne può mettere una fettina sul tovagliolo di ciascun commensale, e comunque il cameriere provvederà alle briciole. Il piatto da portata con le pietanze si porge sempre dalla sinistra del commensale, il cameriere in seguito ritira, con la mano sinistra, il piatto usato e, contemporaneamente, con la destra, lo sostituisce con uno pulito, senza mai lasciare il coperto privo di piatto.

Se non vi sono domestici, è importante evitare la confusione. A questo scopo bisogna preparare ogni cosa prima dell'arrivo degli ospiti: disporre quanto è necessario sulla tavola e sulla credenza, tenere i cibi in caldo in cucina e sistemare vicino alla tavola un carrello per poggiarvi le pietanze o i piatti usati. La padrona di casa, o un suo familiare, si allontani da tavola soltanto quando è indispensabile. Non sia lei a servire gli invitati seduti a tavola, ma faccia in modo che gli ospiti collaborino tra loro per la distribuzione delle vivande, come si usa per la prima colazione (durante la quale i camerieri si limitano a portare in tavola il vassoio colmo).

La Prima Colazione

La prima colazione, oltre che in sala da pranzo, può essere servita in terrazzo, in giardino o nel tinello: gli ospiti, seduti intorno alla tavola, si servono personalmente di quanto viene offerto.

Per ogni commensale disporre sulla tavola un piatto con a destra il coltello e il tovagliolo e a sinistra la forchetta.

A lato di ogni piatto, a destra in alto, collocare la tazza adatta alla bevanda che si offre (caffè, caffellatte, tè, cioccolata) secondo le abitudini dell'ospite.

Al centro della tavola disporre la burriera, le coppette delle marmellate, le fette di pane tostato raccolte in cestini, il panettone o il plum-cake, solo in parte affettati perché ognuno possa servirsi da sé, come è buona abitudine, ed eventualmente qualche dolce secco. Se sono previsti dei succhi di frutta collocare sulla tavola un bicchiere per ogni commensale.

Quando tutti gli ospiti sono seduti, sarà la cameriera a portare il vassoio con le bevande calde e la zuccheriera.

È buona usanza che la padrona di casa versi personalmente nelle tazze la bevanda richiesta; ciascun commensale dovrà poi servirsi da sé di quanto è stato disposto sulla tavola.

Per la prima colazione si usa offrire:
- caffè e latte accompagnati da fettine di pane tostato e da burro e marmellata, oppure tè o cioccolata calda con fettine di pane e miele;
- biscotti (scegliendo quelli tipo Savoiardi o al cremore), oppure un panettone (il Pain d'épice o il Panettone della nonna);
- si possono anche aggiungere una torta secca (Torta Margherita) o qualche Maddalena accompagnandole con succhi di frutta.

La Colazione

La colazione oggi esige la scelta di un menù variato ma leggero e, naturalmente, adatto alla stagione in cui lo si offre: d'inverno piatti piuttosto ricchi di condimenti, d'estate più leggeri.

Il formaggio è ammesso solo nel pasto di mezzogiorno, mai nei pranzi serali, e viene servito immediatamente prima del dolce o della frutta.

Esempio di colazione invernale:

Antipasto freddo (facoltativo)	Galantina di gallina
Piatto asciutto di pasta o riso	Vol-au-vent di tagliatelle Benedetta

o minestra leggera se preceduta da antipasto	Zuppa santé
Piatto di pesce	Sogliole alla mugnaia con fagiolini al burro e insalata verde
Piatto di carne con contorni	Vitella glassata alla francese con Patate a nido d'ape e Cipolline in agrodolce
Formaggio	
Dolce o frutta	Torta secca di mandorle e arance

Esempio di colazione estiva:

Antipasto freddo (facoltativo)	Gamberoni in coppette
Piatto asciutto di pasta o riso	Crostata di tagliolini o Sartuncini di riso bianchi
o minestra leggera se preceduta da antipasto	Gnocchi di semolino
Piatto di pesce	Pesce in bianco con patate bollite e insalata verde
Piatto di carne	Roast-beef con contorno di insalata verde e Peperoni au gratin
Formaggio	
Dolce o frutta	Crema per coppette al caffè

IL CAFFÈ

Il caffè, dopo il pasto, si serve in salotto.

È la padrona di casa a invitare i commensali, ancora seduti a tavola, a spostarsi nell'altra stanza. Se si dispone di servitù, questa porta il vassoio con caffettiera, zuccheriera e tazzine, ma è buona consuetudine che sia la padrona di casa a porgere la tazza col caffè a ciascuno degli ospiti.

Il Tè

Il tè si offre in salotto se gli invitati sono pochi e seduti in poltrona, in sala da pranzo se gli ospiti sono numerosi.

Nel primo caso preparare un carrello con le tazze, i tovagliolini, il limone tagliato a fettine e il cognac; al momento di servire portare il vassoio con la teiera, la zuccheriera e la lattiera.

La padrona di casa porge personalmente a ogni ospite la tazza con il tè, al quale aggiunge qualche goccia di latte o di cognac, oppure una fetta di limone, secondo la preferenza di ciascuno. Sarà poi la cameriera a offrire la zuccheriera e i piatti con le tartine e i dessert.

Nel secondo caso preparare in precedenza il tavolo da pranzo con una tovaglia ricamata e i tovagliolini; disporvi sopra i piatti con le tartine o altro; vicino al tavolo sistemare il carrello con le tazze, il limone a fettine, il cognac.

Portare il vassoio con la teiera, la zuccheriera e la lattiera; al momento di servire, la padrona di casa, aiutata dalla cameriera che versa il tè, porge la tazza a ciascuno degli ospiti, che si servono da soli di quanto preparato sul tavolo.

Con il tè si offrono tre diverse qualità di bocconcini:
- uno o due tipi di tartina;
- un panettone oppure un plum-cake;
- qualche dolce, come la "Torta secca di mandorle e arance", lo "Strudel", eccetera.

Il tè freddo, tanto gradito nella stagione estiva, si serve in bicchieri alti riempiti per due terzi e si prepara con qualche ora di anticipo, tenendolo in frigorifero in una brocca in cui siano state messe a macerare una scorza di arancia e una di limone.

Il Pranzo

Il pranzo è più impegnativo della colazione; la scelta di menù più o meno elaborati va fatta in relazione alla qualità e al numero degli invitati. Dato che la sera non si usa servire il formaggio, dopo il dolce o il gelato è prevista anche la frutta.

Esempio di pranzo invernale:

Antipasto caldo (facoltativo)	Pagnotte brusche
Brodo o minestra leggera	Pizza di fanz per il brodo della nonna Maria
Piatto di pesce o un entremets delicato di verdura	Salmone all'inglese con patate lesse e insalata verde Soufflé di spinaci

Piatto di carne di vitello o di pollo
con contorno

Tacchino in fricassea
con Piselli al burro

Dolce
o gelato o semifreddo

Torta caprese
Charlotte di cioccolato

Frutta

Esempio di pranzo estivo:

Antipasto freddo

Antipasto di mare in coppette

Minestra leggera

Consommé freddo

Entremets delicato
o pesce in bianco

Quiche à la Lorraine
Spigola al forno con patate

Piatto di carne bianca con contorno

Involtini di carne alla chitarra
con verdura rosolata
o Pollo all'arancia con
insalata verde

Dolce o gelato

Crème caramel

Frutta

IL BUFFET

Quando gli invitati sono così numerosi che non è possibile farli sedere tutti a tavola, si ricorre al buffet che, per la varietà e il numero delle pietanze o per l'originalità delle presentazioni, può arrivare a livelli di alta raffinatezza.

Allestire il buffet freddo possibilmente su tavoli rettangolari, ricoperti da una tovaglia importante e disposti in modo che gli ospiti vi possano accedere con facilità. Su un tavolo più piccolo sistemare i piatti, le posate, i tovaglioli e il pane. I bicchieri, le bibite, i vini e i cocktail vanno sistemati su un terzo tavolo rettangolare ricoperto da una tovaglia bianca e semplice, possibilmente collocato in un altro ambiente in modo da agevolare la circolazione degli invitati.
Gli elementi di un buffet possono continuamente variare ed essere più o meno elaborati; di solito si preferiscono cibi che per le dimensioni consentano agli ospiti di servirsi facilmente (tartine, arancini di riso, panini farciti, timballetti rustici, piccoli

pâtés, insalata di mare, insalata russa, galantina di pollo in gelatina, pizza rustica, involtini di carne, eccetera). Infine è opportuno scegliere dolci mignon secchi e morbidi ("Bocconotti di marmellata") o piccoli "Choux à la crème" o anche gelati come il "Sorbetto di arancia" o i "Bonbons di cioccolato bianchi e neri".

Esempio di buffet invernale:

Antipasto	Mousse di prosciutto con crostini o Pizzelle imbottite fritte
Primi	Panierini di tagliolini e Timballetti di riso
Entremets	Torta rustica con la frolla o Torta rustica ai carciofi
Secondi	Spezzatino bianco e Involtini di carne a bauletto
Contorni	Scarole a involtino Olga e Insalata di riso
Dolce	Éclairs al caffè o Zeppoline al miele

Esempio di buffet estivo:

Antipasto	Alici crude marinate o Mousse di tonno
Primi	Pomodori ripieni di riso o Spaghetti nei peperoni alla napoletana
Entremets	Pizza roulée Olga
Secondi	Vitello tonnato e Purpetiélli affogati
Contorni	Zucchini alla scapece e Carote agrodolci
Dolce	Gelato tipo mousse all'amarena o Budino alla nocciola

I Vini

L'abbinamento dei vini a ogni singola portata è molto importante: è essenziale conoscere al riguardo alcune regole fondamentali, tenendo comunque presente che esse vanno contemperate alle usanze locali e ai gusti personali.

I vini leggeri si servono prima di quelli ad alta gradazione alcolica, e i vini bianchi prima di quelli rossi.

Il vino bianco si serve con gli antipasti.

Il vino bianco secco si serve con i brodi, le minestre, i primi piatti delicati e quelli a base di pesce, i piatti di pesce, i formaggi freschi e i dolci delicati.

Il vino rosato si serve con i primi piatti a base di carne, i secondi piatti di pollo o di vitello e con i formaggi stagionati.

Il vino rosso accompagna bene le carni rosse, le carni di maiale, i salumi e i formaggi stagionati.

Il vino dolce, lo champagne e il moscato si servono con la frutta, i gelati o i dolci.

Infine è bene sapere che:

Il vino bianco si serve molto freddo.

Il vino bianco secco e il vino rosato si servono moderatamente freddi.

Il vino rosso si serve a temperatura ambiente.

Gli aperitivi

Un vermouth è l'aperitivo più semplice, ed è gradito a tutti. Prima di un pranzo raffinato si può offrire dello champagne, al naturale o corretto con gocce di arancia o di cognac.

CONSIGLI UTILI

*Nelle pagine che seguono ho raccolto, in ordine alfabetico per renderne
più immediata la consultazione, una serie di consigli e di accorgimenti utili per
ottenere i migliori risultati nell'esecuzione dei vari piatti.
Insieme a un certo numero di dati sulle "materie prime", dalle carni alle verdure,
dai condimenti alle paste di base, questi consigli offriranno un prezioso aiuto
sia a chi si cimenta per la prima volta in cucina, sia a chi dispone
di maggiore pratica e che vi ritroverà, tra i molti segreti del mestiere già noti,
certamente anche qualcosa di nuovo con cui arricchire il bagaglio
della propria esperienza.*

Agnello. È il piccolo della pecora che non abbia superato il primo anno di vita. Se non supera i primi due mesi viene denominato *agnello da latte*; la sua carne è tenerissima, morbida e delicata, ha un colore leggermente rosato ed è quasi completamente priva di grasso. Nell'Italia centrale, in particolare nel Lazio, l'agnello da latte viene denominato *abbacchio*. La freschezza delle carni di questo animale si giudica dalla durezza del cosciotto e dal colore rosa pallido del rognone; è preferibile evitare di mangiarne nei mesi caldi, quando la qualità è generalmente inferiore.

Bagnomaria. È un sistema di riscaldamento indiretto di un recipiente attraverso un liquido, in genere l'acqua. Prende il nome dalla leggendaria Maria, sorella di Mosè, che pare lo abbia inventato per preparazioni alchimistiche. Dà ottimi risultati per la cottura di alcuni piatti (budini, sformati di verdure, creme) perché il composto cuoce rimanendo umido, ed è anche molto valido per tenere in caldo salse o contorni in attesa di servirli, o anche per riscaldare pietanze morbide. *Cottura sul fornello.* Occorrono due tegami dal bordo alto: nel primo, più largo del secondo, versare dell'acqua fino alla metà del bordo e porlo sul fuoco. Appena l'acqua va in ebollizione, immergere il secondo tegame più piccolo, contenente il cibo da cuocere. Dal momento in cui l'acqua riprende il bollore inizia il tempo di cottura: regolare quindi la fiamma in modo che l'acqua bolla moderatamente per tutto il tempo necessario. *Cottura in forno.* L'acqua del tegame più grande va fatta bollire prima sul fornello poi, sempre nello stesso recipiente, nel forno già caldo al massimo. Appena il bollore riprende, immergervi il recipiente più piccolo contenente il cibo da cuocere. Dal momento in cui l'ebollizione dell'acqua riprende, ha inizio il tempo di cottura. Regolare la temperatura del forno a 200 °C perché l'acqua bolla moderatamente per il tempo necessario.
Per la liquefazione del *cioccolato* e dello *zucchero* si procede nel modo seguente: mettere il cioccolato (o lo zucchero) in un tegamino e collocarlo poi sopra (*e non*

dentro) un pentolino contenente acqua in ebollizione. Il tegamino con il cioccolato deve essere più grande dell'altro sul quale deve poggiare, in modo che l'acqua in ebollizione non ne tocchi il fondo.

Per questo tipo di cottura oggi sono in vendita dei pentolini speciali, muniti di un doppio fondo da riempire d'acqua.

Bicarbonato di sodio e cremore di tartaro. Questi sali sono sempre stati usati per la lievitazione di impasti dolci. Il biscotto, il panettone o qualunque altro dolce secco acquisiscono una friabilità senza confronto. Il loro uso è semplice e per procurarseli basta andare in farmacia.

Burro v. *Condimenti*

Capretto. La sua stagione va dalla fine di aprile a metà giugno. Qualunque sia il metodo scelto per la cottura, il condimento deve essere abbondante, per dare maggior risalto alla bontà della sua carne così tenera; dopo cotto si servirà sgocciolato del suo grasso.

Carni. Non è la lunga cottura che rende tenera la carne, bensì la frollatura. *La frollatura.* Ha lo scopo di allentarne i tessuti e le fibre muscolari. Naturalmente il freezer non frolla perché mantiene i tessuti allo stato naturale. Per frollare qualsiasi tipo di carne occorre tenerla due giorni sul piano più freddo del frigorifero di casa, chiusa come è stata comperata. In tal modo non si rischierà di trovarla decomposta. Le carni si suddividono in tre categorie: alla prima appartengono i pezzi di carne pregiata destinati agli arrosti che si trovano nel Costato e nella Regione Lombare dell'animale; alla seconda le carni per fettine, per brasati o per intingoli vari che sono nella Coscia e nella Natica; alla terza le carni per lessi o spezzatini che si trovano nella Spalla. *Gli arrosti.* Si cuociono allo spiedo o in forno. La cottura allo spiedo deve essere di breve durata e a calore fortissimo, perché si formi subito uno strato superficiale ben rosolato che consenta di conservare all'interno tutti i succhi della carne; per evitare che la carne diventi secca o che si bruci bisogna cospargerla continuamente del suo stesso grasso che cade nel tegame. Un pezzo di carne arrostito in forno ha una cottura più lunga ed è cotto quando, infilandovi e sfilandone le punte di una forchetta, esse scorrono con facilità. *Le fette di carne bovina.* Vanno cotte come la bistecca arrostita, cioè in una padella già rovente per la durata di 30-50 secondi a fuoco vivace. Le salse indicate si cuociono a parte nella stessa padella, ma prima o dopo la cottura della carne. Così la fettina risulterà sugosa, tenera e saporita. *Le carni brasate.* Se di taglio grosso, devono essere rosolate a fuoco forte; se di piccolo taglio, è bene rosolarle a fuoco lento per non farle indurire; infine vanno cotte a temperatura moderata in teglia chiusa per la durata di 1 ora e 20 minuti per chilogrammo se si tratta di bovino adulto, di 1 ora per chilogrammo se si tratta di vitellino. Se durante la cottura la glassa si asciuga, si può aggiungere qualche cucchiaio d'acqua, purché sia bollente e abbia il tempo di asciugarsi del tutto. Si consiglia inoltre di usare teglie non molto più grandi della carne, affinché questa possa rimanere sempre umida in cottura. *Le carni bollite.* Vanno messe in pochissima acqua fredda, cotte a bollore moderato e costante, e salate a fine cottura; per ricavarne anche il brodo, vanno comunque immerse in acqua fredda, ma più abbondante e con l'aggiunta degli ortaggi necessari, e portate lentamente all'ebollizione. *Salare la carne.* È un'operazione da eseguire a fine cottura; i pezzi grandi brasati sul fornello o in forno si salano negli ultimi 6-7 minuti occorrenti alla cottura, durante i quali devono essere rigirati più volte. Le fettine di arrosto si possono salare a cottura ultimata per evitare che la carne, al contatto col sale, venga privata del suo umore e si asciughi.

Carta oleata. È opportuno tenere sempre in casa qualche foglio di carta oleata: in cucina essa è indispensabile. Una carne resistente come quella di un agnello adulto, di un pollo o di un'anatra ruspanti, se racchiusa in carta oleata e cotta in forno al cartoccio, risulterà tenera e morbida; rimossa la carta, sarà sufficiente rosolarla prima di servirla. Un pesce fresco, pulito, avvolto nella carta oleata e cotto al forno, risulta saporito e umido. Un pesce surgelato, anche se non pulito, cotto al forno nella carta oleata conserva tutti gli umori e ha sapore di mare. La carta oleata è l'ideale per la conservazione in frigorifero dei cibi cotti perché non contiene sostanze nocive per la salute.

Chiara d'uovo. È un ingrediente che da solo, se lavorato correttamente, può dare consistenza e volume a una preparazione. Per montare a neve velocemente gli albumi è opportuno usare uova fredde tenute in frigorifero, bisogna lavorarle con il frullino o con la forchetta finché non diventino una spuma solida e nel fondo del piatto non sia rimasta traccia di liquido. È necessario che le chiare montate non si sgonfino quando vengono unite all'impasto; a questo scopo, avvalendosi di un cucchiaio di legno, eseguire un movimento dal basso verso l'alto fino a che il composto risulterà omogeneo; esso, infine, deve essere subito versato nella teglia già pronta e infornato alla temperatura richiesta dalla ricetta.

Cibi cotti. Non appena cotto, il cibo deve essere allontanato dalla fonte di calore. Se una preparazione rimane nel forno oltre il tempo necessario alla cottura, il suo condimento asciuga troppo; eventualmente, prima di servirla la si può riscaldare. *Minestra.* Se viene lasciata nel suo brodo quando la cottura è terminata rischia di perdere tutto il suo liquido; meglio piuttosto separarla dal liquido e riscaldarla in esso al momento di servirla, oppure riversarla in una pentola in cui bolla un po' di acqua e rigirarla per pochi secondi. *Pasta.* I piatti asciutti di pasta, come i famosi spaghetti alla napoletana, risultano ottimi se riscaldati, già conditi, in una padella unta e posta su fuoco vivace; è soltanto necessario rigirarli spesso con una paletta. *Carne con sugo.* La carne a volte può risultare cotta prima ancora che il suo condimento si sia ristretto al punto giusto; in questo caso è bene toglierla dal tegame, far restringere il sugo e poi rimettervela a insaporire. *Fette di carne.* Si devono tagliare da un girello cotto soltanto quando questo si è raffreddato. L'unico modo per riscaldarle senza annerirle è quello di metterle per qualche istante nel loro sugo caldo, sul fornello. *Panettoni.* Soltanto i panettoni che lievitano con chiare d'uovo o con lievito in polvere (e non lievito di birra) devono rimanere nel forno anche trascorso il tempo necessario alla cottura: infatti, per non perdere la crescita, devono raffreddarsi lentamente.

Cicoli v. *Condimenti*

Cipolla. È un ingrediente indispensabile nella cucina semplice come in quella raffinata, ma purtroppo risulta poco digeribile. Per riuscire a sentirne il gusto nelle vivande, senza subire fastidiose conseguenze, occorre tagliare la cipolla (come la ricetta specifica richiede) e porla in un pentolino con 1 decilitro d'acqua, dopo di che: coprire, portare a ebollizione e lasciar cuocere per circa 10-15 minuti a fuoco moderato, fino a che l'acqua non sia del tutto asciugata. Dopo questa semplice operazione, la cipolla potrà essere usata secondo le indicazioni della singola ricetta, senza alcuna preoccupazione per la digestione: generalmente si aggiunge il grasso nel pentolino contenente la cipolla e la si fa rosolare.

Condimenti. È vero che per mantenere l'organismo in ottima forma è sufficiente condire i cibi con un solo cucchiaino di burro o di olio vergine d'oliva, ma anche la sugna e il lardo non sono nocivi e, se il nostro stato di salute lo consente, possiamo a volte permetterci di usare questi grassi animali, evitando le margarine e tutti gli oli vegetali di cui non conosciamo la provenienza e che oggi si usano con tanta superficialità. *Olio vergine d'oliva.* È il più genuino dei grassi. Oggi viene raramente usato per le fritture perché considerato pesante ma, al contrario, i cibi fritti in un grasso consistente risultano valorizzati in tutta la loro sostanza: l'olio d'oliva non li asciuga durante la frittura, ma li rende morbidi e soffici. Per condire salse, carni o altro è indicato l'extravergine, perché più raffinato. *Burro.* È un grasso molto nutriente, per cui viene escluso dalle diete dimagranti. È l'unico condimento che può costituire la sugna; la pasta frolla lavorata con il burro, per esempio, è in grado di racchiudere qualsiasi ripieno senza frantumarsi in cottura. Inoltre se si unge di burro una teglia, la pietanza in essa contenuta cuoce senza bruciare e si sforma facilmente; non si ottiene lo stesso risultato usando oli vegetali. *Sugna.* Preparare la sugna in casa non è difficile; il risultato compensa, per genuinità e sapore, il tempo occorrente. Acquistare in macelleria qualche chilogrammo di grasso di maiale (da non confondere con il lardo, che è grasso con cotica, già salato); tagliare il grasso in pezzetti, porli in un tegame con un cucchiaino di acqua e, a fuoco moderato, lasciarli liquefare, rigirandoli di tanto in tanto. Dopo 30-40 minuti tutti i pezzetti saranno disciolti; ritirare il tegame dal fuoco e versare il liquido in vasetti di vetro; aspettare che si raffreddino e sistemarli in frigorifero. La sugna durerà così molto tempo, conservando intatte le sue caratteristiche. Infine un avvertimento: non buttar via quei pezzetti di grasso, duri e ingialliti, che rimangono sul fondo del tegame: sono i cosiddetti *cicoli*, ottimi per l'imbottitura del "Tortano meridionale" (v. n. 244). *Lardo.* È indicato come condimento per alcune carni di vitella, perché dà loro sapore, e in salse cui si vuole dare un gusto rustico. Per cucinarlo, privarlo della cotenna (che, volendo, si può usare per delle minestre) e tagliarlo a fettine sottili; porle su un tagliere e batterle ripetutamente con la lama di un coltello non zigrinato. Girare quindi queste fette e continuare a batterle fino a che il lardo sia ridotto a una crema; mettere il battuto in una pentola su fiamma molto moderata. Il grasso si scioglierà e nell'intingolo rimarranno dei pezzettini duri e giallastri che verranno scartati; al lardo sciolto in pentola unire l'olio o il burro, farli un po' riscaldare e poi mettere a rosolare la cipolla o la carota o altro, secondo quanto indicato dalla ricetta che si vuole eseguire.

Cottura v. *Bagnomaria, Forno, Frittura, Vapore*

Creme. Per alcune creme d'epoca presenti in questo libro è necessario usare l'amido di frumento, che conferisce loro un gusto delicato e le fa risultare fluide (come la n. 334). Per altre, invece, è soltanto il tipo di lavorazione che conta perché le rende spesse fino a far loro assumere la consistenza di veri gelati senza dover ricorrere all'uso della gelatiera (come la n. 339 e la n. 360). Questa lavorazione consiste nel mescolare il composto su fuoco moderato e nell'avere l'accortezza di non farlo arrivare all'ebollizione. Per capire quando la crema è pronta prenderne una cucchiaiata con un cucchiaio di legno e lasciarla ricadere nella pentola; se il cucchiaio rimane totalmente "vestito" di un alone trasparente vuol dire che bisogna togliere la pentola dal fuoco.

Cremore di tartaro v. *Bicarbonato di sodio*

Fontana di farina v. *Paste e impasti*

Forno. Usare il forno è facile se si seguono alcune regole di base. Il cibo va infornato quando la temperatura ha raggiunto livelli elevati di calore e non prima, così la pietanza rimarrà in forno il solo tempo necessario alla cottura e non oltre. Se il forno ha tre ripiani interni sistemare la teglia sul primo dal basso; se ne ha quattro sistemarla sul secondo, sempre dal basso.
Cottura nel forno elettrico. Il forno elettrico è lento a riscaldarsi come a raffreddarsi; è pertanto preferibile per cibi la cui lievitazione si prolunga durante la cottura, che deve essere graduale (soufflé, pan di Spagna). Per tutti gli altri tipi di pietanza, il forno elettrico va usato seguendo un metodo preciso: accenderlo alla temperatura di 280°C, aspettare almeno 30 minuti perché arrivi a questo grado di calore, poi infornare la teglia e contemporaneamente abbassare la temperatura ai gradi richiesti dalla ricetta specifica; tenere conto del fatto che il tempo di cottura comincia quando sulla superficie della preparazione appaiono delle bollicine che, con questo sistema, avviene solamente 10 minuti dopo che essa è stata infornata. In tal modo i cibi non risulteranno bruciati o troppo asciutti, e gli ingredienti (come la pasta o il riso) saranno cotti al punto giusto. Questo metodo di cottura non è però valido per preparazioni al lievito di birra, al lievito in polvere e alle chiare d'uovo.

Cottura nel forno a gas. Il forno a gas, per la rapidità con cui si riscalda, è adatto a tutti i tipi di preparazioni. Per usarlo correttamente è bene seguire il seguente metodo: accenderlo alla temperatura di 280 °C e tenerlo acceso, ma vuoto, per circa 10 minuti. Introdurvi quindi la vivanda e lasciar passare ancora 10 minuti. A questo punto si noteranno sulla superficie della preparazione alcune bollicine di cottura: soltanto allora abbassare la temperatura ai gradi indicati nella ricetta. Calcolare da quest'istante il tempo di cottura specifico. Con tale sistema il cibo comincia a cuocere 10 minuti dopo essere stato infornato. Questo metodo non è applicabile a cibi preparati con lievito di birra o in polvere, o con chiare d'uovo. *Cottura in forno di preparazioni al lievito di birra.* Il forno elettrico è il meno indicato per questo genere di cottura ma, se usato con intelligenza, può dare buoni risultati. Accenderlo alla temperatura di 280 °C e tenerlo acceso, ma vuoto, per circa 30 minuti. Dopo tale tempo, infornare la pietanza già lievitata senza mai ridurre il grado di calore. Far cuocere per il tempo necessario, calcolando i minuti richiesti dal momento in cui la teglia è stata infornata. Il forno a gas è l'ideale per queste preparazioni; usarlo nel modo seguente: accenderlo alla temperatura di 280 °C e lasciarlo acceso vuoto per 10 minuti. Introdurvi quindi la vivanda già lievitata senza abbassare mai la temperatura. Cuocere per il tempo richiesto calcolando i minuti di cottura da quando la teglia entra nel forno. *Cottura di brioche e babà.* Il procedimento è uguale a quello delle preparazioni al lievito di birra, però si deve regolare il forno a 200°C e non a 280°C; comunque calcolare il tempo di cottura dal momento in cui le pietanze vengono infornate. *Cottura in forno di preparazioni al lievito in polvere, al cremore, alle chiare d'uovo.* La cottura di questo tipo di preparazioni richiede un moderato e costante grado di calore che ne permetta il proseguimento della lievitazione. Vanno pertanto infornate a temperatura non troppo alta e, dopo cotte, lasciate in forno a raffreddare. Il forno elettrico è ideale per questo tipo di cottura. Accenderlo a 160-180°C; dopo 30 minuti infornare la teglia lasciando inalterata la temperatura e calcolare il tempo di cottura da questo momento. Il composto deve essere infornato immediatamente dopo che i lieviti o le chiare d'uovo ben montate siano stati amalgamati al tutto. Non aprire mai lo sportello del forno, neanche a cottura ultimata: un'immissione di aria fredda è nociva alla lievitazione in atto. Terminato il tempo di cottura, aspettare che il forno si raffreddi prima di estrarre la teglia: in tal modo l'impasto, cresciuto durante la permanenza al caldo, non perderà volume. Il forno a gas può essere usato come quello elettrico, ma con una differenza: deve essere acceso solo 10 minuti prima di infornare la pietanza lievitata.

Freezer. Il cibo da congelare nel freezer, sia esso crudo o cotto, deve essere completamente avvolto in fogli d'alluminio o carta oleata: se l'aria o il vapore acqueo lo sfiorassero, si avarierebbe.
La verdura e la frutta fresca non si congelano bene crude: la verdura va cotta in precedenza e poi congelata; la frutta può essere sciroppata e sistemata nei contenitori adatti.
Molti freezer casalinghi permettono una conservazione dei cibi di soli 3 mesi; annotare su ogni alimento la data di inizio del congelamento. *Scongelamento.* Il cibo,

una volta scongelato, deve essere consumato nelle 3-4 ore successive. Lo scongelamento non deve mai essere rapido; l'alimento ne soffrirebbe, perdendo le sue caratteristiche di sapore e profumo. Per ottenere uno scongelamento graduale, mettere gli alimenti tolti dal freezer nel frigorifero per circa 7-8 ore, e poi lasciarli a temperatura ambiente finché non riprendano la loro naturale consistenza. Se si vuole scongelare un cibo in minor tempo, occorre, una volta tolto dal freezer, metterlo in un colapasta poggiato su un piatto e tenerlo a temperatura ambiente per circa 4-5 ore: mai forzare il processo sotto l'acqua corrente.

Frittata. Prende forma e dimensioni dalla padella o dalla teglia in cui è cotta. Gli ingredienti che la compongono vanno amalgamati alle uova sbattute prima della cottura. I sistemi di cottura sono due: sul fornello o in forno. *Sul fornello* vanno cotte le frittate con ingredienti asciutti, quali le paste alimentari, il riso, le verdure dure. Porre su un fornello piccolo, a fiamma moderata, una padella con 2 centilitri di olio (o 40 grammi di burro). Non appena l'olio è ben caldo, versare le uova ben amalgamate con gli ingredienti. Livellare la superficie aiutandosi con una forchetta e cuocere sempre a fuoco moderato, roteando continuamente la padella in modo che ogni parte del bordo sia per 3-4 minuti a contatto della fiamma. A metà cottura poggiare sulla padella un piatto piano che abbia lo stesso diametro e, mantenendolo fermo con il palmo di una mano, impugnare con l'altra il manico della padella e capovolgerla. Rimettere la padella sul fuoco e farvi scivolare dentro la frittata, ripetendo lo stesso tipo di cottura sopra descritto. Una volta cotta da entrambi i lati è facile adagiare la frittata sul piatto da portata. Considerare sufficienti 40 minuti di cottura, per una padella media.
Nel forno vanno cotte le frittate con ingredienti morbidi e acquosi come i pomodori e le verdure tenere. Ungere una teglia tonda e bassa con olio o burro e versarvi gli ingredienti in precedenza amalgamati con le uova sbattute; passare in forno caldo. Allorché l'olio comincia a friggere ai bordi della teglia, imprimere qualche movimento al recipiente, in modo da smuovere la frittata. Il tempo della cottura in forno è inferiore a quello sul fornello, in quanto la frittata cuoce contemporaneamente da tutti i lati; sono sufficienti 12 minuti circa a 180°C.

Frittura. L'olio d'oliva è considerato il grasso migliore per ogni tipo di frittura. Per friggere bene il fuoco deve essere vivace e l'olio abbondante; esso deve sprigionare fumo quando vi si immerge il cibo. Non abbassare mai la fiamma mentre il cibo è in padella e fare attenzione che il tempo di frittura sia breve: è erroneo pensare che un fuoco più moderato e un tempo di cottura prolungato facciano cuocere meglio l'alimento; al contrario, esso resterebbe molle e risulterebbe rosolato anziché fritto. In alcuni casi di preparazioni molli e spesse, si consiglia un pentolino di ferro profondo 10 centimetri, con il diametro superiore di 21 e quello inferiore di 13; questo perché può essere colmato d'olio senza spreco e la frittura, immersa nel grasso, non si spaccherà né sgretolerà.
La padella o il pentolino alto si devono riempire di un solo strato di cibo; quando questo è cotto, bisogna estrarlo, poggiarlo su della carta assorbente e salarlo. Si sala

dopo e non prima perché il sale ammoscerebbe l'alimento. Aspettare poi che l'olio sia di nuovo fumante e soltanto allora mettervi la seconda dose di cibo, procedendo così fino a esaurimento. La frittura, dopo cotta, deve risultare di colore biondo intenso. Per krapfen, beignets e pizzette al lievito la fiamma deve essere un po' meno forte affinché questi impasti continuino a lievitare nell'olio caldo.

Gelato. Con un refrigeratore a quattro stelle si può fare un gelato in tre ore senza gelatiera. Mettere nel refrigeratore, 30 minuti prima di usarlo, un recipiente largo di plastica o di alluminio. Preparare il composto da gelare, versarlo nel recipiente raffreddato e metterlo subito nel refrigeratore. Ogni 40 minuti e per tre volte, mescolare bene il composto con un cucchiaio e con un movimento dal basso verso l'alto perché, non essendosi il gelato ancora indurito, i liquidi tendono a scendere. Alla terza mescolata (dopo 2 ore circa), si noterà che non c'è più liquido sul fondo del recipiente; quindi non mescolare più l'impasto e proseguire, per l'ora di congelamento che ancora rimane, in uno dei due seguenti modi: a) *se non si desidera sformare il gelato*, lasciarlo indurire nello stesso recipiente e, al momento di offrirlo, prenderne la quantità necessaria e metterla nelle singole coppette; b) *se si desidera sformare il gelato*, dopo la terza mescolata (cioè dopo circa 2 ore), toglierlo dal recipiente, metterlo nella forma bagnata e sgocciolata indicata dalla ricetta, e lasciarvelo indurire per l'altra ora necessaria; sformarlo poi secondo le indicazioni date alla voce specifica (v. *Sformare*). Per il tempo di conservazione dei gelati, considerare che essi possono rimanere nel freezer anche 7-8 giorni, ma che perdono progressivamente profumo. Per esempio, un sorbetto e un gelato di frutta fresca dopo 24 ore risultano privi di gran parte del loro aroma.

Girata. Tecnica di lavorazione della pasta sfoglia. Consiste nello spianare a quattro riprese una data quantità di pasta, piegandola in quattro ogni volta (prima in due in un senso, poi ancora in due nel senso opposto) in modo che la sfoglia risulti formata da strati sottili. La pasta può anche essere spianata a tre riprese; in questo caso però la sfoglia va piegata in tre e non in quattro.

Grassi v. *Condimenti*

Insalate. Condire a insalata delle verdure, dei legumi o qualsiasi altro cibo crudo o cotto, è un'arte e richiede alcuni accorgimenti. Versare in una ciotolina l'olio e il sale necessari; dopo 10 minuti, quando il sale è del tutto sciolto, aggiungere l'aceto, o il limone, e le spezie desiderate; con una forchetta amalgamare energicamente gli ingredienti e versare il tutto sull'insalata già disposta nell'insalatiera. Infine rimestare con le posate adatte e servire dopo un quarto d'ora perché possa avere il tempo di insaporirsi. L'eventuale aggiunta di maionese o di altra salsa va fatta solo dopo aver condito l'insalata con olio, aceto (o limone) e sale.

Lavorazione "di polso" v. *Paste e impasti*

Maiale. Il maiale è notoriamente l'animale di cui si utilizza tutto. La sua carne deve avere precise caratteristiche: essere bianca con una lievissima sfumatura di rosa, liscia, di grana fine e con abbondante grasso. Questa carne deve essere sempre cotta più a lungo e a fuoco più moderato delle carni bovine, altrimenti risulta indigesta e di sapore sgradevole; però non va neppure cotta troppo perché, in tal caso, diventa filacciosa e asciutta. L'*arista* è la parte dell'animale che comprende tutte le costole; è ottima per arrosti oppure, intera e disossata, per piatti pregiati. Le *cosce* sono indicate per essere brasate in forno, oppure cucinate arrosto o *à la glace*; da esse si ricava il prosciutto, crudo, cotto e affumicato. La *spalla* è indicata per bolliti. Il *petto* e la *pancia* sono tagli grassi da cui si ricavano la sugna e i lardi salati. *Fegato*, *polmone* e *cuore* si mescolano ad altri tagli per confezionare salsicce secche. La *testa* serve per fare salami e i *piedi* possono essere utilizzati per delle cotolette particolari.

Mandorla. È consigliabile tenere sempre in casa un sacchetto di mandorle perché il loro impiego è richiesto da svariate preparazioni. *Per usarle fritte nei dolci*. Privare le mandorle del guscio, immergerle qualche istante in poca acqua in ebollizione, quindi spellarle. Versare in una padella poco olio di oliva e, quando è caldo, friggervi, a fuoco vivace, le mandorle raffreddate, girandole costantemente. Non appena saranno divenute di un colore nocciola scuro, sollevarle, poggiarle su della carta assorbente e farle raffreddare. Quindi tritarle o tagliuzzarle come la ricetta specifica richiede. Generalmente vengono usate sulle creme al burro, come guarnizione saporita. Possono essere conservate per una decina di giorni; in questo caso, dopo fritte, è opportuno chiuderle in un barattolo di vetro. *Per usarle in sostituzione dei pinoli*. Spellare e friggere le mandorle come indicato più sopra, tagliarle in due nel senso della lunghezza e usarle negli involtini di carne, nelle pietanze *au gratin...* Risulteranno gustose quanto i pinoli. *Per usarle come salatini*. Spellare e friggere le mandorle come indicato più sopra, poggiarle sulla carta assorbente e, ancora calde, cospargerle di sale fino e rigirarle. Fredde, servite in piccole coppette come accompagnamento di aperitivi, risulteranno molto gustose e particolari.

Marmellata. Per ottenere una buona marmellata si deve scegliere innanzitutto una pentola proporzionata alla quantità della frutta che, unita allo zucchero, non deve riempirla più della metà. La frutta deve essere molto matura; lavarla, sgocciolarla bene, snocciolarla e poi pesarla; metterla nella pentola, versarvi sopra lo zucchero e, a fuoco moderato, aspettare il bollore prima di cominciare a mescolare con un cucchiaio di legno. La cottura deve essere eseguita a fiamma molto bassa, per dare il tempo all'acqua della frutta di evaporare completamente; altrimenti, una volta chiusa in un vaso ermetico, la marmellata ammuffirà. Inoltre il fuoco lento non rompe molto la frutta. Una regola generale è quella di non cuocere la marmellata per meno di 2 ore e 10 minuti. Però la frutta può essere più o meno acquosa; le pere e le prugne, che contengono più acqua, hanno bisogno di cuocere 10-15 minuti in più. Le ciliege e le amarene sono piuttosto asciutte, per cui, se si fanno cuocere più del necessario, si rischia di fare indurire troppo la marmellata.

Le meno esperte potranno regolarsi mettendo in frigorifero un cucchiaio di marmellata (mentre è ancora a cuocere) in un piattino; dopo pochi minuti potranno verificarne la consistenza, perché essa si sarà raffreddata e indurita. A cottura ultimata, metterla in vasetti ben puliti e asciutti e lasciarli aperti per 24 ore. Il giorno dopo versare sulla marmellata un cucchiaino di alcool o di liquore e chiudere ermeticamente: si conserverà per anni. È bene usare vasetti o barattoli di piccole dimensioni perché, quando se ne apre uno, si deve consumare in un paio di giorni tutta la marmellata che vi è contenuta, altrimenti essa si altererà (se si desidera conservare un vaso aperto per una decina di giorni, lo si potrà tenere in frigorifero). Se, al contrario, si adoperano vasi di grandi dimensioni, bisognerà avere l'accortezza, quando se ne apre uno, di non lasciarvi l'eventuale marmellata rimasta, ma di travasarla in un altro vasetto pulito che la contenga fino all'orlo; bisogna poi cospargere la superficie con un poco di alcool e chiudere con cura il coperchio; si conserverà per qualche mese ancora. La muffa che si formerà internamente ne indicherà l'eventuale alterazione.

Olio v. *Condimenti*

Omelette. Questa frittata è rigonfia e ha forma oblunga, consistenza soffice e, nell'interno, un ripieno a scelta. Versare 3 cucchiai di olio o 50 grammi di burro in una padella antiaderente e muoverla in modo che il grasso ne unga il fondo e l'interno del bordo; metterla poi su una fiamma larga e vivace. Appena il condimento è caldo, versare le uova, sbattute in precedenza brevemente in un piatto e condite con sale, e fare in modo che si stendano su tutto il fondo; subito dopo adagiarvi il ripieno su tutta la lunghezza della parte centrale, senza abbassare la fiamma. Dopo circa 40-50 secondi, con l'aiuto di due forchette, sollevare un lembo dell'omelette e ripiegarlo sul ripieno; dopo altri 40-50 secondi rivoltare ancora su se stesso il ripieno coperto dalle uova rapprese, e quindi terminare la cottura per 1 minuto ancora su fuoco vivace. È importante rispettare i tempi, altrimenti il composto si indurisce e si spacca. Sarà facile infine sollevare l'omelette dalla padella e adagiarla sul piatto da portata. Per una omelette di 4 uova sono sufficienti 3 minuti di cottura.

"Panetto". Impasto che costituisce la fase iniziale della lavorazione di alcune paste lievitate (brioche, krapfen, babà, eccetera). Lo si ottiene amalgamando una certa quantità di farina e di lievito sciolto in un po' d'acqua. Terminata la lavorazione lo si lascia riposare per breve tempo, fino a quando raddoppia di volume (prima lievitazione), poi si rimpasta con altri ingredienti, secondo la ricetta specifica.

Paste alimentari. La cottura delle paste alimentari – sia fresche, preparate in casa, sia secche, preparate dall'industria – è molto semplice, ma richiede qualche attenzione. La pasta deve bollire in molta acqua per non ammassarsi. Il sale va aggiunto nell'acqua fredda; in genere si usa il sale grosso in misura di 10 grammi per ogni litro d'acqua. La pasta va immersa solo quando l'acqua ha raggiunto l'ebollizione completa, e mescolata continuamente. Appena l'ebollizione riprende, coprire parzialmente e far cuocere, sempre mescolando di tanto in tanto. Non è possibile stabilire un tempo preciso di cottura; esso varia a seconda del tipo di pasta e della qualità delle farine di cui è fatta, ma anche del gusto individuale della persona che dovrà mangiarla; si consiglia, comunque, sempre la cottura al dente. Generalmente le paste secche di grano duro cuociono in 7 minuti; se devono continuare la cottura in forno, farle bollire solamente per 5 minuti. Naturalmente bisogna considerare il tempo di cottura da quando l'acqua riprende il bollore insieme alla pasta. Le paste fresche all'uovo cuociono in 3-5 minuti; se la loro cottura deve continuare in forno, farle bollire solamente per 2 minuti. Al momento giusto, ritirare dal fuoco la pentola, aggiungere un poco d'acqua fredda per interrompere la cottura, capovolgerla su un colapasta e scolare la pasta rapidamente; servire subito. In genere si usa condire la pasta prima con la salsa e poi con il parmigiano, che di solito viene servito a parte; nei casi di sughi grassi è consigliabile cospargere sulla pasta calda prima il formaggio grattugiato, poi la salsa; così si eviterà che la pasta assorba tutto il grasso della salsa.

Paste e impasti. *La fontana di farina.* Mettere a fontana la farina sul tavolo di lavoro e impastare sembra un'operazione facile: la riuscita della preparazione invece dipende proprio da questa prima fase. Si proceda come segue: separare un mucchietto di farina da quella occorrente per fare la fontana, e tenerlo a parte; raccogliere in un piatto tutti i liquidi e gli ingredienti necessari all'impasto e sbatterli un poco con una forchetta prima di versarli nel centro della fontana; non adoperare tutta la quantità di acqua prescritta, ma conservarne un po' a parte, per aggiungerla in seguito se l'impasto lo richiede; prima di tuffare le mani nella farina, mescolare con una forchetta gli ingredienti versati al centro, e amalgamare a essi la farina, poco per volta, procedendo dall'interno della fontana. Solo quando il composto si sarà addensato cominciare a lavorarlo con le mani giudicando se aggiungere o meno altra acqua. È importante non usare più della farina prescritta, per non alterare la ricetta. Il mucchietto di farina tenuto a parte servirà per spolverizzare il piano di lavoro e il matterello che si deve usare per stendere le sfoglie. Con le mani fare una palla dell'impasto e lavorarla come e quanto la ricetta richiede (per la pasta brisée e la pasta sfoglia si lavora "di polso" per ottenere un impasto liscio e levigato; per le paste con lievito di birra si lavora qualche minuto in più, affinché si riscaldino sotto le mani e ne venga agevolata la lievitazione). *Lavorazione "di polso".* Dopo avere ottenuto dalla fontana di farina una palla consistente, lavorarla facendo forza con la base del palmo della mano sulla pasta amalgamata, spingendola in avanti e poi ripiegandola all'indietro con le dita; questa operazione va ripetuta più volte per circa 5-6 minuti, fino a quando l'impasto risulterà liscio e levigato.

Pesce. Per riconoscere un *pesce fresco*, quando si ha la fortuna di trovarlo, si deve osservare se le scaglie sono tenaci e aderenti alla pelle, le branchie ben rosse e gli occhi vivi. Inoltre, odorandolo, si dovrà sentire un gradevole aroma di salsedine e, mangiandolo, si dovrà avvertire una carne consistente e soda. *La cottura.* Per cucinare in bianco un pesce fresco bisogna immergerlo ben pulito in una pentola di acqua fredda; aggiungere una scorza di limone, un gambo di sedano, mezza cipollina e il sale necessario. Portare l'acqua a ebollizione e cuocere a fuoco molto moderato, per 6-7 minuti se il pesce è di 1 chilogrammo, per 5-6 minuti se di 750 grammi, per 2-3 minuti se di 500 grammi. Dopo questi rispettivi tempi il pesce deve rimanere nell'acqua calda di cottura per circa 1 ora; in tal modo continuerà a cuocere senza spappolarsi e la sua carne rimarrà soda. Bisogna infatti considerare che la parte della coda, essendo sottile, cuoce subito, mentre la cottura della parte del ventre, più grossa, sarà completa solo dopo che il pesce sarà rimasto nell'acqua calda ancora per 1 ora. Tenere i pesci, dopo cotti, nella loro stessa acqua calda non pregiudica la loro consistenza. Il pesce in bianco deve essere servito ancora caldo e umido, perciò va bollito un'ora prima di essere presentato a tavola; solo al momento di servirlo dovrà essere ritirato dall'acqua calda in cui ha bollito e adagiato sul piatto da portata. Sarà sempre accompagnato da patate lesse come guarnizione, e dalla salsa specifica servita a parte in una salsiera. La cottura del pesce in forno è più lunga e varia, per cui ogni ricetta ne indica la durata.

Il pesce surgelato. Può sembrare non pertinente parlare di pesce surgelato in una raccolta di ricette che ripropongono la cucina dell'Ottocento, purtroppo, però, quello veramente fresco ha oggi una presenza sempre più limitata sui mercati, e il suo costo raggiunge livelli spesso non sostenibili. Accettiamo quindi il pesce surgelato con i suoi difetti e adoperandoci per modificarli. *La cottura del pesce surgelato.* Affinché non perda quel poco di profumo e di sapore che conserva sotto il suo involucro di ghiaccio, il pesce surgelato non va mai completamente scongelato al momento di pulirlo e cucinarlo. Meglio non comprare quello già pulito in confezioni, ma quello con la testa e le interiora, da pulire in casa dopo soltanto qualche ora di scongelamento. Non porlo mai sotto l'acqua corrente per accelerarne lo scongelamento. Dopo un paio d'ore che lo si è estratto dal freezer, avvalendosi di una paletta di legno togliere le interiora ancora un po' dure e, quando si può, lasciare le branchie e le squame. Sciacquarlo velocemente e, se lo si deve bollire, oppure fare al forno o *au gratin*, cucinarlo così, ancora un po' surgelato; in tal modo il profumo di mare non verrà eliminato del tutto e la carne risulterà più morbida. Se il pesce deve essere fritto, invece, è necessario scongelarlo completamente, perché prima di essere messo nell'olio bollente deve perdere tutta l'acqua prodotta dal ghiaccio che lo racchiude. Per lessare il pesce, procedere come per quello fresco ma cuocerlo per qualche minuto in più se è ancora un po' surgelato: per 12 minuti se il suo peso è di 1 chilogrammo, per 10 minuti se il suo peso è di 750 grammi, per 6 minuti se di 500 grammi. Dopo questi rispettivi tempi, il pesce dovrà rimanere nella sua acqua calda per circa 20 minuti; in tal modo proseguirà la cottura senza spappolarsi. Questo pesce va cotto 30 minuti prima di essere servito; ancora caldo sarà messo sul piatto da portata e guarnito con patate lesse. Per la cottura del pesce in forno, ogni ricetta ne indica la durata. Quale che sia il tipo di cottura, questo pesce deve essere servito appena cotto, mai riscaldato.

"Pettola". Termine che sta a indicare: a) una sfoglia sottile di pasta; b) una teglia larga e bassa da forno; c) un taglio di carne.

Pollo. È il termine con cui in culinaria si indicano il gallo e la gallina giovani e costituisce uno dei pilastri della nostra alimentazione. Le caratteristiche di un buon pollo sono: pelle sottile e poco granulosa con qualche leggera venatura bluastra, carne asciutta e soda, portacoda bianco o appena rosato, ossa dello sterno cedevoli. Il pollo ruspante, oggi rarissimo, anziché di allevamento, cresce in libertà e può nutrirsi a suo piacimento; la sua caratteristica è una carne più dura, che quindi richiede una cottura più lunga ma in compenso è più saporita, ha zampe scure e forti e ossatura più robusta. La gallina è meno tenera del gallo e viene spesso impiegata per fare dell'ottimo brodo. Il cappone è il galletto giovane castrato nei primi mesi di vita perché ingrassi meglio e più in fretta; la sua carne è grassa e saporita, e nel nostro paese è considerato un tradizionale piatto natalizio. *Come si disossa il pollo.* Non è difficile, se si ha un poco di pazienza, perché oggi i polli sono teneri. Privare l'animale della testa, del collo e delle zampe. Con le forbici praticare un taglio in senso longitudinale al centro del petto, poi, considerando che la pelle non si deve rompere né intaccare, lavorare sempre dall'interno del pollo: con i polpastrelli scarnire gli ossicini aderenti alle due metà del petto; continuare con le zampe, girandole in senso contrario perché le ossa si stacchino dalla carcassa e, sempre dall'interno del pollo, con un coltellino a punta scarnirle con un movimento a saliscendi; sfilare poi le ossa dalle cosce e dalle zampe (unite ancora tra loro) facendo uscire prima la testa grossa dell'osso che sta attaccata alla carcassa, sempre verso l'interno del pollo; in ugual modo disossare le due ali: girarle in senso contrario perché le ossa si stacchino dal petto, scostarne la carne dall'osso col coltellino e dall'interno; fare poi uscire prima la testa grossa dell'osso dell'ala (quella attaccata al petto) spingendo dalla punta dell'ala; passare quindi al dorso e staccarne la carcassa dalla carne; se la pelle dovesse rompersi e il pollo dividersi in due pezzi, cucire i lembi della pelle, sovrapponendoli un poco, con ago e filo di cotone bianco. Lasciar pendere un tratto di questo cotone all'inizio e alla fine della cucitura, perché poi sia agevole sfilarlo, tirando uno dei due capi. Il pollo così disossato è pronto per essere farcito. *Come si taglia il pollo.* Non dobbiamo accontentarci di un taglio grossolano per dividere in pezzi un pollo; non si presenterebbe, né si cucinerebbe bene; infatti sezionarlo accuratamente, sia crudo sia cotto, non è operazione difficile e richiede pochi minuti. Privare del collo, della testa e delle zampe il pollo già pulito, quindi tagliarlo in otto parti: distaccare le cosce e le ali dalle giunture, girandole nel verso contrario a quello naturale, tagliando poi con le forbici la pelle e i tendini che sono rimasti intorno alle ossa; con lo stesso sistema dividere in due ciascuna coscia; infine separare con le forbici il petto dalla carcassa e dividerlo in due filetti nel senso della lunghezza. Se il pollo è stato tagliato dopo cotto, per una buona presentazione, se ne può ricomporre nel piatto da portata la forma originaria.

Riscaldare. L'arte di riscaldare il cibo si acquisisce con la pratica; è bene comunque apprendere alcuni accorgimenti utili per non sbagliare, evitando di rovinare preparazioni impeccabili. *In forno si riscaldano* le preparazioni che si desidera restino croccanti, dure, friabili: le paste alimentari, la pasta frolla, la brisée, la sfoglia e tutte le fritture. Un piatto preparato per il giorno successivo va cotto 5-6 minuti meno del tempo richiesto. La pietanza che viene servita in tavola nella pirofila in cui è stata cotta va riscaldata nella medesima; se, al contrario, è stata sfornata, deve essere riscaldata sulla piastra del forno, precedentemente imburrata. *Il forno elettrico* va tenuto acceso a 280°C e vuoto per 30 minuti, poi bisogna infornare la preparazione, ridurre il calore a 200°C e lasciar riscaldare per 20 minuti se essa è grande, per 15 minuti se è piccola. *Il forno a gas* va tenuto acceso a 280°C e vuoto per 10 minuti, poi bisogna infornare la preparazione, dopo altri 10 minuti ridurre il calore a 200°C e da quel momento lasciarla riscaldare per 10 minuti ancora se essa è grande, per 5 minuti se è piccola. *Il forno a microonde* solitamente è usato per riscaldare liquidi e preparazioni cotte di consistenza molle (brodo o latte in tazza, legumi lessati, purè); riscalda rapidamente ma non cuoce bene perché, almeno fino a oggi, cucina e riscalda il cibo dall'interno (del cibo stesso) verso l'esterno, e non viceversa come tutti gli altri forni tradizionali. Di conseguenza la vivanda sottoposta a questo tipo di calore si ammorbidisce. La caratteristica del forno a microonde è quella di scongelare velocemente i cibi surgelati, e di poter contenere recipienti di vetro o di terraglia che in altri forni si rompono. *A bagnomaria* si riscaldano in genere (molto bene, perché non acquistano sapore di stufato) salse, spezzatini, pesci, creme, verdure, minestre e tutte le pietanze morbide. Questo il procedimento: riempire d'acqua, fino a metà della sua altezza, una pentola più piccola del piatto o della teglia che contiene il cibo cotto; portare l'acqua a ebollizione e posarvi sopra il piatto da portata o la teglia da tavola contenente il cibo. Coprire la vivanda con un coperchio e aspettare che si riscaldi badando a che l'acqua bolla moderatamente e non tocchi il piatto da portata o la teglia. Bastano 7-8 minuti di bollore, se la teglia da tavola o il piatto da portata sono piccoli; 20-25 minuti se sono grandi.

Riso. Esistono molte qualità di riso. Il *semifino*, con grani piccoli, non è molto resistente alla cottura; il *fino*, con grani più scelti, viene usato generalmente per minestre, per sartù o timballi; il *superfino*, con grani più grossi e resistenti alla cottura, è adatto per risotti o riso pilaw; quello con grani lunghi e sottili, che viene generalmente usato per insalate o ricette orientali; il riso *integrale*, più nutriente e meno delicato del bianco, che richiede un tempo di cottura più lungo. La buona riuscita di una ricetta a base di riso dipende in gran parte dal modo in cui esso viene cotto e dal tempo di cottura: questa varia secondo la qualità del riso stesso e il tipo di preparazione che si deve eseguire. Il riso va bollito in un volume di acqua otto volte superiore al suo; il sale va aggiunto all'acqua fredda in misura di 1 cucchiaino da tè colmo per ogni 2 litri d'acqua; l'ebollizione deve essere forte, il recipiente senza coperchio ed è opportuno mescolare di tanto in tanto. Il tempo di cottura ha inizio dal momento in cui l'acqua riprende il bollore insieme al riso; generalmente il superfino cuoce in 12 minuti e il fino in 9. Se la cottura è a risotto, il superfino cuocerà in 15 minuti e il fino in 12, considerando che il tempo di cottura ha inizio da quando il brodo versato sul riso già rosolato comincia a bollire.

Quando si deve amalgamare un sugo a del riso cotto, è importante usare sempre due forchette, per non ammassare o rompere i chicchi. *Il risotto.* Va preparato tradizionalmente versando il riso nel recipiente di cottura quando già vi si è sciolto il condimento. Tenere sul fuoco mescolando senza interruzione per 3-5 minuti, finché i chicchi si siano ben rosolati nel grasso. Continuare la cottura a calore sostenuto, aggiungendo del liquido caldo – brodo o acqua – e mescolare. Il risotto va tolto dal fuoco un momento prima che i chicchi si siano cotti al punto giusto e abbiano assorbito tutto il liquido. *Il riso pilaw.* Per questo piatto occorre un'ottima qualità di riso; va preparato rosolando nel condimento il riso crudo, bagnandolo in seguito con del brodo e, alla prima ebollizione, passandolo in forno a 180 °C, in un tegame chiuso ermeticamente. La sua permanenza in forno è di circa 18-20 minuti. La caratteristica del riso pilaw è quella di rimanere perfetto anche molte ore dopo la cottura. Può essere elaborato in varie maniere ed è ottimo per accompagnare carni di manzo, di pollo o di cacciagione.

Sale. È un ingrediente fondamentale e va dosato con giusta misura; i cibi con troppo o troppo poco sale perdono il loro umore e il sapore risulta alterato. *Nella bollitura*: il sale grosso va messo non solo in proporzione alla quantità di acqua ma anche secondo il peso del cibo (per esempio, 3 chilogrammi di pesce in 3 litri di acqua: sale = 1 cucchiaio e $^1/_2$ raso; invece 4 chilogrammi di pesce in 3 litri di acqua: sale = 2 cucchiai rasi). *Nella cottura su fornello o in forno*: a cibi conditi con solo grasso, o salse già salate, il sale fino va messo in proporzione al peso del cibo stesso (per esempio, 1 chilogrammo di carne, o verdura, o altro: sale fino = 2 cucchiaini rasi). I cibi si salano anche in relazione al loro tempo di cottura: infatti più essi cuociono, più si riducono i loro liquidi; quindi occorre aggiungere meno sale a quelli che cuociono in tempi lunghi. Infine bisogna anche tener conto dell'uso che si fa degli alimenti: per esempio, due uova cotte all'"occhio di bue" richiedono appena una punta di sale; se invece sono usate come ingrediente per la preparazione di fritture ne occorre una maggiore quantità.

Sformare. *Il gelato.* Il tempo di refrigerazione indicato in ogni singola ricetta è sufficiente perché il gelato si indurisca al punto da poter essere poi sformato, però è meglio lasciarlo nel freezer qualche ora in più, per essere sicuri che si sia bene indurito. Per poter sformare i gelati è consigliabile metterli a refrigerare in forme di alluminio rettangolari da plum-cake dalle quali sarà poi facile estrarli avvalendosi di un coltello bagnato. Per gli spumoni, sono preferibili le forme tonde, grandi o piccole, dalle pareti sottili, perché gelano presto, e lisce, perché il gelato risulta levigato. Per sformare il gelato mettere nel freezer a raffreddare un piatto da portata resistente al freddo e coperto dal tovagliolino su cui verrà adagiato il gelato. Dopo le ore di refrigerazione indicate nella ricetta che si sta realizzando, quando cioè il composto si sarà ben indurito, poggiare un panno bagnato d'acqua calda sotto la forma o immergere la stessa direttamente in poca acqua a 30 °C: per 5 secondi se la forma è morbida, per 10 secondi se è molto dura, avendo poi cura di asciugarne il fondo. Far passare una lama di coltello bagnata d'acqua tra le pareti della forma e il gelato; capovolgere sul piatto da portata raffreddato e ricoperto dal suo tovagliolino e scuotere leggermente. Dopo aver sformato il gelato, rimetterlo subito nel freezer e tenervelo fino a 10 minuti prima di servirlo. Eventuali guarnizioni vanno fatte all'ultimo momento. *Le lasagne.* Una preparazione di lasagne può essere sformata se sono state usate quelle lunghe (5 centimetri di larghezza e 25 centimetri di lunghezza). La teglia in cui vanno messe deve essere tonda e ben unta. Per il primo strato: disporre le lasagne cotte, ben accostate le une alle altre, partendo dal centro della teglia risalendo lungo l'interno del bordo e lasciandole pendere fuori di esso. Per gli altri strati: disporre le lasagne ben distese, sempre accostate tra loro, ma tagliarle perché non vadano oltre la base del bordo della teglia, alternando uno strato di lasagne disposte in senso verticale a un altro in senso orizzontale. Per l'ultimo strato: riprendere le lasagne pendenti al di fuori del bordo e farle convergere tutte al centro della superficie, a chiusura della composizione; se non fossero abbastanza lunghe aggiungerne dei pezzi a completamento. *Le pietanze.* Per sformare una pietanza cotta nel forno (gâteau, timballo, pizza rustica, eccetera) occorre attenersi ad alcune regole fondamentali che contribuiscono a rendere la presentazione perfetta. Ungere la teglia con il tipo di grasso indicato nella ricetta. Usare teglie con bordo diritto e liscio, non svasato. Qualsiasi salsa o crema debba essere inscrita nella preparazione va aggiunta fredda per evitare che si addensi sul fondo della teglia. Assicurarsi che sia stata cotta per il tempo prescritto. Prima di sformarla, aspettare che asciughi e si raffreddi. Passare la lama di un coltello tra la pietanza e il bordo della teglia per controllare che non si sia attaccata a causa della fuoriuscita di qualche liquido. Per sformarla nel piatto da portata, controllare che esso abbia il fondo piano e di uguale misura della pietanza; se il fondo è concavo, porvi un disco di cartone dello stesso diametro del timballo, della pizza, eccetera, quindi poggiare sulla teglia un coperchio diritto, capovolgerla, sollevarla, sostituirla con il piatto da portata e capovolgere di nuovo; poi togliere il coperchio.

Sugna v. *Condimenti*

Tacchino. Come in America, anche nel nostro paese il tacchino è ormai largamente diffuso e viene considerato una delle carni alternative al manzo e al vitello. Esso può raggiungere un peso assai elevato, per cui, a meno che non si debba fare un grande pranzo, è consigliabile acquistarlo a pezzi sotto forma di cosce, petto o fettine. La sua carne è estremamente magra. Il petto ha un'ottima riuscita e da esso si ricavano saporite cotolette, spezzatini, eccetera. Le cosce, unite ad altri tipi di carne, sono indicate per spiedini, salsicce, arrosti. Durante la cottura del tacchino mantenere una temperatura moderata e la carne costantemente umida. L'animale intero si prepara brasato al forno; in questo caso è meglio optare per la *tacchinella*, più piccola e con carne più tenera. Si raccomanda di controllare che le zampe siano grigio chiaro, i bargigli e la testa rossicci, gli speroni piccoli. Tali caratteristiche indicano che l'animale è giovane; se viceversa presenta testa, bargigli e zampe di colore rosso scuro, significa che è vecchio e quindi la sua carne dura e filacciosa. Il tacchino viene preparato per la cottura esattamente come il pollo.

Tagli di carni bovine. Regola fondamentale per la riuscita di un buon piatto è che la scelta del pezzo di carne sia fatta da chi acquista e non da chi vende. Il modo di suddividere i tagli singoli e la denominazione di ciascuno variano da una città all'altra: lo schema qui descritto indica in quale parte del corpo dell'animale si trovano i pezzi di carne consigliati nelle singole ricette.

Consideriamo solo uno dei due lati del bovino e tracciamo una linea divisoria in senso verticale nel centro dell'animale ottenendo una parte anteriore e una posteriore. Dividiamo poi ciascuna di esse in quattro parti.

La parte anteriore si divide in:

1) *Collo.*

2) *Spalla* (che si trova tra l'arto anteriore e il collo). È indicata per bolliti, spezzatini, macinati. In essa si trovano la *pettola di spalla*, un taglio largo, piano e senza nervi, che avvolge la spalla anteriore, la *punta di petto*, un taglio allungato, e il *lacertino di spalla*, un taglio simile al lacerto o girello della natica, ma più piccolo e con un nervo centrale duro.

3) *Arto anteriore.*

4) *Prima parte del costato* (*carré*). È la prima metà del dorso dell'animale.

La parte posteriore si divide in:

1) *Seconda parte del costato* (*carré*). È la seconda metà del dorso e va fino alla regione lombare. È la parte più buona e tenera del costato; in essa si trovano le *costolette*, migliori perché sono le più vicine alla regione lombare, ottime per arrosti, cotolette, eccetera; private dell'osso (*entrecôtes*) si possono usare per scaloppine, pizzaiole, eccetera.

2) *Regione lombare.* È la zona tra la fine del costato e la regione sacrale; in essa si trova il *lombo*, parte muscolosa che, disossata e privata dei nervi, può essere cucinata intera o tagliata in *lombatine*. Sotto il lombo, nell'interno, sta il *filetto*, che risulta tenero sia cucinato intero sia a fette; dalla sua parte iniziale, più larga, si ricavano buone bistecche; dal centro si possono tagliare fette spesse per lo *châteaubriand* e dalla parte finale, più stretta, i piccoli filetti (*tournedos*). Comunque le fette di filetto si devono tagliare spesse e cuocere in modo tale che restino un po' rosa internamente; sono indicate per essere arrostite sulla brace, rosolate in padella, cucinate a scaloppine, alla pizzaiola, eccetera. Verso la coscia si trova la *colarda*, pezzo sugoso la cui parte finale viene chiamata *colardella* e dalla quale si ottengono fettine saporite e tenere che possono essere rosolate in padella, cucinate alla pizzaiola, eccetera.

3) *Natica.* È la parte carnosa che si trova tra l'osso sacro e la coscia; in essa si trova il *lacerto*, detto anche girello, che sta all'estremità della parte posteriore della coscia; è indicato per brasati e da esso si ottengono fettine tonde e regolari (da non confondere col *lacertino* che sta nella spalla, è di uguale forma ma nervoso e asciutto e che, come è stato detto, è indicato per bolliti, spezzatini, polpette). Altro pezzo importante è la *punta di natica* che si trova vicino al girello; essa, se è tagliata a pezzo lungo, risulta ottima per brasati e fornisce sughi saporosi; le fettine hanno forma di triangolo. Tagliandola per il lungo se ne ricavano le *paillards*, adatte a essere arrostite in padella o cucinate a cotoletta.

4) *Coscia.* È situata nella parte bassa dell'animale, attaccata al posteriore; in essa si

trova il *primo taglio*, un pezzo a forma di triangolo, lungo e piatto; è indicato per brasati e si può farcire praticandovi un lungo taglio al centro, nel senso della lunghezza. Dalla parte anteriore della coscia si ricava un pezzo largo, tenero e tondo, detto *pezzo a cannella*, indicato per scaloppine, involtini, eccetera. Inoltre verso il ventre troviamo tagli un po' grassi che una volta si usavano frequentemente per bolliti e ragù. Alla fine della coscia vi è lo *stinco posteriore* o *garretto* che si può cucinare intero con l'osso e il midollo che rendono saporita la vivanda. Tagliato a fette spesse in senso orizzontale si chiama *ossobuco*. Ciascuna di queste fette contiene la sua parte di midollo che insaporisce la carne durante la cottura.

Teglie da forno. I panettoni, i pan di Spagna e tutti i composti liquidi richiedono l'uso di teglie di alluminio ben unte e cosparse di farina. Le crostate di tagliolini o di riso e le preparazioni *au gratin* richiedono l'uso di teglie di alluminio o di porcellana preparate con olio e pangrattato. Le paste frolla, brisée, sfoglia e al lievito di birra richiedono teglie di alluminio dalle pareti molto sottili, preferibili a quei bellissimi tegami di porcellana che si trovano in commercio che creano difficoltà alla cottura della pasta e rendono impossibile sformarla. *Teglia preparata con olio e farina.* Ungere bene di olio l'interno della teglia; capovolgerla su un foglio di giornale perché ne cada l'eccesso. Dopo quindici minuti mettervi un pugno di farina roteando il recipiente per distribuirla in modo uniforme. Capovolgere la teglia sul tavolo e dare sul fondo qualche colpo affinché cada la farina in eccesso e rimanga un rivestimento sottile e uniforme. *Teglia preparata con olio e pangrattato.* Seguire lo stesso procedimento descritto sopra (olio e farina) sostituendo alla farina il pangrattato. In questo caso il rivestimento interno della teglia deve essere uniforme ma non troppo sottile. *Teglia preparata con solo burro.* Ungere abbondantemente la teglia di burro, tolto dal frigorifero tre o quattro ore prima. È sempre bene farlo anche quando la pietanza da infornare è ricoperta di salsa; questa deve essere fredda per non assorbire il burro messo nell'interno della teglia e rendere inutile la sua funzione protettiva. Le teglie di alluminio del diametro di 24 o 28 centimetri e quelle rettangolari di 10 per 26 centimetri sono richieste con frequenza in molte ricette di questo libro.

Vapore. Oggi si preferisce cuocere alcuni cibi al vapore, invece che in acqua bollente: le verdure, che con tale sistema non disperdono le loro sostanze, o il pesce, che non rischia di frantumarsi. Esistono a tale scopo apposite pentole munite di un cestello metallico che tiene il cibo sospeso sopra l'acqua in ebollizione.

Verdure fresche. È meglio non conservare in frigorifero i piselli, le fave, i carciofi e i fagiolini crudi: il freddo ne indurisce le fibre. È consigliabile, se non possono essere cotti appena acquistati, tenere questi ortaggi in luogo fresco, in cesti aperti.
Le verdure a foglie (spinaci, broccoli, eccetera) possono essere conservate crude in frigorifero per due giorni (se ben avvolte in un panno bagnato) e, una volta cotte (se ben sgocciolate e coperte), ancora per tre giorni; naturalmente vanno condite solo al momento di servirle. *Per lessare le verdure* occorre abbondante acqua sala-

ta; bisogna immergere la verdura ben lavata nell'acqua in ebollizione e scoprire la pentola non appena il bollore riprende; in tal modo le foglie conservano un colore verde vivo. I broccoli e le cicorie hanno le foglie esterne più grandi e dure di quelle interne e vanno perciò lessati in due tempi: immergere prima le foglie più dure e dopo qualche minuto le più tenere. Alcune verdure, come il cavolfiore, presentano un torsolo grosso: è consigliabile praticarvi un'incisione a croce per rendere la cottura omogenea a quella delle cime. Per evitare che la verdura si frantumi dopo cotta non capovolgere mai la pentola sul colino, ma tirar fuori gli ortaggi un po' alla volta, con un mestolo forato, mentre l'acqua è ancora in ebollizione, e raccoglierli in un piatto. Per capire quando è avvenuta la cottura, che deve essere al dente, infilare una forchetta nelle foglie più grandi o nei gambi. Le patate, le carote, i sedani, i carciofi, le fave e i piselli richiedono un altro procedimento di cottura: vanno messi in pentola coperti d'acqua fredda, portati a bollore e fatti cuocere per un tempo più lungo. È bene ricordare che le patate bollite devono essere consumate in giornata perché poi si alterano anche se conservate in frigorifero.

PESI E MISURE

*Uno schema pratico di misure e pesi, anche se approssimativo, può facilitare
la lettura delle dosi espresse in grammi e in centilitri e nei loro multipli nelle singole
ricette. Per le ricette di dolci o pietanze elaborate, che richiedono
un dosaggio degli ingredienti della massima esattezza,
è bene ricorrere alla bilancia, o al misuratore di liquidi.*

Misure (per liquidi).

1 cucchiaino da tè raso corrisponde a	cl $\frac{1}{2}$
1 cucchiaio da tavola raso corrisponde a	cl 1
10 cucchiai da tavola rasi corrispondono a	cl 10 (= dl 1)
$\frac{1}{2}$ bicchiere da acqua corrisponde a	cl 10 (= dl 1)

Pesi (per solidi).

1 cucchiaio da tavola raso:

di farina, corrisponde a	g 10
di zucchero, corrisponde a	g 15
di pangrattato, corrisponde a	g 10
di parmigiano grattugiato, corrisponde a	g 5
di zucchero a velo, corrisponde a	g 10

1 cucchiaino da caffè raso:

di sale fino, corrisponde a	g 4
di amido di frumento, corrisponde a	g 2
di cremore di tartaro, corrisponde a	g 5
di bicarbonato di sodio, corrisponde a	g 3
di cannella, corrisponde a	g 1
di lievito in polvere, corrisponde a	g 2

(N.d.A.) Tutte le ricette fanno costante riferimento alle spiegazioni dei Consigli utili della parte introduttiva. Quindi suggerisco a chi esegue una ricetta per la prima volta di consultare proprio durante l'esecuzione della pietanza la voce a cui si rimanda. Per esempio, nel caso della ricetta n. 175 consulterà i Consigli utili alla voce "Tagli di carni bovine" (perché lì è scritto dove si trova il lacerto nel bovino) e "Carni" (perché lì è scritto come frollare e cuocere la vitella).

CAPITOLO I

PASTE E IMPASTI

✦

SALSE

✦

ANTIPASTI

PASTE E IMPASTI

✧ *1* PASTA ALL'UOVO

È la classica pasta per tagliatelle, lasagne, tortellini, cannelloni, ravioli.

Farina g 200 • uova 2 • olio d'oliva cl $^1/_2$ • sale g 2

Sul tavolo da lavoro disporre la farina a fontana e mettervi al centro gli ingredienti. Non aggiungere acqua perché questo tipo di pasta non ne richiede. Fare l'impasto e, dopo averlo ridotto a una palla piuttosto consistente, lavorarlo "di polso" per 5 o 6 minuti, finché risulti liscio e levigato (v. alla voce "Paste e impasti" nei Consigli utili).
Dividere la pasta in tre parti e, con il matterello infarinato, stendere, una alla volta, tre sfoglie rettangolari molto sottili. Tagliare le sfoglie secondo la forma desiderata e adagiare man mano i pezzetti di pasta su un canovaccio, in attesa di cucinarli.

Indicazioni sul taglio di ciascun tipo di pasta:
tagliatelle cm 1 x 25 di lunghezza • tagliolini cm 0.25 x 25 di lunghezza •
lasagne cm 4 x 25 di lunghezza • cannelloni cm 8 x 13 di lunghezza •
ravioli cm 4 x 4 • tortellini cm 4 di diametro (tondi ripiegati a mezzaluna) •
agnolotti cm 8 di diametro

Per ottenere una chiusura perfetta di ravioli, tortellini, cannelloni e agnolotti bagnare con un goccio d'acqua il bordo interno dei lembi di pasta e, con le dita asciutte, premere per farli aderire.

✧ *2* PASTA ALL'UOVO PER TAGLIATELLE
E LASAGNE VERDI

La pasta verde è la classica pasta all'uovo con l'aggiunta di una verdura
(spinaci) che le dona un colore e un sapore particolari.

Farina 200 g • 1 uovo • olio d'oliva cl $^1/_2$ • spinaci nettati g 80 • sale g 4

Lessare in pochissima acqua salata o cuocere a vapore gli spinaci ben nettati e risciacquati. Sgocciolarli e strizzarli fortemente con le mani.
Passarli nel tritatutto e farli raffreddare.
Mettere gli spinaci insieme agli altri ingredienti al centro della fontana di farina e procedere come nella ricetta precedente.

✧ 3 PASTA PER PIZZA ALLA NAPOLETANA

*Questo tipo di pasta è indicato per preparare pizze al pomodoro
o ad altri gusti da cuocere nei forni a gas o elettrici casalinghi.
Il vero "Munzù", il vecchio cuoco napoletano,
suggerisce due lievitazioni e non una. Sono esse che danno alla pasta
la morbidezza che la caratterizza.*

*Farina g 350 • lievito di birra g 25 • olio d'oliva cl 2 • 1 uovo •
acqua tiepida dl 1 • sale g 6*
Tempo di lievitazione: *1 ora e 50 minuti*
Cottura: *nel forno a 280 °C*

Sciogliere il lievito di birra in un po' dell'acqua tiepida indicata.
Disporre la farina a fontana e al centro di essa tutti gli ingredienti, compreso il lievito disciolto. Regolare la quantità di acqua necessaria a ottenere un impasto molto morbido. Lavorare "di polso" per 5-6 minuti (v. alla voce "Paste e impasti" nei Consigli utili). Quando l'impasto sarà liscio, continuare a lavorarlo finché non risulterà caldo sotto la mano. Solo allora dargli la forma di una palla, adagiarlo in un piatto infarinato e cospargerlo leggermente di farina. Mettere il piatto in un angolo caldo della cucina, dove non si possano verificare correnti d'aria, in modo che la pasta lieviti a temperatura costante.
Dopo 50 minuti (un po' meno nella stagione estiva) l'impasto avrà raggiunto la prima lievitazione e il suo volume risulterà raddoppiato; ritirarlo allora dal piatto, stenderlo con il matterello sul tavolo infarinato, dargli la forma desiderata e infine distribuirvi sopra il condimento indicato nella ricetta specifica. Far lievitare per la seconda volta e cuocere per il tempo indicato nella ricetta da eseguire.

✧ 4 PASTA PER PIZZE IMBOTTITE

*Questa pasta è indicata per pizze di verdura alla napoletana
o per pizzette imbottite, dette "calzoni".*

Farina g 300 • lievito di birra g 25 • olio d'oliva cl 4 • 1 uovo •
zucchero g 20 • acqua cl 6 • sale g 4
Tempo di lievitazione: *1 ora e 50 minuti*
Cottura: *nel forno a 280 °C*

Per la lavorazione della pasta procedere, con gli ingredienti indicati, come nella ricetta precedente.

✧ 5 PASTA PER PANINI AL LATTE

La lavorazione di questi panini è semplice:
richiede solo un poco di tempo per la lievitazione della pasta.
Un pacchetto di lievito di birra dovrebbe sempre essere nei nostri frigoriferi
per una eventuale emergenza.
Infatti, se una domenica ci ritroviamo sprovvisti di pane,
questa ricetta può risolvere il problema.

Farina g 400 • latte tiepido dl 2 •
lievito di birra g 20 • sale g 7 • burro g 25
Tempo di lievitazione: *2 ore*
Tempo di cottura: *20 minuti nel forno a 280 °C*

Preparare il "panetto" amalgamando 100 grammi della farina indicata con il lievito di birra sciolto in poca acqua tiepida e, lavorando "di polso", fare un impasto morbido e liscio (v. alla voce "Paste e impasti" nei Consigli utili).
Poggiare il panetto su un piatto infarinato, spolverizzarlo di farina e tenerlo a lievitare in un angolo caldo della cucina per circa 30 minuti.
Dopo questa prima lievitazione mettere il panetto, che si presenta gonfio e con la superficie segnata da spaccature, al centro della fontana di farina con tutti gli altri ingredienti.
Per farlo amalgamare bene non usare la forchetta ma sgretolarlo con le dita nel palmo della mano e, molto delicatamente, sempre con la mano, raccogliere poco per volta la farina, unificando il tutto in un impasto morbido e liscio.
Lavorare "di polso" finché la pasta risulterà calda sotto la mano.
Infine dividere con un coltello infarinato l'impasto in quattro pezzi lunghi o tondi, dando loro una forma uguale e una superficie liscia.
Disporre i panini, ben distanziati l'uno dall'altro, sulla leccarda del forno unta di burro e tenerli a lievitare ancora per 1 ora e mezzo circa.
Allorché i panini saranno cresciuti del doppio, passare in forno la teglia, adattandovi sopra, per i primi 10 minuti di cottura almeno, un tegame largo e alto, unto all'interno, poggiato capovolto in modo che abbia funzione di coperchio; ciò perché la pasta, una volta scoperta, non brunisca troppo.

✧ 6 PASTA PER PANZAROTTI

Con questo tipo di pasta è possibile preparare anche pizzette imbottite di verdure
rosolate o di farce di ricotta o di mele, da friggere in olio bollente.

Farina g 150 • burro o sugna g 20 • acqua tiepida cl 6 • sale g 2

Disporre a fontana la farina e mettervi dentro tutti gli ingredienti indicati.
Lavorare "di polso" fino a ottenere un impasto liscio e morbido (v. alla voce "Paste e impasti" nei Consigli utili). Dividerlo in tre parti e spianarle con il matterello fino a ottenere tre piccole sfoglie rettangolari e molto sottili.
Dalle sfoglie, o "pettole", ricavare dei dischi di 9 centimetri di diametro; a tale scopo si può adoperare un bicchiere capovolto con il bordo infarinato.
Imbottire e friggere in olio caldo, secondo le indicazioni delle ricette specifiche.

✧ 7 PASTA BRISÉE

Ottima per la preparazione di pasticci rustici,
è una pasta che, se lavorata con le "girate", secondo le indicazioni qui descritte,
si presenta, dopo cotta, a strati sottili e leggeri
come una pasta sfoglia, ma meno grassa e più saporita.

Farina g 400 • margarina g 200 • acqua cl 12 • sale g 6
Cottura: *nel forno a 200 °C*

Disporre sul tavolo la farina a fontana con al centro tutti gli ingredienti, avendo avuto cura di estrarre dal frigorifero la margarina 6-7 ore prima di iniziare la preparazione. Togliere dalla quantità di farina indicata un bel mucchietto e tenerlo a parte. Avvalendosi di una forchetta, far sì che la farina assorba tutto il liquido, regolando bene l'acqua onde ottenere un impasto morbido. Dopo aver amalgamato gli ingredienti, lavorare "di polso" solo quel tanto che basta per rendere omogenea e liscia la pasta (v. alla voce "Paste e impasti" nei Consigli utili).
Iniziare una lavorazione di tre "girate": con il matterello infarinato spianare la pasta sul marmo spolverizzato di farina, formando una sfoglia rettangolare e molto regolare; piegare questa "pettola" in tre nel senso della lunghezza in modo da ottenere tre strati di pasta sovrapposti (prima girata) e spianare nuovamente con il matterello. Ripiegare ancora in tre, ma nel senso contrario, e spianare di nuovo. Infine ripiegare per la terza volta in tre e sempre nel senso contrario al precedente.
La farina tenuta a parte serve a infarinare tavolo e matterello ogniqualvolta si inizia una nuova girata; all'inizio l'impasto deve essere morbido proprio perché nelle girate assorbe altra farina. Dopo aver piegato per la terza e ultima volta lo strato di

pasta, dividerlo in tante parti quante ne indica la ricetta da seguire e spianarle secondo le indicazioni.

Il tempo di cottura dipende dalla ricetta che si vuole eseguire.

✧ *8* PASTA BRISÉE COMUNE

Questa ricetta è indicata per le "cuoche" meno esperte.

Gli ingredienti sono gli stessi indicati nella ricetta precedente. La lavorazione è simile fino a quando si ottiene un buon impasto omogeneo e liscio. In seguito non è necessario fare le girate, basta dividere la pasta in tante parti quante ne richiede la ricetta da eseguire, e poi spianarle in sfoglie molto sottili.

✧ *9* PASTA PER PÂTÉS

È una pasta consistente, ottima per racchiudere carni, prosciutti, timballi.

Farina g 250 • burro g 100 • olio d'oliva cl 2 • 1 tuorlo • acqua cl 5 • sale g 4
***Cottura:** nel forno a 200 °C*

Disporre la farina a fontana e porvi dentro gli ingredienti sopra elencati.

Amalgamare il tutto in un impasto omogeneo e morbido.

Con il matterello infarinato spianarlo in una o più sfoglie, secondo le indicazioni delle specifiche ricette.

Questa pasta non richiede molta lavorazione "di polso", bensì un totale assorbimento dei liquidi nella farina, come la pasta frolla originale (v. n. 10). Il tempo di cottura dipende dalla ricetta che si vuole eseguire.

✧ *10* PASTA FROLLA ORIGINALE

È una pasta raffinata, ottima per crostate, "bocconotti" e tutte le torte più delicate.
Richiede una lavorazione attenta, in quanto non va molto manipolata.
Con le spiegazioni che seguono,
anche le persone inesperte avranno risultati eccellenti.

Farina g 400 • burro o sugna g 200 • zucchero g 200 • tuorli 4 •
limone 1 scorza
***Cottura:** nel forno a 200 °C*

Togliere il burro dal frigorifero diverse ore prima di usarlo. Disporre la farina a fontana, mettendone un poco da parte per infarinare il tavolo e le sfoglie.

Versare nel centro della fontana gli ingredienti e rigirarli con una forchetta. Allorché tutti gli ingredienti sono amalgamati fra loro, unirvi la farina prendendola, poco per volta, con la forchetta dall'interno della fontana. Quando l'impasto sarà un poco addensato, raccoglierlo fra i palmi infarinati, poi roteare questa palla burrosa sul piano di lavoro pure infarinato e riprenderla fra i palmi. Ripetere l'operazione finché non sarà terminata tutta la farina Essendo la pasta frolla molto friabile non può essere distesa in un'unica sfoglia. Pertanto, per sistemarla nel tegame adatto alla ricetta che si vuole eseguire, tagliare piccole porzioni dalla palla, spianarle in tante strisce rettangolari spesse almeno 1 centimetro e collocarle una accanto all'altra, unendole poi con la pressione delle dita, fino a formare un unico strato: attenzione però a non creare abbassamenti di spessore. Il tempo di cottura dipende dalla ricetta che si vuole eseguire.

✧ *11* Pasta Frolla per Pastiera

Deve essere più consistente della frolla originale per contenere il peso del ripieno, e meno raffinata perché il sapore glielo devono dare gli ingredienti del ripieno. Nell'impasto si usa meno grasso e si aggiunge qualche chiara d'uovo e ciò rende più facile la lavorazione.

Farina 400 g • burro o sugna g 100 • zucchero g 200 • tuorli 3 • chiare d'uovo 2
***Cottura:** nel forno a 200 °C*

La lavorazione è la stessa della ricetta precedente.

La differenza consiste nello spessore della pasta, che deve essere minore di quello della frolla originale perché, essendo questa meno morbida e meno delicata, non sarebbe gustosa se presentata in strati spessi. Attenersi dunque a uno spessore di mezzo centimetro.

Il tempo di cottura dipende dalla ricetta che si vuole eseguire.

✧ *12* Pasta à Dresser

È una pasta nata esclusivamente per timballi alti, perché idonea a mantenersi diritta. È molto raffinata e saporita per la dose degli ingredienti; quindi gli igienisti non lesinino la quantità di burro che questo impasto francese richiede.

Farina g 500 • burro g 250 • uova 2 • acqua dl 1 • sale g 5
Cottura: *nel forno a 200 °C*

Mettere da parte un poco di farina, che servirà poi per spolverizzare il piano di lavoro e il matterello; con la restante farina fare una fontana e porvi al centro il burro tolto dal frigorifero diverse ore prima, le uova, il sale e tanta acqua tiepida quanta ne occorre per ottenere un impasto morbido.

Lavorare un poco "di polso" fino a che la pasta sarà liscia e levigata. Spianare quindi in sfoglie secondo le indicazioni della ricetta che si vuole eseguire.

Le sfoglie devono risultare morbide e il loro spessore non dovrà essere inferiore a mezzo centimetro; a questo scopo, se risulta difficile farne un unico strato, mettere nella teglia la pasta in piccole "pettole" e poi unirle tra loro con la pressione delle dita. Il tempo di cottura dipende dalla ricetta che si vuole eseguire.

✧ *13* Pasta Sfoglia Moderna

Si lavora più facilmente della sfoglia classica
in quanto contiene una minore quantità di grasso;
non è adatta per pietanze di alto livello quali, ad esempio, i vol-au-vent,
ma se ben lavorata risulta ugualmente sfogliosa.

Farina g 400 • acqua dl 1 • margarina g 190 • sale g 3
Cottura: *nel forno a 200 °C*

Disporre sul tavolo da lavoro, a fontana, 220 grammi della farina indicata, lasciandone da parte un pugno che in seguito servirà per le "girate".

Versare dentro la fontana l'acqua e il sale.

Fare un impasto morbido, lavorandolo "di polso" finché diventerà liscio e omogeneo. Spianarlo con il matterello infarinato fino a ottenere una sfoglia di forma rotonda del diametro di circa 38 centimetri.

In una ciotola lavorare con un cucchiaio di legno la margarina (tolta dal frigorifero diverse ore prima). Unirvi i 180 grammi di farina rimasti, continuando a lavorare con il cucchiaio fino a ottenere una pastetta burrosa. Spianare con le mani infarinate questo impasto, conferendogli una forma rotonda, piana, alta circa un centimetro e mezzo, e del diametro giusto per essere racchiuso nella sfoglia precedentemente preparata. Posarlo poi al centro della sfoglia e racchiudervelo sollevando i lembi e saldandoli tra loro con la pressione delle dita; fare attenzione a che non si formino bolle d'aria internamente.

Inizia ora la lavorazione delle 4 girate. Spianare delicatamente, con il matterello infarinato (usando il pugno di farina tenuto in disparte), il disco di pasta fino a fargli assumere una forma rettangolare.

Piegare il rettangolo su se stesso una prima volta, e poi nell'altro verso, una seconda volta, in modo da ottenere quattro strati di pasta sovrapposti (prima girata). Spianare di nuovo la pasta allungandola a rettangolo e ripetere l'operazione per la seconda volta (seconda girata). Ripetere ancora le girate per una terza e una quarta volta. Dopo aver piegato per la quarta e ultima volta la sfoglia, prima di spianarla, dividerla in tanti pezzi quanti ne richiede la ricetta da eseguire. In genere si divide in due o più pezzi, che vengono spianati singolarmente in sfoglie sottili: queste vanno bucherellate prima di essere infornate. Il tempo di cottura dipende dalla ricetta che si vuole eseguire.

✧ *14* PASTA SFOGLIA CLASSICA

Questa pasta contiene molto più grasso della pasta sfoglia moderna,
e per tale ragione, se ben lavorata, dà ottimi risultati in pietanze di alta cucina.

Farina g 400 • margarina g 400 • acqua dl 1 • sale g 3
***Cottura:** nel forno a 200 °C*

Procedere come viene spiegato nella ricetta precedente. Volendo rendere più facile la lavorazione di questo tipo di pasta, si può ridurre la quantità di margarina a 300 grammi. Il tempo di cottura dipende dalla ricetta che si vuole eseguire.

✧ *15* PASTA SFOGLIA DEL VECCHIO MUNZÙ

Sembra impossibile che i vecchi cuochi napoletani, i "munzù",
riuscissero a rendere facili le preparazioni più difficili!
Questa antica ricetta consente anche a chi non ha molta esperienza
di cucina di eseguire sfoglie sottilissime.

Farina g 220 • sugna g 160 • acqua cl 8 • sale g 2
***Cottura:** nel forno a 200 °C*

Disporre a fontana 200 grammi di farina e mettervi al centro 100 grammi di sugna, tolta dal frigorifero diverse ore prima, e un po' di sale. I restanti 20 grammi di farina serviranno per infarinare il tavolo e il matterello. Versare nella fontana l'acqua tiepida, non più della quantità necessaria a ottenere un impasto morbido.
Lavorare "di polso", come per il pane, fino a ottenere una pasta liscia e omogenea. Lasciar riposare per 15 minuti, poi dividere la pasta in due parti di cui una più grande. Spianare con il matterello infarinato il pezzo di pasta più grande fino a ottenere una sfoglia rettangolare larga 15 centimetri e lunga 55.

Ricordarsi di cospargere il tavolo e il matterello di farina ogni volta che si solleva la sfoglia; questa non deve mai essere girata né spolverizzata di farina.

Fatto il rettangolo, spalmarne tutta la superficie con 35 grammi di sugna e arrotolarlo strettamente su se stesso sul lato corto. Collocare sul tavolo in senso verticale il cilindro così ottenuto e comprimerlo delicatamente con un palmo fino a fargli assumere la forma di un disco. Con il matterello infarinato stendere questo disco dal centro verso l'esterno in tutte le direzioni finché sia diventato una sfoglia rotonda, grande e sottile. Foderare con essa la teglia e ripetere l'operazione con l'altro pezzo di pasta, utilizzando gli ultimi 25 grammi di sugna. Questa seconda sfoglia più piccola serve come copertura della torta scelta; prima di infornare bucherellarla e spennellarla con 1 tuorlo per ottenere la doratura. Il tempo di cottura dipende dalla ricetta che si vuole eseguire.

✧ *16* PASTA PER BRIOCHE

Le tre lievitazioni suggerite dai nostri vecchi cuochi
e il rispetto dei giusti movimenti suggeriti per impastare
permettono di ottenere un risultato superiore a quello dell'impastatrice.

Farina g 400 • burro g 90 • olio d'oliva cl 1 • uova 3 • latte cl 14 •
zucchero g 30 • lievito di birra g 25 • sale g 5
Tempo di lievitazione: *2 ore e 30 minuti circa*
Cottura: *nel forno a 200 °C*

Fare il "panetto" amalgamando 100 grammi di farina con il lievito di birra sciolto in poca acqua e lavorando "di polso" fino a ottenere un impasto morbido e liscio; posarlo su un piatto infarinato, spolverizzarlo con un po' di farina e porlo a lievitare in un angolo caldo della cucina per circa 30 minuti.

Mettere la restante farina in un recipiente concavo e collocarvi al centro tutti gli ingredienti oltre che il panetto quando il suo volume si sia raddoppiato.

Regolare il latte, perché l'impasto deve risultare molto morbido; sgretolare il panetto con le dita e, sempre con la mano, amalgamare gli ingredienti alla farina. Ottenuto un impasto consistente, sollevarlo e sbatterlo con forza nello stesso recipiente; ripetere l'operazione più volte finché la pasta risulta liscia, si stacca con facilità dalle pareti del recipiente e sulla sua superficie si formano delle bolle. Solo allora è pronta per lievitare una seconda volta nello stesso recipiente concavo, per circa 1 ora. Quando sarà cresciuta di nuovo, prenderla con delicatezza e sistemarla nella teglia scelta, ben unta di burro.

Mettere la teglia nell'angolo caldo e lasciare che l'impasto lieviti per la terza volta per circa 1 ora ancora.

Quando la pasta risulta ben gonfia, infornare. Il tempo di cottura dipende dalla ricetta che si vuole eseguire.

✧ 17 PASTA PER BABÀ

Rispettando rigorosamente le dosi e il numero delle lievitazioni,
e se la lavorazione sarà eseguita con i giusti movimenti, la pasta risulterà perfetta.
In via eccezionale consiglio l'uso della margarina perché più leggera del burro.

Farina g 250 • margarina g 100 • uova (piccole) 4 •
zucchero g 40 • lievito di birra g 20 • sale g 3
Tempo di lievitazione: *2 ore e un quarto circa*
Tempo di cottura: *25 minuti nel forno a 180 °C*

La lavorazione di questa pasta è breve; lungo è il tempo di lievitazione.
Preparare il "panetto" amalgamando un terzo della farina indicata con il lievito sciolto in poca acqua tiepida; posarlo su un piatto infarinato, spolverizzarlo di farina e lasciarlo lievitare in un angolo caldo della cucina.
Mettere la restante farina in un recipiente concavo e collocarvi al centro tutti gli ingredienti oltre che il panetto, una volta che il suo volume si sia raddoppiato (prima lievitazione). Amalgamare il tutto fino a ottenere un impasto omogeneo, quindi sollevarlo con le dita e, con movimento deciso, sbatterlo di nuovo nel recipiente. Ripetere più volte l'operazione, finché l'impasto sarà divenuto elastico e si staccherà dalle pareti del recipiente.
Lasciarlo nuovamente lievitare (seconda lievitazione) nel suo recipiente per circa 1 ora. Allorché risulta gonfio e cresciuto, sollevarlo delicatamente con le mani e metterlo nella teglia in precedenza unta di burro; l'impasto deve riempirne solo un terzo. Lasciar lievitare ancora una volta (terza lievitazione) finché la pasta tocchi l'orlo della teglia. Solo allora infornare.

✧ 18 PASTA PER BEIGNETS E CHOUX

La ricetta che segue è quella della tradizione casalinga di una volta.

Farina g 100 • uova 2 • 1 tuorlo • sugna o burro g 75 • acqua l $^1/_4$ •
cremore di tartaro g 1 • bicarbonato di sodio g $^1/_2$ • sale g 2
Tempo di cottura: *25 minuti nel forno a 160-170 °C per gli choux*
30 minuti per i beignets

Setacciare la farina per privarla di eventuali grumi.
Porre sul fuoco in un pentolino dal bordo alto la sugna (o il burro), l'acqua e il sale. Al momento dell'ebollizione, versare velocemente nel centro, a filo, la farina con le mani, e mescolare con forza con un cucchiaio di legno. Abbassare la fiamma

e cuocere per 5 minuti continuando a mescolare; l'amalgama deve risultare liscio e deve staccarsi dalle pareti del recipiente.

Ritirare la pentola dal fuoco e versarvi le uova, uno per volta, mescolando bene.

Spolverizzare l'impasto con il cremore e il bicarbonato già uniti tra loro e amalgamarli al tutto.

Aiutandosi con un cucchiaio da tavola (per i beignets) o un cucchiaino da caffè (per gli choux), allineare sulla piastra del forno, bagnata, tante piccole palline di pasta di eguale misura, distanziate tra loro perché, gonfiandosi al calore, non si tocchino.

A cottura ultimata beignets e choux devono risultare vuoti all'interno.

✧ *19* PASTELLA PER FRITTURE

Con questa pastella si possono ricoprire cibi teneri e piccoli,
quali verdure o pesciolini, da immergere poi nell'olio bollente
per ottenere morbide e saporose pizzelle.

Pastella per pesci: *farina g 180 • latte dl 1 • acqua dl 1 •*
lievito di birra g 12 • sale
Pastella per verdure: *farina g 200 • acqua dl 2 • lievito di birra g 12 • sale*
Tempo di lievitazione: *40 minuti*

Sciogliere il lievito di birra in un poco dell'acqua indicata, intiepidita. In una piccola ciotola mettere la farina e versarvi a gocce la restante acqua fredda, amalgamando e cercando di non formare grumi; aggiungere il latte o l'acqua avanzati, il lievito sciolto e un poco di sale.

Porre in un angolo caldo della cucina a lievitare.

Dopo una quarantina di minuti l'impasto si gonfia ed è pronto per essere unito al cibo da friggere.

SALSE

✧ 20 SALSETTA PER PESCE BOLLITO

*Può sembrare una banalità scrivere la ricetta di una salsa così semplice ma,
se si ha la fortuna di poter avere sulla propria mensa un buon pesce fresco,
è importante saperlo condire senza alterarne il profumo.*

*Per 6 persone: olio d'oliva cl 8 • succo di limone cl 6 •
prezzemolo $^1/_2$ mazzetto • sale g 5*

Porre nella salsiera l'olio e il sale; aspettare circa 10 minuti, finché il sale sia ben disciolto, indi aggiungere il succo di limone e il prezzemolo tritato. Sbattere energicamente con una forchetta e servire.

✧ 21 SALSETTA SEMPLICE AI CAPPERI

Semplice e genuina, accompagna bene i pesci meno delicati o le carni lesse e fredde.

*Per 4 persone: capperi salati g 45 • prezzemolo $^1/_2$ mazzetto •
olio d'oliva cl 8 • sale (facoltativo)*

Lavare i capperi e il prezzemolo, tritarli finemente e raccoglierli in una piccola ciotola. Versare l'olio a filo, mescolando costantemente con un cucchiaio di legno. Se necessario, aggiungere un pizzico di sale. Servire nella salsiera.

✧ 22 MAIONESE

*Anche se oggi si trovano in commercio apparecchi elettrici
con i quali si riesce a preparare una maionese*

in tempi brevi e senza alcuna fatica,
è utile conoscere il procedimento tradizionale
che dà certamente risultati migliori.

Per 6 persone: *tuorli 2 • olio d'oliva delicato dl 2 • succo di limone cl 2 •*
sale g 1 e ¹/₂ • chiara d'uovo (facoltativa) ¹/₄
Tempo di esecuzione: *10 minuti, a mano*
5 minuti, col frullatore
Tempo di conservazione: *2 giorni di frigorifero*

Togliere le uova dal frigorifero diverse ore prima dell'uso. Separare accuratamente dalle chiare i tuorli e raccoglierli in una ciotola.

Con un cucchiaio di legno cominciare a rigirare le uova con un movimento continuo e uniforme, versando l'olio a filo; in questo modo i tuorli lo assorbiranno un po' alla volta e la salsa si addenserà senza pericolo che i due ingredienti si separino e, come si usa dire, che la maionese "impazzisca".

Quando, dopo 7-8 minuti, la salsa si sarà ispessita, aggiungere il sale e qualche goccia di limone, sempre girando il cucchiaio con lo stesso ritmo e nello stesso verso; versare ancora olio, poi altre gocce di limone e, senza smettere di girare, procedere così fino a concludere con l'olio rimanente che, al contrario del limone, ha un effetto rassodante.

Se occorre una maionese più delicata, da servire in salsiera, unire a essa un quarto di chiara d'uovo montata, a parte, a neve ferma.

Se, al contrario, occorre una maionese densa per ricoprire pietanze, o per fare guarnizioni, la chiara d'uovo non è indicata.

Per la preparazione col frullatore il tempo è minore ma il procedimento è lo stesso.

✧ 23 Maionese a Lunga Conservazione

Questa ricetta dimostra come sia possibile ottenere
una maionese a lunga conservazione
anche senza usare additivi nocivi alla salute.

Per 6 persone: *tuorli 4 • succo di limone cl 3 • aceto cl 2 • olio d'oliva delicato cl 15*
Tempo di conservazione: *7-8 giorni*

Raccogliere i tuorli in una ciotola e montarli bene con un cucchiaio di legno.
Far bollire il succo dei limoni e l'aceto, e versare il liquido, tiepido, a filo sui tuorli montati, continuando a mescolare con movimento costante.
Quando le uova avranno assorbito il liquido, unire l'olio, a goccia a goccia.
Ne risulterà una salsa densa e saporita.

✧ 24 SALSA TARTARA

*In passato era frequentemente utilizzata per accompagnare
pesci grassi bolliti, quali il cefalo o il dentice.
Oggi è particolarmente indicata per i pesci surgelati,
ai quali dona sapore e profumo.*

*Per 4 persone: capperi salati g 25 • cetriolini all'aceto g 15 •
uova sode 2 • olio d'oliva cl 6 • aceto cl 2*

Tritare finemente su un tagliere i capperi lavati, i cetriolini e una mezza chiara
d'uovo sodo, ciascun ingrediente separatamente.
Porre in una ciotola i tuorli ancora caldi e schiacciarli con un cucchiaio di legno;
versare a filo prima l'olio e poi l'aceto, mescolando.
Aggiungere prima i capperi tritati, poi i cetriolini e infine la mezza chiara d'uovo.
Rimestare per amalgamare bene tutti gli ingredienti e mettere questa versione casalinga di salsa tartara nella salsiera affinché i commensali possano servirsi a loro piacimento.

✧ 25 SALSA VERDE

È molto indicata per bolliti di carni bianche dal forte sapore.

*Per 6 persone: olive nere g 75 • capperi salati g 45 •
aglio 1 spicchio • olio d'oliva cl 6 • aceto cl 2 ¹/₂*
Tempo di cottura: 1 minuto e mezzo

Snocciolare e tritare le olive e lavare e tritare i capperi.
Far rosolare nell'olio in un tegamino lo spicchio d'aglio e ritirarlo non appena sia
imbiondito.
Aggiungere i capperi e le olive e cuocere solo per pochi secondi a fuoco moderato.
Versare l'aceto, portare a ebollizione, poi spegnere il fuoco. Questa salsetta si serve
a temperatura ambiente, nella salsiera.

✧ 26 GELATINA

*La gelatina, se fatta con ingredienti naturali, è molto nutriente.
Nella presentazione di alcune pietanze, una guarnizione di gelatina,
tagliata in cubetti o semplicemente sminuzzata, dà un tocco
di raffinatezza particolare.*

Pietro Fabris, *Venditori di cocomero al porto*.
Napoli, Collezione privata.

Pietro Fabris, *Venditori di vivande
sulla strada della Marinella*.
Napoli, Collezione privata.

Nella pagina a fianco, in alto: Pietro Fabris, *Tarantella
sullo sfondo di Posillipo*.
Napoli, Collezione privata.

Nella pagina a fianco, in basso: Pietro Fabris, *Scena di vita popolare
in una grotta a Posillipo*.
Napoli, Collezione privata.

Filippo Falciatore, *Scene di vita popolare
al Largo del Castello*.
Napoli, Collezione privata.

*Brodo concentrato di manzo o di pollo o di galantina l $1/2$ •
fogli di colla di pesce 2 • 1 chiara d'uovo • aceto non forte cl 1 •
carne di manzo macinata g 60*
Tempo di refrigerazione: *5-6 ore in frigorifero*

Dopo aver preparato un buon brodo di manzo o di pollo (v. n. 57 o 58), tenerlo sul fuoco ancora per 1 ora circa affinché si restringa (se è di galantina non è necessario), poi filtrarlo attraverso un telo bagnato e strizzato.
Sciogliere in poca acqua calda i fogli di colla di pesce spezzettati e unirli al brodo.
Riunire in un piatto la chiara d'uovo, l'aceto e la carne macinata, sbattere il tutto con una forchetta, poi versare nel brodo e mescolare.
Porre sul fuoco, mescolando continuamente per dar modo alla chiara d'uovo di chiarificare il liquido. Raggiunta l'ebollizione, filtrare la preparazione attraverso un telo bagnato e strizzato. Mettere in frigorifero la gelatina in un recipiente largo a fondo piatto e tenervela per 5-6 ore.
Al momento di servirla tagliarla a cubetti e disporla attorno alla pietanza di carne. Si manterrà dura per alcune ore.

✧ 27 SALSA VELLUTATA MODERNA

*È una salsa adatta ad accompagnare preparazioni di carni, in particolare di pollo.
Nota anche con il nome di "salsa bianca", non presenta alcuna difficoltà
di esecuzione. La lavorazione "a freddo" della farina, che non viene fatta rosolare,
conferisce alle pietanze una particolare delicatezza.*

Farina g 50 • burro g 60 • brodo di carni bianche l 1
Tempo di cottura: *20 minuti*

Preparare il brodo facendo cuocere per circa 1 ora pezzetti di carne bianca e osso, in un litro e mezzo di acqua salata. Quando l'acqua si sarà ridotta di un terzo, ritirare la pentola dal fuoco e filtrare il brodo attraverso un telo bagnato e strizzato.
Sciogliere la farina con poche gocce di brodo freddo, mescolando di continuo per non formare grumi.
Aggiungere il burro e il rimanente brodo e far cuocere lentamente per il tempo indicato.

✧ 28 BESCIAMELLA

*È un'antica salsa francese che prende il nome dal marchese Louis de Béchamel –
maestro di casa di Luigi XIV – cui un suo cuoco la dedicò.*

Quella che segue è la ricetta autentica,
con la lavorazione "a freddo" della farina, che non viene fatta rosolare.

Farina g 30 • latte l 1 • burro g 40 • sale g 8
Tempo di cottura: *3-4 minuti dall'ebollizione*

La dose di farina molto bassa di questa ricetta permette di ottenere una besciamella morbida e delicata che però non si rassoda senza una lunga permanenza in frigorifero.
Stemperare la farina in una ciotola versando a goccia a goccia un po' di latte e rimestando accuratamente con un cucchiaio di legno in modo che non si formino grumi. Mettere il composto in un tegame, diluirlo con il rimanente latte e unirvi il burro e il sale.
Porre il tegame sul fuoco e rigirare fino al bollore, quindi far cuocere la salsa, a temperatura molto moderata, per il tempo indicato.
Aspettare che la salsa si raffreddi, quindi passarla in frigorifero perché si indurisca.
Se la besciamella occorre per la preparazione di pietanze da sformare, calcolare 50 grammi di farina per ogni litro di latte.

✧ 29 SALSA BEARNÉSE

Questa salsa, originaria dell'antica provincia francese del Béarn,
accompagna bene le carni arrostite su graticola.

Per 4 persone: *1 cipolla • vino bianco cl 2 • aceto cl 4 • 1 tuorlo • burro g 80*
Tempo di cottura: *25 minuti*

Tritare la cipolla, porla in un tegamino con il vino e l'aceto e lasciar bollire per circa 15 minuti senza far asciugare del tutto il liquido.
Setacciare l'intingolo e rimetterlo sul fuoco con il tuorlo e il burro; mescolare e continuare la cottura a fuoco moderato, finché la salsa risulti densa e cremosa; per essere perfetta deve avere la consistenza di una maionese.
Va servita tiepida nella salsiera oppure può essere distribuita direttamente sulle fette di carne arrostita.

✧ 30 SALSA GIALLA

Molto usata nell'Ottocento, è particolarmente indicata per carni lessate.
Grazie alla delicatezza del suo sapore,
riesce a rendere raffinata e gradevole anche la pietanza più semplice.

Per 4 persone: *farina g 20 • brodo dl 2 • burro g 50 •*
tuorli 2 • 1 limone • sale
Tempo di cottura: *10 minuti*

Stemperare la farina in pochissimo brodo freddo.

Aggiungere, mescolando, il rimanente brodo, il burro, i tuorli, il succo di limone e un pizzico di sale.

Cuocere a fuoco moderato finché la salsa risulti consistente come una crema.

Servire calda nella salsiera.

✧ *31* SALSA CAMBRIDGE

È molto indicata per polpettoni bolliti di tonno o di carne di manzo.

Per 6 persone: *capperi salati g 15 • acciughe sfilettate 3 •*
prezzemolo $^1/_2$ mazzetto • uova sode 3 • olio d'oliva cl 6 • aceto cl 1

Lavare i capperi e le acciughe, poi tritarli insieme con il prezzemolo e la chiara di un uovo sodo.

Raccogliere il trito in una ciotola e aggiungere i tuorli sodi, schiacciati.

Versare a filo l'olio e l'aceto mescolando con un cucchiaio di legno.

Servire la salsa nella salsiera o metterla direttamente sul polpettone.

✧ *32* SALSA GLASSATA

Ottima per insaporire carni bianche o per condire paste al forno,
questa salsa sostituisce degnamente i "fondi di cottura",
molto grassi, usati dalla cucina tradizionale.

Brodo di manzo ristretto dl 2 (o glassa di carne dl 1) •
per la salsa: pomodori pelati g 230, polpa di manzo g 100, olio cl 1, sale
Tempo di cottura: *40 minuti*

Preparare il brodo di manzo (v. n. 57) ristretto e filtrarlo attraverso un telo bagnato e strizzato.

Preparare una salsa facendo rosolare la polpa di manzo in pochissimo olio e unendovi i pomodori pelati; salare e cuocere a tegame coperto per circa 20 minuti.

Quando la salsa sarà quasi densa, passarla al tritaverdure, dopo aver messo da parte il pezzetto di carne.

Unire i 200 grammi di sugo ottenuto al brodo già preparato (oppure alla glassa allungata con 1 decilitro di acqua) e cuocere a fuoco molto moderato, a recipiente coperto, per 20 minuti.

Ne risulterà una salsa cremosa di circa 150 grammi.

✧ *33* SALSA AL FORMAGGIO

È indicata per carni bianche lessate o da gratinare.

Latte dl 1 • tuorli 2 • per la besciamella: latte l $^1/_2$, burro g 20,
farina g 15, sale g 4 • parmigiano grattugiato g 30
Tempo di cottura: *2-3 minuti*

Preparare la besciamella (v. n. 28) e farla raffreddare.

Mescolare al latte i tuorli, unire la besciamella e cuocere il tutto per 2-3 minuti. Tolto il tegame dal fuoco, aggiungere il parmigiano e mescolare con cura.

✧ *34* SALSE AL POMODORO ALLA NAPOLETANA

Per condire i tradizionali spaghetti ecco tre salsette al pomodoro,
tutte egualmente semplici e gustose, per le quali si possono adoperare pomodori
in scatola o freschi, spellati o non, purché molto maturi. Esse, a fine cottura,
non debbono risultare brodose, ma asciutte, e non richiedono parmigiano.

Per 4 persone:

I) Pomodori maturi g 450 • olio vergine d'oliva cl 5 •
aglio 1 spicchio e $^1/_2$ • basilico 4 foglie • sale g 8
Tempo di cottura: *30 minuti*

Far rosolare nell'olio l'aglio tritato. Appena esso avrà assunto un colore biondo scuro, aggiungere i pomodori tagliati a pezzetti (se sono freschi e grandi è opportuno spellarli). Salare e cuocere, a fuoco moderato e a tegame parzialmente coperto, per il tempo indicato. Durante la cottura, schiacciare con una forchetta i pezzetti di pomodoro più resistenti. Infine, ritirato il tegame dal fornello, aggiungere le foglie di basilico tagliate grossolanamente.

II) Pomodori tondi e dolci g 220 • pomodorini g 220 •
olio vergine d'oliva cl 5 • aglio 1 spicchio • basilico 4 foglie •
zucchero $^1/_2$ cucchiaino • sale g 8
Tempo di cottura: *30 minuti*

Far rosolare nell'olio l'aglio tritato fino a che diventi di un colore biondo scuro.
Unirvi i pomodori pelati e tagliati in pezzi.
Salare e far cuocere per 15 minuti a tegame parzialmente coperto.
Aggiungere poi i pomodorini tagliati in due, e continuare la cottura per altri 15 minuti.
Infine schiacciare con una forchetta i pomodori più resistenti e mettere lo zucchero.
Ritirato dal fuoco il tegame, mescolare alla salsa il basilico.
L'unione delle due qualità di pomodori dà alla salsa un sapore fresco e particolare.

III) Pomodorini freschi lunghi e ben maturi 6 •
olio vergine d'oliva dl 1 • aglio 1 spicchio •
sale g 3 • prezzemolo 1 mazzetto
Tempo di cottura: *5-6 minuti*

Lavare i pomodori; tagliarli in due nel senso della lunghezza.
Far rosolare nell'olio l'aglio tritato e appena diventa biondo scuro aggiungere i pomodori.
Schiacciare i pomodori con una forchetta e farli cuocere nel sugo di olio e aglio per 2-3 minuti, unendovi il sale. Questi pomodorini devono essere di numero limitato e poco cotti perché non devono privare la salsetta del sapore dell'olio con l'aglio tritato e rosolato.
Ritirare il tegame dal fuoco e cospargere di prezzemolo tritato la salsetta.

✧ 35 SALSA ALLA CARBONARA

Famosa rustica salsetta romana che, elaborata a freddo,
dona ai vermicelli un gusto raffinato.

Per 5 persone: *pancetta magra g 180 • tuorli 3 •*
burro g 60 • latte cl 3 •
parmigiano e pecorino grattugiati g 35 • sale
Tempo di cottura: *3 minuti per rosolare*

Togliere il burro dal frigorifero 6-7 ore prima dell'uso.
Tagliare la pancetta a liste sottili e farla rosolare in 20 grammi di burro.
A parte, in una ciotola, montare il rimanente burro con un cucchiaio di legno e unirvi i tuorli, continuando a lavorare.
Versare a filo il latte, sempre rimestando con il cucchiaio, e infine spolverizzare il tutto con un pizzico di sale e i formaggi grattugiati già mescolati fra loro.
Condire con la salsa la pasta lessata, disporla nel piatto da portata e versarvi sopra la pancetta rosolata nel burro e ben calda.

✧ *36* SALSA ALL'AMATRICIANA

Questa salsa prende tutto il sapore dell'umore della pancetta;
il suo gusto particolare l'ha resa nota in tutto il mondo.

Per 4 persone: pancetta g 150 • pomodori pelati g 250 • olio o sugna g 25 •
1 cipolla media • sale e pepe • pecorino grattugiato g 20
Tempo di cottura: 25 minuti per rosolare
30 minuti per la salsa

Far rosolare in un tegame con l'olio la pancetta, tagliata a cubetti, il cui grasso deve sciogliersi lentamente a fuoco moderato. Unire la cipolla affettata sottilmente e cotta in precedenza in acqua (v. alla voce "Cipolla" nei Consigli utili). Dopo pochi minuti essa assumerà un colore bruno e la pancetta diventerà croccante e asciutta. Scartare i pezzi di pancetta e aggiungere i pomodori; salare e pepare. Dopo circa 30 minuti di cottura, a fuoco moderato e a tegame coperto, la salsa è pronta. Tradizionalmente con questa salsa si condiscono i bucatini dopo averli cosparsi di pecorino grattugiato.

✧ *37* PESTO

Classico intingolo ligure, ricco di aromi e graditissimo al gusto.

Per 4 persone: basilico 2 mazzetti • prezzemolo $^1/_2$ *mazzetto •*
maggiorana 2 foglie • aglio 1 spicchio •
pinoli sgusciati (o mandorle g 8) g 12 • sale g 3 • olio d'oliva cl 4 •
burro g 15 • pecorino e parmigiano grattugiati g 20

Tritare finemente gli odori, l'aglio e i pinoli. Schiacciarli in un mortaio o passarli al frullatore.
Raccogliere il trito in una ciotola, aggiungere il sale e versare a filo l'olio, mescolando continuamente; infine aggiungere il burro.
Unire i due tipi di formaggio, cospargerne la pasta e poi condirla col pesto.

✧ *38* SALSA BOLOGNESE

La leggerezza di questa salsa dipende dagli ingredienti adoperati.
Se la si prepara con carne di manzo e non di maiale e con olio e burro e non lardo e
sugna, come si usava una volta, essa risulta più delicata e ugualmente gustosa.

Per 5 persone: pomodori pelati g 400 • carne di manzo macinata g 150 •
1 cipolla piccola • carote 2 • aglio 1 spicchio • olio d'oliva e burro g 60 •
latte cl 15 (o vino bianco cl 10) • noce moscata g 1 • sale e pepe
Tempo di cottura: *10 minuti per rosolare*
40 minuti per la salsa

Far rosolare in poco grasso (olio e burro) la cipolla precedentemente affettata e bollita. Unire la carne e lasciarla rosolare per qualche minuto con sale e pepe. Spruzzare di latte se si desidera un sugo più delicato, di vino se si desidera un sapore pastoso.

Preparare a parte una salsa rosolando nel rimanente grasso l'aglio e le carote tritate. Aggiungere i pomodori e il sale e far cuocere a fuoco moderato per circa 30 minuti. Unire alla salsa la carne rosolata con la sua glassa e far cuocere per 6-7 minuti. Infine insaporire con la noce moscata grattugiata.

Tradizionalmente con questa salsa si condiscono le tagliatelle che vanno poi cosparse di parmigiano.

✧ 39 Ragù

Il ragù è una salsa classica della cucina napoletana, e meridionale in genere,
adatta a condire pasta di taglio grosso.
Fino a pochi anni fa il ragù si preparava con carne di maiale e condimenti
quali la sugna e il lardo; oggi si cucina preferibilmente con carni di manzo
e olio d'oliva, affinché sia meno pesante e più digeribile.
È opportuno tener presente
che l'ingrediente predominante di questa salsa è la carne e non,
come molti credono, il pomodoro.

Per 6 persone: polpa di manzo (2 tagli diversi della spalla) g 500 •
salsiccia o polpa di maiale g 300 • pomodori pelati g 400 •
concentrato di pomodoro g 200 • olio d'oliva cl 8 • lardo o sugna g 40 •
vino rosso cl 12 • 1 cipolla • aglio 1 spicchio • sale
Tempo di cottura: *2 ore e un quarto*

Tagliare il lardo a fettine sottili e batterle ripetutamente su di un tagliere con la lama di un coltello, fino a che diventino una pasta; scioglierla in un tegamino su fiamma moderata; gettar via i pezzetti induriti e unire il grasso liquido a 6 centilitri di olio.

Affettare la cipolla e, dopo averla bollita, farla rosolare in un pentolino con i 2 centilitri di olio rimanenti (v. alla voce "Cipolla" nei Consigli utili).

Mettere l'olio unito al lardo in una pentola e far rosolare a fiamma vivace tutte le qualità di carne tagliate in piccoli pezzi.

Spruzzarvi il vino, farlo evaporare un poco, poi aggiungere i pomodori pelati ai quali sarà stato mescolato il concentrato (v. n. 366). Unirvi la cipolla rosolata con il suo olio e lo spicchio di aglio tritato, salare, coprire il recipiente e far cuocere a fuoco moderato. A metà cottura aggiungere una tazza di acqua; rimestare ogni tanto. Man mano che i grassi affiorano alla superficie della salsa, toglierli con un cucchiaio; il ragù infatti va sgrassato perché non sono i grassi che devono condire la pasta bensì gli umori della carne che si consuma nella cottura. Per questo è necessaria una così lunga permanenza sul fuoco (una volta la cottura durava persino 5 ore!).

Tradizionalmente con il ragù si condiscono gli ziti spezzati in cinque e lessati al dente che vanno poi cosparsi di parmigiano.

✧ 40 SALSA ALLA PUTTANESCA

Proviene dalla cucina napoletana, questa salsa semplice e succulenta;
è ottima per condire linguine cotte al dente, cui dona il fresco gusto della semplicità.

Per 4 persone: *pomodori pelati g 400 • capperi salati g 30 •*
olive nere g 50 • olio d'oliva cl 5 • aglio 1 spicchio • sale
Tempo di cottura: *30 minuti*

Lavare i capperi e tritarli; snocciolare e spezzettare le olive. Nella metà dell'olio indicato far rosolare mezzo spicchio d'aglio tritato; appena biondo unirvi i capperi e le olive e lasciar insaporire per qualche minuto.

In un tegame a parte versare il rimanente olio, l'altra metà dello spicchio d'aglio tritato e i pomodori pelati, e salare. Far cuocere questa salsa per circa 25 minuti; aggiungere poi le olive e i capperi con il loro sugo e continuare la cottura a tegame coperto, a fuoco moderato, per altri 5 minuti.

Tradizionalmente con questa salsa si condiscono le linguine.

✧ 41 SALSA CON NERVETTI DI CARNE

È una salsa semplice che sfrutta i nervetti
che vengono eliminati dalle fette di carne prima di cucinarle;
è digeribile e saporita, adatta a condire paste al forno.

Nervetti di carne g 125 • pomodori pelati g 400 • aglio $^{1}/_{2}$ spicchio •
olio d'oliva cl 3 • vino bianco dl 1 • sale
Tempo di cottura: *50 minuti complessivamente*

Da 500 grammi di fettine di carne (che serviranno poi ad altro scopo) togliere i nervetti e il grasso, tagliarli a pezzetti e farli rosolare in un tegame, con metà dell'olio, a fuoco moderato. Dopo 20 minuti, quando avranno rilasciato tutto il loro umore, aggiungere il vino, farlo evaporare un poco, quindi estrarre i pezzetti di nervi e grasso ormai induriti. Se la glassa si fosse asciugata troppo, allungarla con un cucchiaio di acqua e, prima di togliere i nervetti, farla bollire per un attimo. A parte preparare una salsetta con il rimanente olio, il sale, mezzo spicchio d'aglio tritato e i pomodori, e farla cuocere per 20 minuti.

Unire infine la glassa dei nervetti alla salsa di pomodoro e far cuocere in tegame coperto, per altri 10 minuti.

✧ *42* SALSETTA ALLA CAROTA

È una salsa genuina e semplice, adatta a condire paste all'uovo oppure,
unita ad altri intingoli, paste al forno cui si voglia dare un sapore delicato.

Pomodori pelati g 400 • carote piccole 2 • olio e burro g 40 •
latte dl 1 • aglio 1 spicchio • sale
***Tempo di cottura:** 30 minuti*

Far rosolare per pochi minuti nell'olio le carotine e l'aglio tritati; unire i pomodori e il sale e cuocere a fuoco moderato.

Dopo 15 minuti versare il latte e aspettare che risulti un po' coagulato.

La pasta condita con questa salsetta richiede il parmigiano grattugiato.

Antipasti

✧ *43* Tartine

Quelli che seguono sono tre tipi di tartine
molto facili da preparare e ottime da gustare.
Presentate su un vassoio rettangolare, ciascuna varietà in una fila,
sono adatte a svariate occasioni.
Un paio di giorni prima della preparazione delle tartine
comperare una pagnotta di pane bianco o nero.

Con i gamberetti

Gamberetti kg ¹/₂ • maionese g 70 • lattuga 4 foglie •
olio d'oliva cl 3 • ¹/₂ limone • sale

Preparare i gamberetti come indica la ricetta "Gamberetti con olio e limone" (v. n. 126). Tagliare un quarto della pagnotta a fettine sottili; levare la crosta e ricavare 14 dischi del diametro di 5 centimetri.
Lavare le foglie di lattuga e sagomarle in altrettanti dischi dello stesso diametro dei pezzetti di pane; condire con gocce di olio e di limone e sale.
Spalmare su ogni disco di pane un po' di maionese, poggiarvi sopra un pezzetto di lattuga e sistemare al centro due gamberetti messi uno contro l'altro, a cerchio.

Con gli spinaci

Spinaci puliti g 300 • burro g 25 • maionese g 70

Lessare gli spinaci in poca acqua salata per 1 minuto; strizzarli tra le mani, poi rosolarli nel burro per un paio di minuti. Tagliuzzare finemente la verdura bene asciutta. Tagliare un quarto della pagnotta a fettine sottili, levare la crosta e ricavare 14 rettangoli di 3 per 5 centimetri.
Spalmare su ogni pezzo di pane un po' di maionese e su di essa un po' di spinaci, livellandoli con la lama di un coltello per farli aderire bene.

Con le uova sode

Tuorli sodi 3 • maionese g 130 • cetriolini sott'aceto 5 • prezzemolo $^1/_2$ mazzetto

Da un quarto di pagnotta tagliare delle fettine sottili, levare la crosta e ricavare 14 quadrati di 4 centimetri di lato.
Spalmare un bel po' di maionese sui pezzetti di pane, e cospargerli dei tuorli tritati finemente. Guarnire il bordo con prezzemolo tritato e il centro con una fettina tonda e spessa di cetriolino sott'aceto.

✧ 44 ANTIPASTO DI VERDURE

È gradito a coloro che desiderano piatti naturali e semplici.

Per 6 porzioncine: *spinaci g 300 • melanzane g 400 •*
peperoni grandi g 500 • pomodori non molto maturi g 200 •
ruchetta g 100 • olive verdi g 200 •
cetrioli 2 (oppure cetriolini all'aceto g 100) • sedano 2 cuori •
1 limone • aglio 2 spicchi • menta 6 foglie • olio d'oliva dl 1 •
aceto cl 3 • sale
Tempo di cottura: *30 minuti per i peperoni*
12 minuti per le melanzane

Condire gli spinaci, lessati al dente, con un po' di olio d'oliva e succo di limone.
Preparare le melanzane come indica la ricetta "Melanzane all'olio" (v. n. 266).
Informare i peperoni a 200 °C, tenerli a questa temperatura per il tempo indicato, rigirandoli, e poi spellarli. Tagliarli a listarelle, condirli con un poco di olio d'oliva, di succo di limone, di sale e di aglio tritato.
Condire con un po' d'olio, di aceto e di sale un'insalatina fatta di foglie di ruchetta e fettine sottili di pomodoro.
Se si è in possesso di un piatto per antipasto con 6 vaschette, riempirne una con gli spinaci, una con le melanzane, una con i peperoni, una con l'insalatina, una con le olive e infine l'ultima con fettine di cetriolo fresco (o sotto aceto) unite a listarelle di gambi teneri di sedano crudo non condito. Altrimenti porre ciascuna di queste sei portate in singoli piattini ovali.

✧ 45 ALICI CRUDE MARINATE

Sono un suggerimento per un antipasto estivo,
gustosissimo se accompagnato da una caciotta genuina.

Per 6 porzioncine: alici piccole e fresche kg ¹/₂ • aceto bianco l ¹/₂ •
olio d'oliva dl 1 • aglio 1 spicchio e ¹/₂ • peperoncino forte • sale
Tempo di macerazione: *4 ore in aceto*
12 ore in olio

Togliere la testa e la spina centrale alle alici e dividere i due filetti.
Sciacquare e sgocciolare i filetti, e metterli nell'aceto a macerare; poi stenderli su un canovaccio ad asciugare.
Accomodarli in un piatto da portata, condirli con olio, sale se necessario, aglio tritato e peperoncino e lasciar marinare per il tempo indicato.
Queste alici, essendo fresche, vanno consumate entro 48 ore.

✧ 46 Aringhe in Antipasto

L'aringa, molto più economica del salmone,
è meno raffinata ma altrettanto gustosa.
Essa, tuttavia, esige una preparazione di qualche giorno.

Per 6 persone: aringhe salate 5 (da g 250 l'una) • latte dl 6 •
olio d'oliva cl 12 • crostini di pane 12 • burro g 80 •
cipolline sott'aceto g 150
Tempo di macerazione: *2 giorni nel latte*
1-2 giorni nell'olio

Mettere una alla volta le aringhe su una graticola a fiamma vivace perché il grasso si sciolga e la pelle si spacchi.
Staccare con le mani la testa dal corpo dell'aringa e, con la punta di un coltello, scostare la pelle e tirarla giù dalla testa fino alla coda, da ambo i lati.
Sciacquarle molto bene e farle sgocciolare. Aprirle dal ventre e levare la spina centrale. Ricavare da ogni aringa due filetti, facendo attenzione a non lacerare la carne e a non rompere la pellicola delle uova rosse, molto pregiate, che si trovano nelle femmine.
Togliere quindi tutte le spine, aiutandosi con un coltellino, e tirandone via due o tre per volta; è, questa, un'operazione lunga ma indispensabile, che richiede pazienza.
Le spine piccole si trovano verso la coda e verso la testa.
Allorché i filetti sono ben puliti, coprirli di latte e tenerli in frigorifero per il tempo indicato, rigirandoli ogni tanto.
Trascorso questo tempo, sciacquarli velocemente, sistemarli nel piatto da portata, condirli con l'olio e tenerli nel frigorifero ancora almeno per un giorno.
Servire le aringhe circondandole di cipolline sott'aceto e accompagnandole, a parte, con i crostini e una coppetta con il burro montato.

✧ *47* ANTIPASTO DI MARE IN COPPETTE

È un antipasto fresco e raffinato, adatto per un pranzo estivo.

Per 12 coppette: *cefalo o dentice fresco g 600 •*
vongole fresche col guscio g 500 • cozze surgelate sgusciate g 500 •
seppioline surgelate o fresche g 600 • gamberetti surgelati o freschi g 600 •
polpetti surgelati o freschi g 500 • peperoni sott'olio 2 •
olive bianche da tavola g 100 • vino bianco secco cl 10 • limoni 2 •
prezzemolo 1 mazzetto • sedano 1 foglia • ¹/₂ cipollina • sale • pepe
Tempo di cottura: *40 minuti per le seppioline*
15 minuti per le vongole
15 minuti per i polpi surgelati e 30 minuti per quelli freschi
5 minuti per il cefalo o il dentice
3 minuti per le cozze
3 minuti per i gamberetti
Tempo di refrigerazione: *1-2 ore*

Mettere le vongole in una padella larga, con coperchio, su fuoco vivace per far aprire i gusci; poi sgusciarle e filtrare l'acqua di mare fuoruscita.
Far bollire i molluschi nel loro liquido in un pentolino con coperchio, su fuoco moderato, per 15 minuti.
Far bollire le cozze ancora un po' surgelate per 3 minuti, in poca acqua salata. Pulire le seppie e i polpi scongelati e cuocerli al dente in poca acqua con un po' di sale e una fetta di limone, separatamente.
Lessare i gamberetti e sgusciarli.
Lessare il cefalo fresco in acqua con sale, una foglia di sedano, mezza cipollina e un pezzetto di scorza di limone.
Preparare una salsetta con il vino, poco sale, il succo di due limoni e un po' di pepe.
Tagliare tutti i pesci a listarelle uguali e così anche i peperoni. Snocciolare le olive e tagliarle a pezzi. Spinare il cefalo cotto e dividerlo in pezzi grossi.
Unire il tutto, condire con una parte della salsetta e disporne una giusta quantità in ogni coppetta, quindi mettere in frigorifero.
Al momento di servire ritirare le coppette, rimescolare delicatamente le porzioni di pesce, versare su ciascuna di esse la restante salsa e cospargere la superficie di prezzemolo tritato.

✧ *48* GAMBERONI IN COPPETTE

Ottimo e di elegante presentazione, questo antipasto richiede poco lavoro;
i gamberoni surgelati possono sostituire quelli freschi.

Per 6 coppette: gamberoni medi 42 (g 750 circa) •
per la salsa: pomodori pelati senza liquido g 150, $^1/_2$ cipollina,
burro g 25, zucchero g 12 •
per la maionese: 1 tuorlo, olio d'oliva dl 1, succo di limone cl 1 •
per condire: vino bianco cl 3, $^1/_2$ limone, sale g 3
Tempo di cottura: *3 minuti e mezzo per i gamberoni*
30 minuti per la salsa
Tempo di conservazione: *2 ore in frigorifero*

Se i gamberoni sono freschi, privarli della testa, pulirli e cuocerli in poca acqua salata. Trascorso il tempo necessario alla cottura, farli permanere nella loro acqua per circa 10 minuti.

Se i gamberoni sono surgelati, bisogna farli scongelare per circa 15 minuti, poi, quando sono ancora duri di ghiaccio, privarli della testa, pulirli, sciacquarli velocemente e cuocerli come indicato per quelli freschi.

Sgusciare i crostacei lessati tagliando il guscio con le forbici lungo la linea dorsale. Lasciarli raffreddare e condirli con il vino, il succo del mezzo limone e poco sale, indi sgocciolarli.

Per la salsa, far rosolare nel burro per 3-4 minuti la cipollina affettata sottile e precedentemente bollita. Unire i pomodori tagliati a pezzetti e il sale, coprire e cuocere a fuoco moderato. Passare la salsa in un tritaverdure, aggiungervi lo zucchero e farla ancora restringere su fuoco moderato.

Preparare una maionese (v. n. 22) densa e unirla alla salsetta raffreddata.

Immergere ciascun gamberone in questa versione casalinga e un po' semplificata di salsa rosa, rigirandolo in modo che ne venga tutto ricoperto, e disporne sette per ogni coppetta. I gamberi così preparati si conserveranno bene in frigorifero per circa due ore; in seguito la salsa si stempera e i crostacei si induriscono.

✧ *49* SCAMPI CON OLIO E LIMONE

Costituiscono un raffinato antipasto e questa ricetta
permette di ottenere ottimi risultati anche con quelli surgelati

Per 4 porzioncine: *scampi 12 (kg 1 circa) • sedano 1 gambo •*
$^1/_2$ cipolla • 1 limone •
per la salsetta per pesce bollito: olio d'oliva cl 8, succo di limone cl 6,
prezzemolo $^1/_2$ mazzetto, sale g 5
Tempo di cottura: *12 minuti*

Se si desidera preparare gli scampi surgelati è meglio comperarli sfusi; non farli scongelare completamente, non privarli della testa, pulirli e sciacquarli velocemente. Bollirli in pochissima acqua col sale necessario, una scorza di limone e il sedano e la cipolla a pezzetti. A cottura ultimata lasciarli nella loro acqua calda una mezz'oretta, come è necessario per tutti i pesci. Un piccolo accorgimento è quello di servirli appena tolti dall'acqua tiepida.

Preparare la salsetta (v. n. 20).

Servire questi scampi interi, con a parte la salsetta, per una antipasto raffinato ma rustico, perché sarà il commensale a sgusciarli e condirli da sé.

Per gli scampi freschi il procedimento è lo stesso.

✧ 50 SPIEDINI DI GAMBERETTI

Costituiscono un antipasto fine e delicato. Per questa semplice preparazione possono essere utilizzati anche i gamberetti surgelati.

Per 15 spiedini: gamberetti 30 (g 500 circa)
• per la maionese (g 100): 1 tuorlo, olio d'oliva dl 1, succo di limone cl 1, sale •
lattuga bianca 1 cespo • olio cl 2 • $^1/_2$ limone • spiedini piccoli 15
Tempo di cottura: 3 minuti

Lavare la lattuga e dare, con le forbici, una forma rettangolare alle foglie. Cospargere di maionese (v. n. 22) ogni foglia e chiuderla, arrotolandola strettamente su se stessa. Preparare i gamberetti come indica la ricetta "Gamberetti con olio e limone" (v. n. 126).

Infilzare in ogni spiedino un gamberetto chiuso a cerchio in modo che non si apra, poi un rotolino di lattuga e un altro gamberetto. Adagiare gli spiedini così preparati sul piatto da portata coperto di foglie di fresca lattuga.

✧ 51 SPIEDINI DI ASPARAGI

Sono nuovi e particolari per la presentazione e per il gusto.
Essendo ben conditi, sono indicati prima di un pranzo leggero.

Per 10 spiedini: asparagi grossi 40 • prosciutto cotto g 250 • burro g 50 •
per la besciamella: latte dl 1, farina g 5, burro g 5, sale •
parmigiano grattugiato g 10 • spiedini piccoli 10
Tempo di cottura: 10 minuti nel forno a 180 °C

Lessare gli asparagi come spiegato nella ricetta "Asparagi al burro brunito" (v. n. 250). Preparare una besciamella (v. n. 28) con le proporzioni sopra indicate. Tagliare in due le fette di prosciutto e su ogni metà sistemare due punte verdi di asparago, lunghe 7 centimetri, unte di burro. Arrotolare le mezze fettine di prosciutto su se stesse, formando degli involtini stretti. Infilare in ogni spiedino due involtini e disporli in una teglia unta di burro.

Cospargerli di parmigiano e di fiocchetti di besciamella fredda e infornarli alla temperatura e per il tempo indicati.

Servirli a temperatura ambiente nel piatto da portata.

✧ *52* Uova Ripiene di Tonno

Stuzzicanti e di bella presenza, guarniscono bene un buffet.

Uova sode 6 • tonno sott'olio g 85 • capperi salati g 40 • 1 cipollina • 1 patatina •
per la maionese: tuorli 3, olio d'oliva dl 3, succo di limone cl 3, sale g 2
Tempo di refrigerazione: *2 ore*

Preparare una maionese (v. n. 22) con le proporzioni sopra indicate.

Sbucciare la patatina e la cipollina, farle bollire insieme in poca acqua salata e poi tritarle; tagliare in due le uova nel senso orizzontale e svuotarle dei tuorli.

Amalgamare bene tra loro i capperi lavati e tritati, la patata, la cipolla, il tonno e i tuorli sbriciolati.

Riempire ciascuna mezza chiara con l'impasto ottenuto, dando a ognuna la sagoma di un uovo intero. Spalmare un po' di maionese sul piatto da portata, sistemarvi le uova ben diritte, cospargerle di maionese e mantenerle in frigorifero fino al momento di servirle.

✧ *53* Uova alla Monachina

Costituiscono un gustoso antipasto caldo, anche se in genere fanno parte di quel classico piatto meridionale che è la "frittura all'italiana".

Uova sode 6 • per la besciamella: latte dl 2, farina g 15, burro g 8, sale g 6 •
parmigiano grattugiato g 20 • farina g 75 • uova per indorare 2 •
pangrattato g 50 • sale • olio d'oliva per friggere dl 4
Tempo di cottura: *3 minuti ogni 5 pezzi*

Preparare una besciamella (v. n. 28) densa con le proporzioni sopra indicate.

Tagliare le uova sode nel senso della lunghezza, estrarre i tuorli, senza rompere le chiare, e mescolarli alla besciamella, unendovi anche il parmigiano.

Riempire con questo impasto ogni mezza chiara d'uovo, ricostruendo la forma di un uovo intero.

Infarinare ogni uovo così composto, rigirarlo nelle uova sbattute con un pizzico di sale, passarlo nel pangrattato e friggerne quattro o cinque per volta in olio caldo, in un pentolino di ferro alto 10 centimetri e con diametro di 13 centimetri alla base e 21 alla sommità (v. alla voce "Frittura" nei Consigli utili).

Le uova devono acquistare un bel colore dorato e uniforme.

✧ *54* Mousse di Tonno

Questa vecchia ricetta indica come preparare la mousse di tonno esclusivamente con ingredienti genuini, senza l'uso della panna in confezione, oggi così diffusa.

Tonno sott'olio g 100 • acciughe sotto sale g 100 • latte dl 2 •
burro g 100 • 1 tuorlo • cognac cl $^1/_2$ • crostini di pane q.b.
Tempo di macerazione: *40 minuti nel latte*
Tempo di refrigerazione: *24 ore in frigorifero*

Setacciare o tritare finemente il tonno.

Pulire le acciughe, ridurle in filetti, sciacquarle e tenerle a macerare nel latte per il tempo indicato; poi tritarle molto finemente.

Montare a spuma il burro – tolto dal frigorifero 6-7 ore prima – con un cucchiaio di legno in una piccola ciotola; unirlo al tuorlo e amalgamarvi un po' alla volta le acciughe e il tonno. Da ultimo versare a filo il cognac e farlo assorbire.

Mettere il composto in una coppetta di 13 centimetri di diametro nella quale è stata distesa una pellicola trasparente bagnata e conservare in frigorifero.

Sformare la mousse in un piccolo piatto da portata e tenerla a temperatura ambiente per 30 minuti prima di servirla. Accompagnare con crostini di pane.

✧ *55* Mousse di Prosciutto

È una mousse delicata, lavorata con il brodo secondo le antiche tradizioni.

Prosciutto cotto senza grasso g 230 •
per la besciamella: latte cl 5, farina g 5, burro g 5, sale •
per la salsetta: farina g 12, brodo cl 10, colla di pesce $^1/_2$ foglio,
burro g 10, latte cl 2, pomodori pelati 2
Tempo di refrigerazione: *24 ore in frigorifero*

Preparare la besciamella (v. n. 28). Tritare molto finemente il prosciutto o passarlo al tritacarne.

Preparare la salsetta stemperando la farina in poco brodo freddo, senza formare grumi, e sciogliendo molto bene la colla di pesce nel rimanente brodo caldo; unire i due brodi e aggiungere il burro, quindi far bollire per 2-3 minuti. Ritirare il recipiente dal fuoco e aggiungere gradatamente 2 cucchiai di latte e i pomodori pelati setacciati. Far cuocere per altri 7-8 minuti amalgamando bene il tutto, finché la salsa non risulti densa.

Quando la salsa si sarà raffreddata unirvi il prosciutto e la besciamella; se il composto risultasse molto denso, aggiungere un cucchiaino di brodo.

Porre la mousse in una coppetta di 13 centimetri di diametro in cui è stata distesa una pellicola bagnata, e conservare in frigorifero.

Sformare la mousse in un piatto da portata, tenerla 30 minuti a temperatura ambiente, poi servirla con crostini di pane.

✧ 56 GALANTINA DI GALLINA

Servita quasi sempre a fette ricoperte di gelatina,
costituisce un ottimo e raffinato antipasto e ben figura in un buffet freddo.

Per 10 persone: *gallina con testa e zampe kg 1,600 •*
brodo l 1 ¹/₂ (osso di ginocchio di manzo, 1 pezzo di cotenna di maiale,
1 carota, 1 cipolla, sedano 1 gambo) • prosciutto cotto g 150 • lardo g 100 •
lingua salmistrata tagliata a fette spesse oppure pancetta coppata g 100 •
vino bianco cl 15 • polpa di manzo macinata g 200 •
polpa di maiale macinata g 200 • lardo macinato g 150 •
pistacchi g 30 • noce moscata • pepe • sale
Tempo di cottura: *1 ora e mezzo per il brodo*
1 ora per la galantina
Tempo di refrigerazione: *24 ore in frigorifero*

Disossare la gallina e levarle la pelle.

Mettere in una pentola, con 2 litri di acqua salata, la testa, le ossa, la pelle e le zampe della gallina, le ossa di manzo, la cotenna, la carota, la cipolla, il sedano e il sale. Far bollire a fuoco moderato per 1 ora e mezzo, poi filtrare il brodo attraverso un canovaccio bagnato e strizzato.

Tagliare i petti della gallina, il prosciutto cotto, il lardo, la lingua salmistrata in striscioline spesse e porle nel vino a marinare per un'ora; infine sgocciolarle.

In una ciotola amalgamare la polpa di manzo, quella di maiale, il lardo e le cosce della gallina macinati. Salare e aggiungere il pepe e la noce moscata grattugiata. Stendere l'impasto su un canovaccio bagnato e strizzato, formando uno strato spesso di forma rettangolare. Porre sullo strato di carne, nel senso della lunghezza, distanziandole e alternandole, le striscioline di petto di gallina, di prosciutto, di lingua e di lardo e i pistacchi sgusciati. Poi arrotolarlo più volte su se stesso, dal lato lungo, fino a formare un cilindro che abbia le dimensioni dell'apposito stampo rettangolare, di 11 per 26 centimetri.

Avvolgere il canovaccio attorno al rotolo di carne, legando le estremità e il centro con uno spago sottile.

Cuocere la galantina nel brodo per il tempo indicato a fuoco moderato, rigirandola durante la cottura se il liquido non la ricopre interamente.

A cottura ultimata, levare la galantina dal brodo, liberarla dal canovaccio e avvolgerla in un altro, pure bagnato e strizzato, stringendolo fortemente. Infine metterla nello stampo; perché la galantina non si deformi, riempire di canovacci i vuoti tra le pareti dello stampo e il rotolo di carne.

Coprire, pressare con un peso e mettere in frigorifero. Una volta sformata, affettare la galantina e servirla dopo 30 minuti a temperatura ambiente.

Il brodo in cui è stata cotta la galantina verrà adoperato per preparare la gelatina (v. n. 26).

CAPITOLO II

BRODI E MINESTRE

✧

PASTE ALIMENTARI

✧

RISO

✧

GNOCCHI

Brodi e Minestre

✧ 57 Brodo di Manzo

*Il lunedì le nostre nonne usavano cucinare il brodo; a prima mattina
veniva messo sul fuoco perché avesse il tempo di bollire per alcune ore.
I tagliolini all'uovo, i* fanz, *la* zuppa *santé richiedevano obbligatoriamente
un buon brodo di carne.*

*Per l 1 ¹/₂ di brodo: pezzo intero di "pettola" (nella spalla) g 600 •
pezzo intero di "primo taglio" (nella coscia) di manzo o di vitella g 300 •
ossa di ginocchio di bovino g 250 • sedano 2 gambi • carote gialle 2 •
1 cipolla • pomodori maturi 4 • foglioline di prezzemolo •
foglioline di peperella • sale*
Tempo di cottura: *1 ora e mezzo*

Distribuire sulla "pettola" due o tre foglioline di prezzemolo tritato fine, arrotolare strettamente la carne su se stessa e legarla con lo spago.

È bene far cuocere la carne in acqua non abbondante, perché la sua sostanza non si disperda troppo. A cottura ultimata, una volta tolta la carne, si può allungare il brodo quel tanto da ottenere la quantità indicata dalla ricetta specifica.

Nel mazzetto di odori solitamente vi sono anche alcune foglioline di erba peperella, detta nel napoletano *pepèrna*; essa dà il buon profumo necessario al brodo di carne.

Mettere dunque a cuocere il brodo ponendo in una pentola la carne insieme a tutti gli altri ingredienti tagliati a pezzetti e al sale necessario. Versare 1 litro e mezzo di acqua, coprire e porre sul fornello. Al bollore schiumare con un mestolo forato e far cuocere a fuoco moderato per il tempo indicato. A cottura ultimata togliere la carne, porla in un piatto e filtrare il brodo in una tela bagnata e strizzata. Se necessario allungarlo con acqua perché risulti di 1 litro e mezzo, la giusta quantità per queste proporzioni. Usarlo a proprio piacimento accompagnandolo con del parmigiano grattugiato servito a parte in una formaggiera.

La carne, una volta raffreddata, va tagliata a fette molto sottili. Al momento di servirla riscaldarla in un po' di brodo e accompagnarla con la "Salsa gialla" (v. n. 30).

✧ 58 BRODO DI POLLO

Indicato per minestre leggere, risotti delicati e piatti dal gusto fine.

Per l 1 $^1/_2$ di brodo: *pollo kg 1 $^1/_2$ • sedano 2 gambi •*
carote 3 • 1 cipolla • 1 patata • pomodori maturi 2 •
prezzemolo $^1/_2$ mazzetto • sale
Tempo di cottura: *1 ora e un quarto*

Per ottenere un buon brodo non serve un pollo grande; è necessario invece cucinarlo con la testa, le ali, le zampe.
Mettere in una pentola con coperchio il pollo pulito con la testa e le zampe, tutte le verdure sopra indicate, a pezzetti, e un litro e un quarto di acqua. È sempre bene cucinare il pollo in poca acqua perché la sua sostanza non si disperda troppo. Aggiungere il sale necessario e collocare sul fornello. Al bollore schiumare con un mestolo forato.
Far bollire su fuoco moderato per il tempo indicato; a cottura ultimata togliere il pollo e filtrare il brodo in una tela bagnata e strizzata; eventualmente allungarlo per ottenere la quantità richiesta dalla ricetta. Rimetterlo nella pentola e versarvi la pasta o il riso desiderati. Il pollo bollito va tagliato in 8 pezzi e servito accompagnato dalla "Salsa verde" (v. n. 25).

✧ 59 BRODO VEGETALE

Brodo salubre e leggero, con esso si preparano gradevoli minestrine.

Per dl 8 di brodo: *cipolle medie 2 • carote gialle grandi 3 •*
patate g 350 • pomodori maturi San Marzano 4 •
sedano 2 gambi grandi con le foglie • prezzemolo $^1/_2$ mazzetto •
foglioline di peperella • olio d'oliva cl 1 • sale
Tempo di cottura: *2 ore e 20 minuti*

Mettere in una pentola con coperchio le patate sbucciate e tagliate in quattro insieme con un litro e mezzo di acqua salata e porre sul fuoco. Dopo 20 minuti di cottura moderata, togliere le patate e tenerle da parte; questo perché esse cuociono in un tempo molto minore del brodo e non possono essere aggiunte a fine cottura perché, se immerse in un liquido caldo, induriscono.
Lavare bene le verdure indicate, tagliarle a piccoli pezzi e porle nella pentola contenente l'acqua delle patate, versarvi l'olio, coprire e far cuocere moderatamente per 2 ore. A cottura ultimata passare il brodo con tutte le verdure in un tritacarne: si ottiene così una saporita minestrina da condire con del parmigiano grattugiato. Al-

trimenti scartare le verdure, filtrare in una tela bagnata e strizzata e allungare il brodo con quel tanto di acqua che serve a ottenere gli 8 decilitri richiesti dalla ricetta. Cucinarvi quindi una pastina o del semolino.

✧ 60 CONSOMMÉ FREDDO

Raffinato e delicato per un pranzo estivo.

Per 10 persone: *brodo di pollo dl 9 • succo di pomodoro crudo dl 4 •
peperoni 2 • zucchero g 30 • sale*
Tempo di cottura: *1 ora e un quarto per il brodo di pollo*

Preparare il brodo (v. n. 58). Filtrarlo in una tela bagnata e strizzata.
Passare al tritaverdure tanti pomodori quanti sono necessari per ottenere 4 decilitri di succo. Condire con zucchero e sale e unire al brodo.
Lessare i peperoni in acqua salata e tagliarli a dadini, poi versarli nel brodo.
Mettere questo consommé in frigorifero e servirlo ben mescolato e freddo in tazze singole.

✧ 61 FANZ PER BRODO A PALLINE DORATE

I fanz, *piccoli bocconcini di pasta salata, delicati e raffinati,
erano molto comuni nella cucina della scorsa generazione.*

Per 6 porzioncine: *farina g 120 • 1 uovo • burro g 20 •
lievito di birra g 10 • sale g 2 • olio d'oliva per friggere dl 1*
Tempo di lievitazione: *45 minuti*
Tempo di cottura: *2 minuti*

Fare la fontana di farina e collocarvi al centro l'uovo, il sale, il burro e il lievito sciolto in circa 2 centilitri di acqua tiepida. Amalgamare gli ingredienti e lavorare "di polso". Con il matterello spianare una "pettola" alta mezzo centimetro.
Premere un tappo di bottiglia sulla pasta e ricavarne tanti piccoli dischi, poi lasciarli a lievitare sul marmo infarinato. Quando risultano cresciuti del doppio, friggerli in olio bollente nel pentolino di ferro per fritti, rigirandoli più volte.
Il fuoco deve essere molto vivace e l'olio abbondante; non abbassare mai la fiamma durante la cottura. Dopo circa 2 minuti sollevare le palline dorate con un mestolo forato e adagiarle su della carta assorbente.
Questi fanz vanno serviti nel brodo caldo, insieme ad altri bocconcini, come nella "Zuppa santé" (v. n. 64).

✧ 62 FANZ PER BRODO A BEIGNET

*Per 6 porzioncine: farina g 100 • burro o sugna g 10 • acqua dl 2 •
sale g 4 • olio d'oliva per friggere dl 1*
Tempo di cottura: *2 minuti*

Versare l'acqua in una pentola stretta e alta, con il sale e il burro. Appena l'acqua entra in ebollizione, lasciar cadere a pioggia la farina nel centro della pentola, mescolando contemporaneamente con un cucchiaio di legno.
Rimestare costantemente per 3-4 minuti, su fuoco moderato, fino a che l'impasto comincia a staccarsi dalle pareti del recipiente e diventa compatto e levigato.
Versare il contenuto della pentola sul marmo unto di olio. Con un coltello, anch'esso unto di olio, prendere un po' per volta un pezzo dell'impasto e rotolandolo sul piano di marmo formarne dei salamini stretti e lisci, suddividendo poi ciascuno di essi in tanti quadratini delle dimensioni di un cece.
Mettere l'olio nel pentolino per fritti e porlo sul fuoco.
Appena l'olio è bollente, friggere i quadratini, rivoltandoli finché non risultino di un bel colore dorato.
A questo punto, sollevarli e adagiarli su della carta assorbente. Servirli nel brodo caldo, insieme ad altri bocconcini, come nella "Zuppa santé" (v. n. 64).

✧ 63 PIZZA DI FANZ PER IL BRODO
DELLA NONNA MARIA

*Questa ricetta ottocentesca, di grande raffinatezza, ci offre dei saporitissimi,
genuini, piccoli* fanz *che vanno gustati da soli in un buon brodo di carne.*

*Per 4 persone: farina g 55 • uova 4 • parmigiano grattugiato g 50 •
prezzemolo $^1/_2$ mazzetto • sale g 2 $^1/_2$ • pepe •
brodo di manzo l 1*
Tempo di cottura: *35 minuti nel forno a 160 °C*

Dividere le chiare dai tuorli e montarle a neve ferma con un frullino.
Lavorare a parte i tuorli, poi versarli a filo nelle chiare mescolando con un cucchiaio di legno. Unire il parmigiano alla farina e lasciar cadere a pioggia questo composto sulle uova, aggiungendo il sale, poco pepe e il prezzemolo tritato finemente. Amalgamare con delicatezza i vari ingredienti.
Preparare una teglia dalle pareti sottili del diametro di 20 centimetri ungendone l'interno di olio e spolverizzandolo di farina, versarvi l'impasto e infornare (v. *Cottura ... alle chiare d'uovo* alla voce "Forno" nei Consigli utili).
Sformare la pizza quando è fredda e tagliarla a cubetti piccoli e uguali.
Servire questi *fanz* nel brodo caldo, per un pranzo elegante.

✧ *64* ZUPPA SANTÉ

Minestra raffinata nella sua semplicità, richiede necessariamente
un buon brodo di manzo.

Per 6 persone: *brodo di manzo l 1 ¹/₂ • fanz per il brodo •*
per 36 polpettine: polpa di vitella macinata g 120,
pane raffermo ammollato in acqua e strizzato g 20, 1 tuorlo,
parmigiano grattugiato g 5, sale, olio per friggere cl 5 •
scarola bianca g 500
Tempo di cottura: *1 ora e mezzo per il brodo*
2 minuti per la scarola

Preparare il brodo (v. n. 57). Cucinare i *fanz* (v. n. 61 o 62).
Con gli ingredienti indicati preparare le polpettine di carne; esse devono esser piccolissime, del diametro di 1 centimetro. Friggerle nell'olio di oliva.
Lavare e tagliare a pezzi grossi la scarola e bollirla in acqua per il tempo indicato.
Allungare il litro e mezzo di brodo con acqua perché diventi esattamente di 2 litri.
Rimettere la pentola sul fuoco, al bollore unirvi la scarola e farla cuocere per qualche attimo. Al momento di servire, versare il brodo con la scarola in una zuppiera e aggiungere le polpettine di carne e i piccoli *fanz*. Accompagnare con parmigiano in formaggiera questa minestra di gran classe.

✧ *65* ZUPPA A BAGNOMARIA

Per 4 persone: *per la besciamella: latte l ¹/₂, farina g 20, burro g 30, sale g 6 •*
uova 3 • parmigiano grattugiato g 20 • burro g 20
Tempo di cottura: *10 minuti a bagnomaria*

Preparare una morbida besciamella (v. n. 28), lasciarla intiepidire, quindi aggiungere un uovo alla volta, rimestando con un cucchiaio di legno. Allorché le uova sono ben amalgamate, unirvi il parmigiano. Travasare la crema in un pentolino alto unto di burro e cuocere a bagnomaria sul fornello. La crema deve risultare molto morbida. Versare la minestra in 4 tazze e servirla calda.

✧ *66* MINESTRONE MILANESE

Per 8 persone: *riso g 180 • fagioli g 140 • verza g 450 • carote 3 • 1 cipolla •*
sedano 1 cuore • lardo g 50 • olio d'oliva cl 3 • sale

Tempo di cottura: 3 ore per i fagioli
1 ora e mezzo per il minestrone

Cuocere i fagioli in 1 litro d'acqua dopo averli tenuti per qualche ora in ammollo; salarli a fine cottura. Lessare il riso al dente. Bollire in poca acqua la cipolla tagliata a dadi (v. alla voce "Cipolla" nei Consigli utili).
In una pentola su fuoco moderato far sciogliere il lardo, scartarne i pezzetti induriti, quindi unire l'olio al grasso disciolto e mettervi a rosolare la cipolla per 2-3 minuti. Aggiungere il cuore del sedano e le carote tagliati a dadini. Quando il tutto è ben rosolato, versare nella pentola 1 litro e mezzo d'acqua, la verza tagliata a liste e il sale, coprire e far cuocere a fuoco moderato per il tempo indicato.
A fine cottura giudicare se aggiungere altra acqua, considerando che, al momento di servire, al minestrone vanno uniti il riso e i fagioli ben sgocciolati.
Servirlo non troppo brodoso, accompagnato dal parmigiano grattugiato.

✧ 67 MINESTRONE NAPOLETANO

Per 8 persone: peperoni gialli g 300 • patate g 250 • zucchini g 450 •
sedano 2 cuori • 1 cipolla grande • pomodori pelati g 50 •
prosciutto crudo g 50 • olio di oliva e burro g 40 • aglio 1 spicchio •
tubetti di grano duro g 75 • basilico e prezzemolo q.b. • sale
Tempo di cottura: 30 minuti per i peperoni nel forno a 200 °C
30 minuti per il minestrone

Arrostire nel forno i peperoni, spellarli e tagliarli a listarelle.
Rosolare nel burro unito all'olio la cipolla bollita e tagliata a dadi e aggiungervi il prosciutto pure tagliato a dadini, l'aglio tritato, il sedano e i pomodori a pezzetti. Mettere il tutto in una pentola su fuoco moderato per 3-4 minuti.
Versare nella pentola 1 litro di acqua fredda e unirvi le patate tagliate a dadini; far cuocere 15 minuti, poi aggiungere i peperoni e gli zucchini tagliati a dadini e terminare la cottura per gli altri 15 minuti necessari, infine salare.
A parte lessare al dente la pasta.
Al momento di servire unire alle verdure i tubetti, il prezzemolo tritato e qualche foglia di basilico.

✧ 68 MINESTRA MARITATA

Questa classica minestra napoletana "si sposa" – e da qui il nome –
con l'altrettanto classico salsiccione, che sarebbe obbligatorio; tuttavia anche senza
di esso, che oggi non è facile da reperire, questo piatto è ottimo e particolare.

Per 10 persone: cicoria di campagna oppure broccoletti neri kg 1 •
talli di rape g 500 • broccoli di Natale 2 fasci • scarola e cicoria kg 2 •
olio d'oliva e lardo con cotenna g 160 • salsiccioni secchi di maiale 2 •
1 cipolla grande • sedano 1 cuore • 1 carota • brodo di manzo l 2 $^1/_4$ • sale
Tempo di cottura: *1 ora e mezzo per il brodo*

Cuocere il salsiccione nel brodo in ebollizione (questo insaccato si fa con carne di maiale di scarto e con il cuore e il polmone dell'animale, poi lo si fa seccare).

La cicoria di campagna è la verdura più indicata per questa minestra, ma oggi è sempre più difficile trovarla sul mercato; la si può sostituire con i broccoletti neri.

Pulire e tagliare a pezzi grossi le diverse verdure e lessarle al dente ognuna nella propria acqua abbondante e salata. Far bollire la cipolla tagliata a cubetti (v. alla voce "Cipolla" nei Consigli utili). Preparare un brodo di manzo con le stesse proporzioni indicate nella ricetta n. 57, poi filtrarlo in un telo bagnato e strizzato e allungarlo fino a ottenere i 2 litri e un quarto richiesti.

Mettere la cotenna del lardo a cuocere nel brodo in ebollizione, tagliare il lardo a fettine e batterlo con la lama di un coltello fino a ridurlo a una crema grassa.

In una pentola capiente far sciogliere questa crema con un po' d'olio e mettervi a rosolare la cipolla bollita, il sedano e la carota in fettine sottili.

Versare nella pentola il brodo e, al bollore, unirvi tutte le verdure già cotte e ben sgocciolate. Far bollire per soli 1-2 minuti.

Servire in una zuppiera disponendo sulla minestra le carni cotte nel brodo, tagliate a mezze fette sottili: la carne di manzo, la cotenna del lardo, il salsiccione. Accompagnare con il parmigiano grattugiato, in formaggiera.

✧ 69 Minestra di Cavolfiore

Per 4 persone: 1 cavolfiore piccolo • carote 2 • 1 costa di sedano •
1 cipolla grande • pancetta a pezzettini g 25 • olio d'oliva cl 3 •
pomodori 2 • acqua l $^1/_2$ • sale
Tempo di cottura: *35 minuti*

Far rosolare un poco la cipolla, dopo averla bollita (v. alla voce "Cipolla" nei Consigli utili); aggiungervi la pancetta e, dopo pochi minuti, le carote e il sedano tagliati a fettine sottili. Far insaporire e, da ultimo, aggiungere il cavolo – i fiori staccati l'uno dall'altro e il gambo tagliato a pezzetti – e i pomodori tritati.

Far rosolare ancora pochi minuti rimestando continuamente con un cucchiaio di legno. Aggiungere circa mezzo litro di acqua in ebollizione a parte, salare, coprire e lasciar cuocere a fuoco moderato.

Si consiglia di non aggiungere l'acqua tutta insieme, ma di giudicare, a metà cottura, quanta ancora ne sia necessaria per ottenere una minestra che deve risultare poco brodosa.

✧ 70 CIAMBOTTA DI FAVE E PISELLI

Gustoso e antico piatto dell'Italia meridionale.

Per 6 persone: *fave sgusciate g 250 • piselli sgranati g 200 •
carciofi puliti g 200 • 1 cipolla • aglio 1 spicchio • burro g 40 • pancetta g 60 •
olio d'oliva cl 2 • crostini di pane 12 • 1 limone • sale*
Tempo di cottura: *1 ora e mezzo per i piselli e per le fave
30 minuti per i carciofi*

Pulire a fondo i carciofi senza staccarne il gambo, tagliarli in quattro spicchi lunghi, strofinarli col limone e sciacquarli, poi metterli a cuocere in un tegamino con due cucchiai di olio, uno spicchio d'aglio tritato e una tazzina di acqua, ben coperti.
Mettere i piselli in circa mezzo litro di acqua con mezza cipolla affettata, 20 grammi di burro e 30 grammi di pancetta tagliata a cubetti e far cuocere su fuoco moderato e a tegame coperto.
In egual modo, ma in un altro tegame, cuocere le fave con circa 6 decilitri di acqua, 20 grammi di burro, 30 grammi di pancetta a dadini e mezza cipolla tagliata a fettine sottili. Le tre verdure devono risultare umide al punto giusto e non brodose; salarle a fine cottura.
Unire le tre verdure in un unico recipiente, ciascuna con il proprio sugo, e farle bollire insieme per pochi secondi.
Servirle accompagnate da crostini di pane, fritti o abbrustoliti in forno.

✧ 71 MINESTRA DI RISO E LEGUMI

Per 4 persone: *riso fino g 250 • fagiolini freschi o in scatola al naturale g 150 •
pisellini freschi sgranati o in scatola al naturale g 150 •
pomodori pelati 2 • 1 cipollina • aglio 1/2 spicchio •
olio d'oliva cl 2 • burro g 60 • sale*
Tempo di cottura: *1 ora e mezzo per i piselli
15 minuti per i fagiolini
12 minuti per il riso*

Mettere i piselli in una pentola con 2 decilitri d'acqua, una cipollina affettata e 30 grammi di burro. Far cuocere a fuoco moderato nel recipiente coperto fino a che i legumi risultano ben cotti e asciutti; infine salare.
A parte lessare al dente i fagiolini e poi farli rosolare per un paio di minuti in un tegame in cui sia stata preparata una salsetta con due cucchiai di olio, poco sale, l'aglio tritato e i pomodori. Se i fagiolini sono in scatola, non è necessario lessarli; a cottura ultimata, spezzettarli.

Far rosolare il riso in 30 grammi di burro e terminarne la cottura a risotto, versando poco per volta circa 4 decilitri di acqua salata in ebollizione a parte. Cuocere il riso al dente e, a fine cottura, unirvi i piselli e i fagiolini caldi. Servire subito.

✧ 72 MINESTRA DI ZUCCHINI E PATATE

Una ricettina economica per un piatto leggero e gustoso.

Per 4 persone: *zucchini piccoli g 500 • patate g 400 • sedano 1 cuore grande •*
1 cipolla • brodo dl 2 • olio d'oliva cl 4 • basilico 6-7 foglie • sale
Tempo di cottura: *25 minuti*

Versare l'olio in una padella con la cipolla affettata sottilmente. Rosolare per una decina di minuti a fuoco molto moderato. Divenuta bionda la cipolla, aggiungere il sedano tagliato a pezzetti e farlo cuocere per pochi minuti. Versare il tutto in una pentola e aggiungere il brodo, gli zucchini tagliati a dadi e le patate sbucciate e tagliate a tocchetti; salare, coprire il tegame e far cuocere, per il tempo indicato, a fuoco moderato. La minestra non deve risultare troppo brodosa. Servirla in una zuppiera, dopo avervi distribuito sopra le foglie di basilico fresco.

✧ 73 CECI CON TAGLIATELLE E SCAROLA

Per 4 persone: *tagliatelle all'uovo g 100 • ceci g 200 • pomodori pelati 2 •*
aglio 1 spicchio • olio d'oliva cl 4 • scarola pulita g 100 •
foglioline di maggiorana • bicarbonato $^1/_2$ cucchiaino • sale
Tempo di cottura: *3 ore complessivamente*

Tenere i ceci in una pentola per 12 ore con acqua e bicarbonato.
Al momento della cottura, cambiare l'acqua e aggiungerne 1 litro. Versare nella pentola l'aglio tritato, i pomodori a pezzetti e l'olio; al bollore schiumare e continuare la cottura a fuoco moderato e a tegame coperto.
Se durante la cottura l'acqua si asciuga, aggiungerne altra in ebollizione a parte, tenendo presente che in seguito vi si uniranno anche la scarola e le tagliatelle.
Far bollire in acqua salata, per un paio di minuti, la scarola tagliata grossolanamente; a parte, lessare le tagliatelle spezzate in quattro parti e scolarle al dente. Quando i ceci sono cotti, aggiungere la scarola, la maggiorana e infine le tagliatelle. Far bollire tutto insieme per qualche istante. Tenere la minestra nella pentola di cottura per 7-8 minuti, poi travasarla nella zuppiera e servirla. Questa minestra non deve risultare brodosa.

✧ 74 LENTICCHIE A MINESTRA

*L'acqua di cottura di un cotechino o di uno zampone
sarà ottima per cuocervi le lenticchie;
potranno così essere servite come contorno degli stessi salumi.*

Per 4-5 porzioni: *lenticchie piccole g 250 • olio d'oliva cl 5 •
pomodori 3 • aglio 1 spicchio • prezzemolo $^1/_2$ mazzetto •
riso o tubetti di grano duro g 100
oppure 8 crostini • sale*
Tempo di cottura: *1 ora e mezzo*

Pulire le lenticchie, scartando qualche eventuale sassolino, e sciacquarle.
Porle quindi in una pentola non larga con coperchio, insieme all'olio, l'aglio tritato, i pomodori a pezzetti, e a 8 decilitri di acqua fredda.
Mettere sul fornello e fare cuocere a fuoco molto moderato; se durante la cottura
l'acqua evapora troppo, aggiungerne altra in ebollizione a parte.
Il pomodoro è molto importante perché addolcisce il sapore delle lenticchie.
A cottura ultimata, salarle, spolverizzarle di prezzemolo tritato e servirle secondo i
propri gusti: da sole, oppure a purè, dopo averle setacciate in un tritaverdure, oppure ancora unite alla pasta o al riso lessati a parte.

✧ 75 FAVE A PURÈ

*Questo piatto risulta saporito usando fave sia secche, sia fresche;
naturalmente ciascun tipo richiederà una diversa quantità d'acqua
e un diverso tempo di cottura.*

Per 4 persone: *fave fresche sgranate g 500 • olio d'oliva cl 6 •
pomodori 3 • 1 cipolla a fettine • crostini 8 • sale*
Tempo di cottura: *1 ora e mezzo*

Per questa ricetta non è necessario procurarsi fave piccole e dalla scorza sottile,
perché vengono setacciate.
Mettere le fave in un pentolino con coperchio insieme ai pomodori a pezzetti, alla
cipolla a fette, all'olio e a 8 decilitri di acqua fredda.
Far bollire a fuoco molto moderato.
Se durante la cottura l'acqua si asciuga, aggiungerne altra in ebollizione a parte; le
fave, una volta cotte, dovranno risultare brodose al punto giusto per ottenerne un
morbido purè; salare e passare in un tritaverdure.
Servire caldo questo purè accompagnandolo con crostini fritti o abbrustoliti in
forno e poggiati sul bordo del piatto.

✧ 76 FAGIOLI CON COTICA

Per 4 persone: fagioli secchi g 250 • cotica g 150 • olio d'oliva cl 2 •
sedano 1 gambo • pomodori pelati 3 • 1 cipolla • sale
Tempo di cottura: *3 ore*

Mettere i fagioli in 1 litro e mezzo di acqua con i pomodori, il sedano a pezzetti, la cipolla a fettine, l'olio e la cotica ben lavata in acqua calda. (È bene, prima della cottura, tenere i fagioli secchi per qualche ora in acqua fredda perché cuociano in minor tempo; per la preparazione della minestra usare la stessa acqua in cui i legumi sono stati ad ammollare.)
Porre la pentola coperta sul fornello e al primo bollore ridurre la fiamma e tenerla al minimo per tutta la durata della cottura. Se durante le 3 ore previste l'acqua si riduce troppo, aggiungerne altra bollente. Infine salare e servire la minestra un po' brodosa. La cotica, ammorbidita, si può tagliare a liste e mettere sui fagioli.

✧ 77 FAGIOLI FRESCHI A MINESTRA

Cuocere i fagioli insieme al loro condimento e agli odori
rende particolarmente saporito questo piatto genuino.

Per 4 persone: fagioli freschi g 800 • olio d'oliva cl 4 • aglio 1 spicchio •
pomodori pelati 3 • sedano 1 costa • scarola pulita g 200 • sale
Tempo di cottura: *1 ora circa*

Sgranare i fagioli e metterli nella pentola con 1 litro di acqua fredda, i pomodori, il sedano a pezzetti, l'aglio tritato e l'olio.
Far bollire, a fuoco moderato, per il tempo indicato. A cottura ultimata, salare i fagioli e unirvi la scarola tagliata grossolanamente e lessata al dente. Far bollire ancora per un paio di minuti. Questa minestra va servita leggermente brodosa.

✧ 78 PANCOTTO PUGLIESE

In Puglia, quando il forno a legna sfornava una pagnotta la si cucinava con
le verdure locali ottenendo questo piatto contadino così caratteristico e saporito.

Per 4 persone: broccoli pugliesi puliti g 600 • pagnotta rafferma g 300 •
olio d'oliva dl 1 • aglio 1 spicchio • sale
Tempo di cottura: *12 minuti per i broccoli*
5 secondi per il pane

I broccoli pugliesi sono tanto gustosi che da soli danno tutto il sapore a un piatto. Sono verdi e somigliano al cavolfiore, ma hanno le cime più piccole e i gambi più lunghi. Dopo averli lavati, privarli di un tratto di gambo e praticare sulla parte restante un'incisione a croce per farlo cuocere in modo omogeneo alle cime. Lessarli in abbondante acqua salata e scolarli sollevandoli con un mestolo forato.

Tagliare il pane a fette sottili, immergerle nell'acqua di cottura che continua a bollire vivacemente, e subito sollevarle con il mestolo.

Disporre in ogni piatto una fetta di pane così preparata: mettere su ogni fetta una porzione di verdura calda, cospargerla di pochi e piccolissimi pezzetti di aglio tritato e versarvi a filo un paio di cucchiai di olio d'oliva crudo.

✧ *79* PASTINA AL POMODORO

*Questa saporita pastina ci dimostra come erano semplici e genuini
i piatti giornalieri di una volta.*

Per 4 persone: *tubetti di grano duro g 300 • pomodori pelati g 400 •
olio d'oliva cl 3 • aglio $^1/_2$ spicchio • sale g 8*
Tempo di cottura: *16 minuti complessivamente*

Mettere in un pentolino i pomodori, l'olio, l'aglio intero e il sale e far cuocere a fuoco moderato senza coperchio, per 10 minuti.

In acqua salata in ebollizione cuocere la pastina (i tubetti) per soli 3 minuti, indi scolarla.

Togliere l'aglio dalla salsa e aggiungervi 3 decilitri di acqua. Al bollore, versarvi la pastina parzialmente lessata e terminare la cottura a fuoco moderato, senza coperchio, rimestando continuamente con un cucchiaio di legno per 3 minuti e non oltre. Se si rispettano i tempi la minestrina risulterà asciutta al punto giusto e molto saporita per grandi e bambini.

PASTE ALIMENTARI

✧ 80 PASTA E FAGIOLI

*Ecco un'antica ricettina popolare e saporita. A Napoli si usa unire i fagioli
a diverse qualità di pasta tagliuzzata e mischiata.*

Per 4 persone: *pasta di grano duro g 110 • fagioli secchi g 250 •
pomodori pelati 3 • sedano 1 costa grande • aglio 1 spicchio •
olio d'oliva cl 5 • sale • pepe*
Tempo di cottura: *3 ore per i fagioli*

Mettere i fagioli in 1 litro e tre quarti di acqua fredda con l'aglio tritato, i pomodori
tagliuzzati, il sedano fatto a pezzettini e l'olio. Porre la pentola coperta sul fornello
a fuoco moderato. Quando l'acqua bolle, abbassare la fiamma al minimo e tenerla
così per tutta la durata della cottura. Se l'acqua si riduce troppo, aggiungerne altra già
in ebollizione a parte. Infine, salare e pepare e unire ai fagioli la pasta, che è stata fatta
lessare a parte per 5 minuti in acqua salata. Far bollire il tutto ancora per 2 minuti.
Questo piatto non deve essere brodoso e va servito qualche minuto dopo che la
cottura è ultimata per dare tempo agli ingredienti di amalgamarsi bene.

✧ 81 PASTA E ZUCCHINI DELLA COSTIERA

È un piatto caratteristico della costiera amalfitana.

Per 4 persone: *mezzanelli sottilissimi di grano duro g 250 • burro g 45 •
caciocavallo grattugiato g 70 • zucchini piccoli g 600 •
olio d'oliva per friggere dl 1 $^1/_2$ • sale*
Tempo di cottura: *6 minuti per friggere*

I mezzanelli possono essere sostituiti dai bucatini grossi, detti *perciatelli*, spezzati
in cinque parti.

Lavare gli zucchini, privarli delle due estremità e tagliarli a fettine rotonde e sottili; metterli poi a friggere in una padella, a fuoco vivace, rimestando continuamente con due cucchiai di legno, finché non diventano di colore bruno. Sgocciolarli con un mestolo forato, adagiarli su della carta assorbente e salarli.

Contemporaneamente lessare la pasta in abbondante acqua salata, scolarla e condirla con il burro e il caciocavallo. Unirvi poi gli zucchini fritti, mescolare bene il tutto con due cucchiai di legno e servire caldo.

✧ *82* PASTA AL FORNO ALLA CAPRESE

A Capri gli zucchini, i peperoni e le melanzane
sono sempre stati abbinati ai maccheroni.
Questa ricetta, in cui la pasta è amalgamata alle melanzane,
offre un piatto semplice ma comunque molto gustoso.

Per 6 persone: *mezzanelli di grano duro g 400 • melanzane kg 1 •*
sugo di carne cl 6 • aglio 1 spicchio • pomodori pelati g 300 •
parmigiano grattugiato g 60 • olio dl 2 • sale • burro g 20
Tempo di cottura: *10 minuti per friggere*
10 minuti nel forno a 180 °C

Preparare il sugo cucinando arrosto un qualsiasi pezzo di carne del peso di 350 grammi, seguendo la ricetta per il roast-beef (v. n. 173) con olio, sale e senza vino, in forno o sul fornello. Far bollire in acqua salata i mezzanelli, scolarli molto al dente e condirli con il sugo di carne e il parmigiano; provare il sale. Lavare e tagliare a spicchi le melanzane, senza sbucciarle, quindi tagliarle a pezzetti; friggerle in olio caldo e quando avranno assunto un colore bruno sgocciolarle e salarle.

Preparare a parte una salsetta con i pomodori, 1 centilitro di olio, l'aglio tritato e un po' di sale; farla cuocere per 10 minuti, quindi versarla sulla verdura e amalgamare. Unire ai maccheroni freddi le melanzane egualmente raffreddate e mescolarli bene usando due cucchiai di legno perché non si frantumino.

Ungere di burro una teglia da tavola del diametro di 28 centimetri; sistemarvi i mezzanelli con le melanzane e mettere nel forno già caldo.

✧ *83* PASTA CON SARDE ALLA SICILIANA

Per 4 persone: *mezzanelli sottili di grano duro g 280 • 1 fascio di finocchio*
selvatico • 1 cipolla • olio d'oliva dl 1 • succo di pomodoro g 250 •
sarde fresche g 350 • 1 alice salata • uvetta e pinoli g 40 • sale
Tempo di cottura: *30 minuti per la salsa*

Pulire, lavare e tagliare a pezzetti le sarde; rosolarne una metà in due cucchiai di olio per pochi attimi.

Far restringere sul fuoco per circa 10 minuti il succo di pomodoro.

Mettere a rosolare in quattro cucchiai di olio e a fuoco moderato la cipolla già bollita in precedenza; aggiungere il finocchio lessato e tritato e il pomodoro ristretto e far cuocere per 10 minuti. Unire le sarde crude, il sale necessario, i pinoli e l'uvetta e far cuocere, coprendo il recipiente, per altri 10 minuti.

Lavare bene l'alice salata, privarla della lisca, passarla in poco olio caldo e metterla nel sugo caldo tagliata a pezzetti, senza farla bollire.

Lessare al dente in acqua salata la pasta (i mezzanelli possono essere sostituiti da bucatini grossi spezzati in quattro parti), scolarla, condirla con la salsa calda e sistemarla nel piatto da portata guarnendo con i pezzetti di sarde rosolati precedentemente nell'olio.

✧ *84* SPAGHETTI ALLA MOLLICHELLA

*Antica ricettina giornaliera che valorizza il sapore della classica
salsetta napoletana fatta di solo aglio rosolato nell'olio.*

*Per 4 persone: spaghetti di grano duro g 280 • olio d'oliva dl 1 •
aglio 2 spicchi • pangrattato g 80 • prezzemolo $^1/_2$ mazzetto • sale*
Tempo di cottura: *20 secondi per rosolare*

È preferibile usare un pane duro grattugiato in casa perché, rosolato, risulta più croccante e consistente di quello acquistato in confezione.

Cuocere al dente gli spaghetti in abbondante acqua molto salata. Nel frattempo, in un pentolino, far rosolare nell'olio l'aglio tritato fino; quando acquista un bel colore biondo scuro, unirvi il pangrattato e il prezzemolo tritato. Rimestare e cuocere per circa 10 secondi.

Versare la salsa sugli spaghetti cotti al dente e ben sgocciolati, mescolare e servire.

La buona riuscita di questo facile e saporito piatto napoletano sta nell'attenta cottura del pangrattato e dell'aglio, che richiedono una fiamma molto bassa.

✧ *85* SPAGHETTI NEI PEPERONI ALLA NAPOLETANA

*Un piatto caratteristico e gustoso, consigliabile d'estate per un buffet
perché si può servire a temperatura ambiente.*

*Per 12 persone: spaghetti di grano duro g 600 • peperoni gialli grandi 12 •
olive nere g 150 • capperi salati g 75 • uva passa e pinoli g 70 •*

olio d'oliva dl 1 ¹/₂ • pangrattato g 20 • aglio 1 spicchio • sale
Tempo di cottura: *40 minuti nel forno a 200 °C*

Procurarsi 12 peperoni gialli non grandi e il più possibile uguali tra loro. Facendo attenzione a non romperli, tagliarne la sommità e conservarla per usarla in seguito a mo' di coperchio.

Rosolare nell'olio l'aglio tritato, le olive snocciolate e tagliate a pezzetti e i capperi lavati e tritati finemente. Ritirare il tegame dal fuoco e unirvi l'uva passa e i pinoli.

Lessare gli spaghetti al dente in acqua salata, scolarli bene e condirli con la salsetta preparata. Mettere due o tre forchettate di pasta condita in ogni peperone, richiuderli e allinearli sulla leccarda del forno unta di olio.

Far cuocere per 40 minuti rigirandoli da tutti i lati. Una volta cotti, sarà facile spellarli senza far fuoriuscire il ripieno.

Ungere di olio una teglia da tavola che li possa contenere tutti e sistemarvi i peperoni imbottiti, ben serrati tra loro, in un unico strato.

Cospargerli di pangrattato e, senza mai girarli, tenerli a rosolare nel forno per altri 10 minuti.

✧ **86** Spaghetti alle Vongole Fresche

È un piatto classico della cucina napoletana;
la vongola, anche se cotta per venti minuti, non perde né profumo né sapore.
Pertanto possiamo tranquillamente gustare questo caratteristico piatto marinaro
senza temere i danni dell'inquinamento.

Per 6 persone: *spaghetti g 420 • vongole fresche con guscio kg 1 •*
pomodorini maturi 6 • olio d'oliva dl 1 • aglio 2 spicchi •
prezzemolo 1 mazzetto • sale
Tempo di cottura: *20 minuti per la salsa*

Tenere immerse le vongole per circa 20 minuti in acqua fresca perché possa fuoruscirne tutta la sabbia.

Sollevarle dall'acqua e raccoglierle in una padella larga, coperta, su fiamma vivace. Appena i gusci si aprono, ritirarle dal fuoco, sgusciarle e filtrare l'acqua rimasta nella padella.

Versare l'olio in un pentolino piccolo e alto e rosolarvi l'aglio fino a che diventi biondo scuro. Aggiungere i pomodorini tagliati in due, il sale, se necessario, e dare un bollore; poi unire a questo semplice e fresco sugo le vongole sgusciate e la loro acqua filtrata.

Far bollire il tutto a fuoco molto moderato per circa 20 minuti; la fiamma debole e il pentolino piccolo non faranno asciugare i molluschi.

Lessati gli spaghetti, condirli con questa salsa e cospargerli di prezzemolo tritato.

✧ 87 SPAGHETTI ALLE VONGOLE
E COZZE SURGELATE

Le vongole surgelate, anche se piccole, conservano il sapore di mare;
le cozze, al contrario, sono piuttosto insipide ma danno un tocco di bellezza.
Unendo i due tipi di molluschi si ottiene una giusta salsetta
per condire gli spaghetti.

Per 6 persone: spaghetti g 420 • vongole surgelate sgusciate g 400 •
cozze surgelate sgusciate g 300 • pomodori pelati g 120 • olio d'oliva cl 12 •
aglio 2 spicchi • prezzemolo $^1/_2$ mazzetto • sale
Tempo di cottura: *20 minuti*

Praticare un foro su un lato delle buste che contengono i molluschi surgelati e lasciarli sgocciolare per circa un'ora; non scongelarli completamente, ma aspettare solo che il ghiaccio si sia liquefatto.
In un pentolino piccolo rosolare in 8 centilitri di olio uno spicchio d'aglio tritato, unirvi i molluschi senza risciacquarli e farli cuocere, a fuoco moderato e a recipiente coperto, per 5-6 minuti.
Preparare a parte una salsetta, mettendo in un tegame l'altro spicchio d'aglio tritato con il rimanente olio, aggiungendo i pomodori e il sale, e facendo cuocere per 15 minuti a tegame coperto.
Al momento di servire unire i molluschi con il loro sugo alla salsa di pomodoro, dare un solo bollore e cospargere di prezzemolo tritato.
Poiché i molluschi surgelati non vanno riscaldati, è bene preparare la salsa contemporaneamente agli spaghetti.

✧ 88 FRITTATA DI SCÀMMARO

È, questo, un vecchio piatto popolare di spaghetti la cui denominazione
nel dialetto napoletano significa "frittata di magro".
Infatti essa è fatta senza sugna né intingoli e, straordinario a dirsi,
persino... senza uova.

Per 6 persone: spaghetti di grano duro g 420 • olio d'oliva cl 12 •
aglio 1 spicchio grande • olive nere di Gaeta g 120 • capperi salati g 50 •
alici salate 2 • uva passa e pinoli g 40
Tempo di cottura: *30 minuti*

Pulire, sciacquare e fare a pezzetti le alici salate. Rosolare in 10 centilitri di olio l'aglio tagliato a metà; divenuto, questo, di colore biondo, toglierlo dall'olio caldo e mettervi le olive snocciolate e spezzettate e i capperi lavati e tritati finemente. Far rosolare a fuoco molto moderato per non più di 40 secondi, affinché olive e capperi non secchino, poi, allontanando il pentolino dal fornello, unirvi l'uva passa, i pinoli e le alici salate.

Lessare in abbondante acqua ben salata gli spaghetti, sgocciolarli, condirli con questa salsa e metterli in una padella del diametro di 24 centimetri, con l'olio rimanente, cucinandoli sul fornello come una normale frittata; considerando però che essa è priva di uova, non farla cuocere più del tempo indicato e mantenere la fiamma costantemente bassa perché gli spaghetti non si induriscano (v. alla voce "Frittata" nei Consigli utili).

✧ *89* Frittata Bianca di Tagliatelle

Una ricetta antica per un piatto semplice ma molto gustoso.

Per 4-6 persone: *tagliatelle all'uovo g 300 • burro g 100 •*
parmigiano grattugiato g 30 • uova 3 • sale
Tempo di cottura: *40 minuti*

Lessare le tagliatelle in abbondante acqua salata, scolarle e condirle con 70 grammi di burro e tutto il parmigiano. Sbattere in una ciotola le uova con il sale necessario, versarle sulle tagliatelle fredde e, con due forchette, amalgamare bene il tutto.
Mettere in una padella di 22 centimetri di diametro il burro restante, farlo scaldare sul fornello piccolo, poi versare le tagliatelle, livellandone la superficie. Cuocere per 20 minuti, poi girare la frittata aiutandosi con un piatto e cuocere ancora per 20 minuti (v. alla voce "Frittata" nei Consigli utili).
Questa frittata si può servire calda o a temperatura ambiente.

✧ *90* Frittata di Spaghetti al Pomodoro

Questa ricetta napoletana, apparentemente così banale,
è preziosa perché permette di utilizzare qualche porzione di spaghetti avanzati.

Per 4 persone: *spaghetti di grano duro g 200 • pomodori pelati g 300 •*
olio d'oliva cl 8 • aglio 1 spicchio • parmigiano grattugiato g 30 •
uova 3 • sale g 4
Tempo di cottura: *40 minuti*

Mettere in un pentolino cinque cucchiai di olio, lo spicchio d'aglio tritato, i pomodori e il sale.

Far bollire a fuoco moderato per 20 minuti fino a che la salsa si sarà asciugata; lessare gli spaghetti in abbondante acqua salata, scolarli e condirli con la salsa; cospargere di parmigiano e mescolare bene.

Sbattere in un piatto le uova con un pizzico di sale e versarle sugli spaghetti raffreddati. Mescolare più volte e mettere a cuocere sul fornello, in una padella di 22 centimetri di diametro con l'olio rimanente (v. alla voce "Frittata" nei Consigli utili). Questa frittata va gustata calda o a temperatura ambiente.

✧ *91* MACCHERONI AL FORNO

Questo piatto genuino e semplice è un classico della cucina meridionale.

Per 6 persone: *maccheroni di grano duro (mezzi ziti spezzati) g 500 • sale •*
per la salsetta con nervetti di carne: pomodori pelati g 800, nervetti
di carne g 250, vino bianco cl 15, olio d'oliva cl 6, aglio 1 spicchio •
mozzarella fiordilatte g 350 • salame napoletano g 60 •
parmigiano grattugiato g 60 • burro g 25
Tempo di cottura: *20 minuti nel forno a 200 °C*

Preparare la salsa (v. n. 41), aspettare che si raffreddi e versarne un po' in una teglia da tavola del diametro di 30 centimetri, unta di burro. Lessare i maccheroni in acqua salata e scolarli al dente. Condirli con metà della salsa fredda e del parmigiano. Disporre nella teglia metà dei maccheroni, coprirli con un poco di salsa e con il fiordilatte e il salame tagliati a pezzetti, e cospargere di parmigiano.

Distribuirvi sopra la pasta restante, coprire di salsa e spolverizzare di parmigiano. Infornare e cuocere per il tempo indicato. Questa pietanza non si sforma.

✧ *92* MACCHERONI AI QUATTRO FORMAGGI

Per 6 persone: *maccheroni di grano duro (bucatini) g 500 • fontina g 100 •*
gruviera g 100 • gorgonzola o Bel Paese g 100 • burro g 60 •
parmigiano grattugiato g 80 • pangrattato g 25 • sale
Tempo di cottura: *7-8 minuti nel forno a 200 °C*

Il formaggio gorgonzola dà ai maccheroni un sapore più intenso, il Bel Paese un gusto più delicato.

Lessare la pasta, scolarla al dente e condirla con il burro e quasi tutto il parmigiano. Mettere metà dei maccheroni in una teglia da tavola del diametro di 28 centimetri, unta di burro e spolverizzata di pangrattato.

Tagliare a pezzetti le tre qualità di formaggio e, per ammorbidirli, immergere in un pentolino con mezzo bicchiere di acqua in ebollizione, successivamente, metà dei pezzetti di fontina, di gruviera e di gorgonzola (o di Bel Paese); poi sgocciolarli e distribuirli sullo strato di maccheroni disposti nella teglia.

Coprire il tutto con la pasta rimasta e distribuirvi sopra l'altra metà dei formaggi, trattati nello stesso modo. Infine, se l'acqua nel pentolino non è del tutto evaporata, versare quella che rimane sui maccheroni. Cospargere di parmigiano e infornare.

Il tempo di cottura è breve perché i formaggi devono solo fondersi al calore e non rosolare.

✧ 93 MACCHERONI AU GRATIN

*La besciamella delicatissima usata in questa preparazione
le conferisce un tocco di alta cucina.*

Per 8 persone: *maccheroni di grano duro (maltagliati) g 500 •
mozzarella fiordilatte g 300 • uova sode 2 • burro g 50 •
parmigiano grattugiato g 80 • noce moscata g 2 •
pangrattato g 25 • sale •
per la besciamella: farina g 40, burro g 40, latte l 1 ¹/₄, sale g 9*
Tempo di cottura: *30 minuti nel forno a 180 °C*

Preparare la besciamella (v. n. 28) con le proporzioni sopra indicate e tenerla in frigorifero a indurire.

Lessare molto al dente i maccheroni, considerando che saranno ancora sottoposti al calore del forno.

Condire la pasta con il burro e quasi tutto il parmigiano, unirvi metà della besciamella fredda e densa, mescolare e cospargere di noce moscata.

Disporre una metà dei maccheroni in una teglia da tavola del diametro di 28 centimetri, unta di olio e spolverizzata di pangrattato. Distribuirvi sopra dei fiocchetti di besciamella, il fiordilatte a pezzettini e le uova sode a fettine.

Coprire con l'altra metà della pasta e versare la rimanente besciamella. Cospargere di tutto il parmigiano rimasto e infornare.

Per una migliore presentazione questi maccheroni *au gratin* possono anche essere sformati (v. alle voci "Forno" e "Sformare" nei Consigli utili).

✧ 94 MACCHERONI ALLA SICILIANA

Per 8 persone: *maccheroni di grano duro (bucatini grossi) g 380 •
ragù • provola g 250 • parmigiano grattugiato g 60 • melanzane kg 1 •
olio d'oliva per friggere dl 4 • burro g 25 • sale •*

per 25 polpettine di carne: polpa di manzo macinata g 100,
pane raffermo g 20, 1 tuorlo, sale
Tempo di cottura: *30 minuti nel forno a 180 °C*

Preparare il ragù con le stesse proporzioni della ricetta specifica (v. n. 39). Con la polpa, il pane ammollato in acqua e ben strizzato, il tuorlo, un po' di parmigiano e un pizzico di sale confezionare 25 polpettine e friggerle in olio bollente.

Tagliare le melanzane a fette non molto sottili, nel senso della lunghezza; non è necessario sbucciarle né tenerle sotto sale, come si usava una volta. Friggerle in olio caldo, senza farle abbrustolire. Spezzare in due i bucatini, lessarli al dente e condirli con metà del parmigiano e della salsa, che deve essere fredda perché ogni maccherone risulti condito in modo omogeneo.

Ungere di burro una teglia del diametro di 24 centimetri e foderarla con due terzi delle melanzane fritte, facendo in modo che le più lunghe fuoriescano di 3-4 centimetri dal bordo. Versare metà dei maccheroni conditi, coprirli con la provola a pezzettini, le polpettine fritte e rotolate nella salsa, qualche cucchiaino di sugo e un po' di parmigiano. Aggiungere l'altra metà dei maccheroni e ricoprirli con le melanzane che fuoriescono dal bordo della teglia e con le rimanenti. Cospargere di salsa e parmigiano e infornare.

I maccheroni alla siciliana così preparati, con le melanzane disposte in modo da racchiuderli completamente, possono essere sformati e riscaldati in forno (v. alle voci "Forno", "Sformare" e "Riscaldare" nei Consigli utili).

✧ **95** TIMBALLO DI MACCHERONI

In origine la pasta che costituiva la "scatola" del timballo veniva cotta vuota
e poi riempita di maccheroni conditi che venivano serviti così, ben caldi.
Una pasta raffinata come quella à dresser ci permette un'unica cottura,
nonché una più semplice preparazione.

Per 10 persone: *per la pasta à dresser: farina g 500, burro g 250, uova 2,*
acqua dl 1, sale g 5 • per la salsa: pomodori pelati g 800, aglio 2 spicchi,
olio d'oliva cl 6, sale, zucchero 1 cucchiaino • maltagliati g 600 •
brodo di carne delicato l 3 • parmigiano e gruviera grattugiati g 80 •
funghi secchi g 25 • 1 cipolla • piselli in scatola al naturale g 250 •
burro g 110 • vino bianco dl 1 • mozzarella fiordilatte g 200 • sale •
per spennellare: 1 tuorlo
Tempo di cottura: *30 minuti nel forno a 200 °C*
20 minuti per la salsa napoletana

Cuocere i piselli con 40 grammi di burro, la cipolla affettata e un bicchiere di acqua, finché non siano bene asciugati sul fuoco; salarli a fine cottura.

Preparare una salsa napoletana cuocendo insieme i pomodori, due spicchi d'aglio tritati, sei cucchiai di olio e il sale, su fuoco moderato e a tegame coperto, per circa 15 minuti. A fine cottura, aggiungere alla salsa un cucchiaino raso di zucchero.

In un altro tegamino, far rosolare in 40 grammi di burro, su fuoco molto moderato e per soli 2 minuti, i funghi precedentemente ammollati in poca acqua fredda e poi sgocciolati. Aggiungere il vino, farlo asciugare e infine bagnare con due cucchiai di brodo.

Far asciugare queste due salse, ma non unirle tra loro.

Lessare al dente nel brodo di carne i maltagliati; scolarli bene e condirli con i due formaggi grattugiati e mescolati fra loro.

Preparare ora la pasta à dresser che deve formare la scatola in cui vengono racchiusi i maccheroni (v. n. 12), poi spianarla con il matterello in due sfoglie tonde, spesse mezzo centimetro, di cui una più grande che va adagiata in una teglia di alluminio del diametro di 24 centimetri e con bordo di 8, unta di burro; essa deve rivestire anche il bordo della teglia fino al suo limite.

Condire i maccheroni raffreddati con poca salsa di pomodoro, anch'essa fredda, e metterne la metà nella teglia; spargere su tutta la superficie metà della salsa di pomodoro rimasta e distribuire equamente metà della salsa ai funghi. Aggiungere metà dei piselli e del fiordilatte tagliato a pezzetti e coprire con i rimanenti maccheroni. Spargere su questi il resto della salsa di pomodoro e di funghi, dei piselli e del fiordilatte, distribuendo bene il tutto. Coprire con la sfoglia più piccola e, con le dita, unirla all'altra sul limite del bordo. Formare un bel cornicione di pasta tutt'intorno al timballo e decorarne la superficie con strisce di pasta avanzata. Forare in due punti la sfoglia perché durante la cottura ne fuoriesca l'aria e infine spennellare con il tuorlo sbattuto.

Infornare solamente quando la temperatura del forno ha raggiunto i 280 °C; dopo una decina di minuti, quando si avverte che la pasta frigge, diminuire la temperatura a 200 °C e lasciar cuocere per il tempo indicato.

Prima di sformare, aspettare che il timballo sia tiepido.

✧ *96* Timballo Napoletano

La cucina napoletana, oltre a piatti semplici come la pizza al pomodoro,
vanta una ricca serie di preparazioni raffinate – timballi,
vol-au-vent, gâteaux, budini –
dovute alla presenza a Napoli della Corte reale
con il suo seguito di cuochi internazionali

Per 12 persone: per la pasta frolla: farina g 600, burro g 300, zucchero g 300,
tuorli 6, 1 scorza di limone grattugiata • pasta di grano duro (bucatini) g 700 •
per il ragù: polpa di manzo e di maiale g 700, cipolline 2, vino rosato cl 15,
pomodori pelati g 600, pomodoro concentrato g 200, aglio 1 spicchio,

olio e lardo g 150 • besciamella g 50 • parmigiano grattugiato g 100 •
mozzarella fiordilatte g 300 • salame rustico g 50 •
per 30 polpettine: polpa di manzo macinata g 100, pane raffermo g 20,
parmigiano q.b., 1 tuorlo • sale • olio d'oliva per friggere cl 5 • burro g 20
Tempo di cottura: *40 minuti nel forno a 200 °C*

Preparare un ragù (v. n. 39) ben ristretto con gli ingredienti indicati. Preparare la besciamella (v. n. 28).

Preparare 30 polpettine molto piccole, friggerle in olio d'oliva bollente e rotolarle in un poco del ragù freddo.

Fare la pasta frolla con gli ingredienti indicati (v. n. 10).

Ungere di burro un tegame di sottile spessore che abbia un diametro di 24 centimetri e un bordo alto 8 e foderarlo completamente con i due terzi della pasta, stesa in uno strato spesso non meno di 1 centimetro.

Cuocere al dente i bucatini, dopo averli spezzati in tre parti, e condirli prima con la metà del parmigiano, poi con la metà del ragù freddo. Sistemarne un terzo nel tegame foderato di pasta frolla e distribuire il ripieno: prima un po' di salsa, un po' di parmigiano e qualche fiocchetto di besciamella fredda, poi metà delle polpettine, del fiordilatte e del salame tagliati a pezzetti. Fare un secondo strato di bucatini distribuendo nella stessa sequenza il ripieno.

Coprire infine con la terza e ultima porzione di bucatini. Spargere sopra pochissima salsa e parmigiano e ricoprire il tutto con una sfoglia fatta con la pasta rimanente, sempre dello spessore di 1 centimetro. Completare questo importante timballo formando lungo tutto il bordo un cornicione di pasta frolla. Nel centro della sfoglia superiore praticare un foro e infilarvi un tubicino fatto di carta oleata più volte arrotolata su se stessa: serve per impedire il formarsi di bolle d'aria all'interno del timballo. Bordare questo piccolo foro con un cerchio sottile di pasta frolla, e con la stessa guarnire a piacere la superficie del timballo; poi spennellarla col tuorlo sbattuto. Infornare. Trascorso il tempo di cottura, lasciar intiepidire il timballo prima di sformarlo. Volendo offrirlo il giorno dopo è possibile riscaldarlo in forno (v. alle voci "Forno", "Sformare" e "Riscaldare" nei Consigli utili).

✧ **97** TIMBALLO MERIDIONALE O ALLA BONTOUX

Nella ricetta originale il ripieno di questo timballo comprendeva,
oltre ai fegatini e ai rognoni indicati, anche cervella e animelle di vitella,
nonché creste di gallo.
L'armonia e l'equilibrio dei sapori di questa preparazione
sono la sua principale caratteristica.

Per 10 persone: *per la pasta à dresser: farina g 500, burro g 250, uova 2,*
acqua dl 1, sale g 5 • maccheroni di grano duro (mezzi ziti) g 600 •

parmigiano grattugiato g 80 • rigaglie di pollo (fegatini e rognoni) g 600 • sale •
per la salsa di pomodoro: pomodori pelati g 800, polpa di manzo g 500,
olio d'oliva cl 6, vino rosato dl 1, aglio 1 spicchio, sale •
per la salsa duxelles: funghi secchi g 15, pomodori pelati g 200, vino rosato dl 1,
brodo ristretto cl 2, olio d'oliva e burro g 50 • sale • burro g 80 •
per spennellare la sfoglia: 1 tuorlo
Tempo di cottura: *1 ora e un quarto per la salsa di pomodoro*
30 minuti per la salsa duxelles
15 minuti per i fegatini
35 minuti per i rognoni
30 minuti nel forno a 200 °C per il timballo

Fare la salsa di pomodoro rosolando per qualche minuto la polpa di manzo, intera, in 6 centilitri d'olio; bagnarla poi col vino e, quando questo è quasi asciugato, aggiungervi i pomodori, il sale necessario e lo spicchio di aglio tritato; coprire e far cuocere a fuoco moderato. A cottura ultimata, togliere la carne che servirà per altri scopi e setacciare il sugo.

Per fare la salsetta duxelles, rosolare in 50 grammi di burro e olio, per circa 2 minuti e a fuoco moderato, i funghi interi, ammollati precedentemente per 1 ora in poca acqua fredda e poi sgocciolati. Bagnarli col vino e, quando questo si è asciugato, aggiungervi i pomodori e due cucchiai di brodo concentrato, salare, coprire e far cuocere a fuoco molto moderato. Poi mettere i funghi da parte perché serviranno per il ripieno; setacciare questa salsetta.

Cuocere le rigaglie ciascuna nel proprio tegamino, coperte, con 25 grammi di burro ciascuno e il sale necessario; la cottura più lunga dei rognoni richiederà qualche cucchiaio di acqua calda.

Lessare al dente i mezzi ziti spezzati in 5 parti, sgocciolarli e condirli con pochissima salsa di pomodoro e poco parmigiano.

Fare la pasta à dresser (v. n. 12) e rivestire con la "pettola" più grande, fino al limite del bordo, l'interno di una teglia sottile del diametro di 24 centimetri, con bordo alto 8, unta di burro. Versarvi metà dei maccheroni poco conditi e cospargerli di metà del parmigiano avanzato, della salsa di pomodoro, della salsa duxelles a fiocchetti, dei funghi a pezzi grossi e delle rigaglie tagliate a fettine sottili e già rosolate nel loro stesso sughetto. Coprire con i rimanenti maccheroni e distribuirvi sopra il restante ripieno. Poggiare sul tutto l'altra sfoglia di pasta à dresser e farla aderire con i polpastrelli alla sfoglia di sotto, formando un bel cornicione tutt'intorno al bordo. Forarla in due punti nella parte superiore perché ne fuoriesca l'aria durante la cottura.

Con un poco di pasta avanzata formare delle striscioline e decorare il timballo. Poi spennellare col tuorlo. Infornare quando la temperatura ha raggiunto i 280 °C; non appena la pasta dà segni di cottura, diminuire a 200°C.

Volendo offrire questo timballo il giorno dopo, sformarlo freddo e in seguito riscaldarlo in forno (v. alle voci "Forno", "Sformare" e "Riscaldare" nei Consigli utili).

✧ **98** TRUOCCHIOLI DI LUCERA AL MEZZO RAGÙ

Sono una consistente e saporita pasta lunga, simile ai moderni "chitarrucci".
Un tempo veniva sagomata e tagliata con l'apposito matterello a spirali;
inoltre la pasta originale veniva preparata con la semola macinata fine,
oggi non facile da trovare in commercio, e sostituibile con il semolino.

Per 6 persone: *per la pasta: farina g 330, semola di grano duro g 120*
(se la semola è macinata fine: farina g 300, semola g 150),
uova 2, acqua cl 8, sale g 8 •
per il mezzo ragù: polpa di spalla di manzo g 600, pomodori pelati g 800,
olio e burro g 100, aglio 1 spicchio, 1 cipolla, vino rosato cl 15, sale •
parmigiano grattugiato g 100
Tempo di cottura: *1 ora e un quarto per la salsa*
9-10 minuti per i truocchioli

Per preparare un "mezzo ragù" più digeribile di quello classico è sufficiente diminuire la quantità della carne, scegliendo dei pezzi magri, e usare un condimento più leggero. Fare quindi la salsa come indica la ricetta del ragù (v. n. 39) ma con gli ingredienti sopra indicati.

Preparare la pasta seguendo le indicazioni della ricetta seguente (n. 99); ottenuto un impasto liscio e omogeneo spianare con il matterello infarinato quattro sfoglie rettangolari lunghe 25 centimetri e spesse non meno di mezzo centimetro.

Spargere un po' di farina su ogni sfoglia e arrotolarla su se stessa sul lato più corto. Con un coltello tagliente, ricavare da questo rotolo di pasta tante rotelle larghe mezzo centimetro. Svolgere infine le rotelle - che risulteranno essere strisce di pasta lunghe 25 centimetri, larghe mezzo centimetro e spesse mezzo centimetro - e poggiarle una alla volta su un canovaccio. Lessare questi *truocchioli* in abbondante acqua salata, immergendoli ben staccati l'uno dall'altro.

Sgrassare la salsa e condire con essa la pasta. Servire accompagnando con il parmigiano in formaggiera.

✧ **99** CICATIELLI ORIGINALI CON BROCCOLI

Questo rustico primo piatto, un tempo in uso soltanto nelle trattorie pugliesi,
si è poi diffuso in tutte le regioni.
Oggi i cicatielli sono conosciuti con il nome di "orecchiette".

Per 8 persone: *per la pasta: farina g 330, semola di grano duro g 120*
(se la semola è macinata fine: farina g 300, semola g 150),
uova 2, acqua cl 8, sale g 8 •

broccoli di Puglia già puliti kg 1,200 • olio d'oliva cl 14 •
aglio 2 spicchi • sale
Tempo di cottura: *12 minuti per i cicatielli*
12 minuti per i broccoli

Oggi non è facile trovare la semola macinata fine richiesta dalla ricetta originale; tuttavia è possibile usare quella che è in commercio, anche se macinata più grossa. Conservare a parte un po' della farina indicata per spolverizzare il tavolo da lavoro e il matterello.

Mescolare la farina alla semola e disporla a fontana, quindi mettervi nel centro le uova, il sale occorrente e l'acqua tiepida.

Con la forchetta unire gli ingredienti alla farina, poi lavorare "di polso" fino a che l'impasto diventa liscio e omogeneo; prendendone un po' alla volta formare dei bastoncini cilindrici, rotolandoli sul marmo per assottigliarli fino a far sì che abbiano un diametro di mezzo centimetro.

Con un coltello infarinato tagliare i bastoncini in tanti piccoli segmenti non più larghi di 1 centimetro, poi, con il pollice infarinato, premere nel centro di ciascuno di essi in modo che si formi un largo incavo; disporre man mano queste orecchiette su un canovaccio, ben distanziate tra loro.

Il torsolo dei broccoli pugliesi è molto lungo; tagliarne un pezzo e praticare un'incisione a croce sulla parte restante perché cuocia nello stesso tempo della cima; lavarli e lessarli in abbondante acqua salata, quindi scolarli con un mestolo forato e metterli, ben sgocciolati, nel piatto fondo da portata.

Far rosolare l'aglio tritato nell'olio; quando sarà diventato biondo scuro versare il condimento caldo sulla verdura e mescolare.

Lessare le orecchiette in acqua ben salata, immergendole un po' alla volta.

Scolarle e versarle sui broccoli caldi, rigirandole delicatamente.

Si può aggiungere, a gradimento, qualche pezzetto di peperoncino rosso piccante.

✧ *100* Tortellini in Brodo

Con un buon brodo di cappone, questi tortellini costituiscono un raffinato,
tradizionale piatto natalizio.

Per 8 persone: *per la pasta all'uovo: farina g 400, uova 4, olio d'oliva cl 1, sale g 4 •*
per il ripieno: polpa di manzo o di pollo o di maiale g 180,
mortadella e prosciutto crudo g 140, parmigiano grattugiato g 20,
noce moscata grattugiata g 4, vino bianco cl 3,
burro g 25, tuorli 2, sale •
brodo di cappone l 2 $^1/_2$ (cappone intero, acqua l 2 $^1/_2$, carote 2,
sedano 2 gambi, pomodori 2, 1 cipolla, sale) •
parmigiano grattugiato g 150

Tempo di cottura: *1 ora e un quarto per il brodo*
1 ora per la carne del ripieno
5 minuti per i tortellini

In una pentola con 2 litri e mezzo di acqua far bollire per il tempo richiesto un cappone intero, con testa e zampe, insieme con le carote, i gambi di sedano, i pomodori, la cipolla e il sale necessario.

Terminata la cottura, sgrassare e filtrare il brodo attraverso un telo; si saranno così ottenuti i 2 litri e mezzo di brodo necessario.

Preparare il ripieno con lo stesso procedimento indicato per i ravioli nella ricetta seguente.

Fare la pasta all'uovo (v. n. 1), ma con le dosi indicate, dividerla in sei pezzi e spianare, una alla volta, sei sfoglie sottilissime e rettangolari. Con una forma a cerchio infarinata ricavare dalle sfoglie circa 160 dischi del diametro di 4 centimetri. Mettere un po' di ripieno, non troppo abbondante, su ciascun disco e ripiegarlo a forma di mezzaluna. Chiudere bene i bordi facendo pressione con le dita, e adagiare i tortellini su un canovaccio cosparso di farina.

Se il brodo non raggiunge la quantità indicata allungarlo e cuocervi i tortellini. Versare nella zuppiera accompagnando con il parmigiano in formaggiera.

Il cappone bollito potrà essere servito accompagnato dalla "Salsa verde" (v. n. 25).

✧ *101* RAVIOLI AL RAGÙ

Per 5 persone: *per la pasta all'uovo: farina g 400, uova 4, olio cl 1, sale g 4 •*
per il ripieno: polpa di maiale o di vitello o di pollo g 180, mortadella g 70,
prosciutto crudo g 70, parmigiano grattugiato g 20, noce moscata grattugiata g 4,
vino bianco cl 3, burro g 25, tuorli 2, sale •
per il ragù: polpa di manzo e di maiale g 800, pomodori pelati g 400,
pomodoro concentrato g 200, olio e sugna g 120, 1 cipolla, vino rosso cl 12,
aglio 1 spicchio, sale • parmigiano grattugiato g 50
Tempo di cottura: *1 ora per la carne del ripieno*
5 minuti per i ravioli

Preparare il ragù (v. n. 39). Se si preferisce un sugo più leggero si può diminuire la quantità di carne.

Per il ripieno tritare finemente la mortadella e il prosciutto.

Rosolare la carne nel burro dopo averla tagliata in piccoli pezzi, bagnarla con il vino e completarne la cottura in tegame coperto e a fuoco moderato. Quando essa risulta asciutta e ben cotta, salarla e tritarla; solo se macinata dopo cotta la carne rende saporiti i ravioli.

Mescolare in una ciotola la mortadella, il prosciutto, la carne cotta macinata, il parmigiano grattugiato e la noce moscata; unire i tuorli e amalgamare il tutto.

Saggiare il sale e giudicare se occorre altro parmigiano per rendere perfetto il gusto del ripieno.

Preparare la pasta all'uovo seguendo la ricetta specifica (v. n. 1) ma con le proporzioni qui indicate per ottenere 80 ravioli.

Dividere la pasta in sei pezzi e stendere sei sfoglie rettangolari molto sottili. Con la rotella adatta, oppure con un coltellino a punta, tagliare 160 quadrati di 4 centimetri per lato. Poggiare un'abbondante porzione di ripieno nel centro di ciascuno dei primi 80 quadrati e ricoprire con gli altri 80. Chiudere bene i bordi di ogni raviolo, facendo pressione con le dita.

Cuocere i ravioli in acqua salata in ebollizione; scolarli e sistemarli nel piatto da portata a strati, versando su ciascuno del ragù e cospargendolo di parmigiano.

✧ *102* AGNOLOTTI BIANCHI

Per 3 persone: per la pasta all'uovo: farina g 200, uova 2, olio cl $^1/_2$, sale g 2 •
per il ripieno: ricotta g 240, burro g 12, parmigiano grattugiato g 25,
salame rustico g 40, tuorli 2, 1 chiara d'uovo, sale •
burro fuso g 60 • besciamella g 70 •
parmigiano grattugiato g 25 • burro g 20
Tempo di cottura: 5 minuti per gli agnolotti
10 minuti nel forno a 180 °C

Preparare la pasta all'uovo (v. n. 1) e stenderla in tre sfoglie molto sottili; aiutandosi con un bicchiere dal bordo infarinato, ritagliare 42 dischi del diametro di 8 centimetri.

Montare in una ciotola la ricotta con un cucchiaio di legno; aggiungere il parmigiano grattugiato, il burro tolto dal frigorifero 3-4 ore prima, il salame a pezzetti sottili e le uova sbattute con poco sale in un piatto a parte.

Provare il gusto del sale e del parmigiano.

Poggiare un'abbondante porzione di ripieno sulla metà dei dischi di pasta, al centro. Coprire con l'altra metà dei dischi e chiudere bene i bordi, bagnandone leggermente l'interno in modo che aderiscano perfettamente sotto la pressione delle dita.

Preparare la besciamella (v. n. 28) e porla a raffreddare in frigorifero. Far fondere il burro necessario per il condimento.

Cuocere gli agnolotti in acqua salata; scolarli nel colapasta, prendendoli delicatamente con le mani, uno alla volta, e rigirarli nel burro fuso.

Ungere di burro una teglia da tavola quadrata di 22 centimetri di lato e adagiarvi metà degli agnolotti. Mescolare il burro fuso avanzato con la besciamella fredda e il parmigiano e condire il primo strato; ricoprire con gli altri agnolotti e versare il restante condimento. Infornare e servire nella teglia stessa (v. alla voce "Forno" nei Consigli utili).

✧ *103* Cannelloni Bianchi

Delicato primo piatto, indicato anche per un buffet.

Per 4 persone: *per la pasta all'uovo per 12 cannelloni*
(oppure 12 sfoglie all'uovo in confezione):
farina g 200, uova 2, olio cl $^1/_2$, sale g 2 •
per il ripieno: ricotta g 180, mozzarella fiordilatte g 220, salame rustico g 40,
parmigiano g 30, tuorli 2, 1 chiara d'uovo, sale •
per la salsetta alla carota: pomodori pelati g 400, carote piccole 2,
olio e burro g 40, latte dl 1, aglio 1 spicchio •
parmigiano grattugiato g 20 • burro g 25
Tempo di cottura: *10 minuti nel forno a 180 °C*
3 o 5 minuti per i cannelloni

Preparare la pasta all'uovo (v. n. 1). Stendere tre sfoglie e da ognuna ricavare quattro rettangoli di 8 per 14 centimetri. Se non si ha il tempo di preparare la pasta in casa, si può acquistare una confezione di lasagne all'uovo, di forma corta e rettangolare, che sono egualmente indicate. Cucinare la "Salsetta alla carota" (v. n. 42).
Cuocere i rettangoli di pasta immergendoli uno alla volta per 3-5 minuti in acqua salata in forte ebollizione. Scolarli e subito dopo immergerli in un recipiente che contenga acqua fredda, poi sollevarli uno per uno con le mani e poggiarli su un canovaccio asciutto, facendo attenzione a non romperli.
Per il ripieno, sbattere le uova con poco sale e unirvi la ricotta, il parmigiano grattugiato, il fiordilatte e il salame tagliati a pezzetti. Poggiare su ogni rettangolo di pasta un'abbondante porzione di ripieno e chiuderlo, arrotolandolo su se stesso, bagnando leggermente i lembi all'interno perché aderiscano perfettamente.
Ungere di burro una teglia da tavola di 17 per 27 centimetri. Distribuire un po' di salsa sul fondo e sistemare i cannelloni in un solo strato, ben vicini l'uno all'altro. Versare su tutto il resto della salsa e cospargere di parmigiano grattugiato.
Infornare e cuocere per il tempo indicato. Servire nella teglia stessa.
I cannelloni si possono offrire anche il giorno dopo, riscaldandoli al momento di servire (v. alle voci "Forno" e "Riscaldare" nei Consigli utili).

✧ *104* Cannelloni alla Romana

Per 4 persone: *per la pasta all'uovo per 12 cannelloni*
(oppure 12 sfoglie all'uovo in confezione): farina g 200,
uova 2, olio cl $^1/_2$, sale g 2 • manzo tritato g 300 • burro g 35 •
besciamella g 250 • parmigiano grattugiato g 40 • noce moscata g 2 •
per la salsetta alla carota: pomodori pelati g 400, carote piccole 2,
olio e burro g 60, latte dl 1, aglio 1 spicchio

Tempo di cottura: *5 minuti nel forno a 180 °C*
3 o 5 minuti per i cannelloni

Preparare la "Salsetta alla carota" (v. n. 42) e la besciamella (v. n. 28). Seguire le indicazioni della ricetta precedente per la preparazione e la cottura dei cannelloni.

Per il ripieno far rosolare in 40 grammi di olio e burro il manzo tritato e unirvi 20 grammi di parmigiano grattugiato, la noce moscata e 50 grammi di besciamella fredda; il composto deve risultare duro. Riempire i cannelloni con il ripieno e sistemarli in una teglia da tavola di 17 per 27 centimetri unta di burro e con il fondo ricoperto di poca salsa alla carota.

Versare su di essi la salsa restante, 200 grammi di besciamella e 20 grammi di parmigiano. Infornare e servire nella teglia stessa.

✧ *105* Lasagne Napoletane

Queste classiche lasagne si preparano con la pasta lunga di grano duro;
è un piatto tradizionale del periodo di Carnevale.

Per 8 persone: *lasagne di grano duro in confezione g 500 •*
per la salsa: pomodori pelati g 600, pomodoro concentrato g 200,
olio e burro g 80, carote 2, aglio 1 spicchio, salsicce g 300, sale •
per il ripieno: mozzarella fiordilatte g 350, ricotta g 350,
parmigiano grattugiato g 100 • burro g 25
Tempo di cottura: *45 minuti per la salsa*
30 minuti nel forno a 180 °C
6-7 minuti per le lasagne

Se le lasagne devono essere sformate, acquistare quelle di forma lunga e stretta; se vanno servite nella teglia di cottura stessa, acquistare quelle di forma rettangolare e corte. Le vere lasagne napoletane si condiscono con il ragù (v. n. 39), cui vanno aggiunti 200 grammi di pomodori pelati. La salsa di pomodoro indicata in questa ricetta è più delicata e rende meno pesante la pietanza, pur essendo egualmente saporita.

Far rosolare nell'olio e nel burro le carote e l'aglio tritati. Aggiungere i pomodori e il sale, e far cuocere a fuoco moderato per 15 minuti a tegame coperto. Unire le salsicce intere, non bucate, coprire e continuare una lenta cottura per altri 30 minuti. Se è necessario, allungare con un cucchiaio di acqua. Poi ritirare le salsicce e tenerle a parte.

Lessare le lasagne in una pentola grande, in abbondante acqua salata in forte ebollizione. Immergerle una alla volta e, con un cucchiaio di legno, smuoverle perché non si attacchino tra loro. Quando saranno cotte al dente, scolarle e immergerle subito dopo in un recipiente contenente acqua fredda, quindi sollevarle con le mani una alla volta e stenderle sopra un canovaccio asciutto, facendo attenzione a non romperle.

In una ciotola, lavorare con un cucchiaio la ricotta con mezza tazzina di acqua. Tagliare a fettine sottili le salsicce fredde.

Ungere di burro una teglia di 24 centimetri di diametro e con bordo alto 5 centimetri. Disporvi le lasagne in cinque strati e su ognuno di essi mettere poca salsa fredda, il parmigiano, la ricotta, le fettine di salsicce e il fiordilatte a pezzetti. Sopra l'ultimo strato distribuire solo la salsa e il parmigiano rimasti.

Infornare e servire nella teglia stessa. Per sformare, aspettare che le lasagne diventino tiepide. Risulteranno ottime anche servite il giorno dopo la preparazione, se riscaldate al momento (v. alle voci "Forno", "Sformare" e "Riscaldare" nei Consigli utili).

✧ *106* Lasagne Pugliesi

Caratteristica di questo piatto è di non essere condito con salse,
ma con brodo di cappone. Si usa presentarlo il giorno di Natale.

Per 8 persone: lasagne di grano duro g 500 • brodo di cappone l 2 •
per 50 polpettine di carne fritte: polpa di vitello g 150, 1 uovo,
parmigiano grattugiato q.b., fetta di pane raffermo ¹/₂, sale •
mozzarella fiordilatte g 300 • prosciutto crudo g 100 •
parmigiano grattugiato g 120 • sale • olio per friggere cl 7 • burro g 25 •
***Tempo di cottura:** 30 minuti nel forno a 180 °C*
5 o 6 minuti per le lasagne

Mettere un cappone intero, con testa e zampe, in una pentola con 2 litri di acqua salata. Aggiungere gli odori necessari e far bollire per 1 ora e un quarto. Filtrare infine il brodo attraverso un telo bagnato e strizzato e, se occorre, allungarlo con acqua calda fino ad arrivare ai 2 litri indicati.

Con la polpa di vitello macinata, l'uovo, poco parmigiano, il pane raffermo ammollato in acqua e strizzato e un pizzico di sale, fare delle polpettine molto piccole, del diametro massimo di 1 centimetro, e friggerle in olio caldo.

Lessare le lasagne in una pentola grande immergendole una alla volta e muovendole perché non si attacchino tra loro. Quando saranno cotte al dente, scolarle, immergerle in un recipiente con acqua fredda e, infine, sollevandole con le mani una alla volta, stenderle su un canovaccio asciutto.

Ungere di burro una teglia di 24 centimetri di diametro e con il bordo alto 8 centimetri e disporvi le lasagne in 5 strati mettendo su ciascuno di essi mezzo ramaiolo di brodo, qualche polpettina, dei pezzetti di fiordilatte e di prosciutto e del parmigiano. Sull'ultimo versare unicamente il brodo e il parmigiano.

Infornare e, mentre le lasagne sono in cottura, aggiungere a più riprese qualche mezzo ramaiolo di brodo bollente che, essendo molto consistente e grasso, è l'unico condimento usato per questo piatto.

Servire nella teglia stessa e accompagnare con altro brodo caldo in salsiera.

✧ *107* LASAGNE VERDI

Una lasagna imponente e sontuosa, dal sapore delicato.

Per 8 persone: *per la pasta verde all'uovo*
(oppure lasagne verdi all'uovo in confezione g 500):
farina g 400, uova 2, olio cl 1, spinaci puliti g 150, sale g 8 •
per la salsa bolognese: pomodori pelati g 600, polpa di manzo macinata g 225,
carote 2, 1 cipollina, latte l $^1/_4$, olio e burro g 80, sale •
per la besciamella: latte l $^1/_4$, burro g 10, farina g 10, sale •
panna da cucina g 200 • *parmigiano grattugiato g 80* • *burro g 25*
Tempo di cottura: 40 minuti nel forno a 160 °C
3 o 5 per le lasagne

Cucinare con gli ingredienti indicati la salsa bolognese (v. n. 38) e allungarla con il latte. Preparare la besciamella (v. n. 28) e lasciarla raffreddare in frigorifero. Cuocere le lasagne verdi all'uovo.

Se si preferisce fare la pasta in casa, raddoppiare le proporzioni della ricetta specifica (v. n. 2); stendere 6-7 sfoglie sottili e arrotolare ciascuna su se stessa, sul lato più corto. Tagliare poi con un coltello delle lasagne lunghe e strette, metterle una alla volta in acqua in ebollizione e farle cuocere per 3-5 minuti; scolarle in un colapasta, immergerle in un recipiente contenente acqua fredda, poi sollevarle, sempre una alla volta, e stenderle su un canovaccio asciutto. Ungere di burro una teglia del diametro di 24 centimetri e dal bordo alto 6 e mettervi le lasagne in 7 strati, distribuendo su ciascuno di essi la salsa bolognese, il parmigiano, la panna e la besciamella a fiocchetti distanziati tra loro. Tutte le salse vanno distribuite fredde e in modo uniforme, curando che il liquido non tocchi il bordo della teglia. Sopra il settimo e ultimo mettere solo un poco di salsa e di parmigiano.

Infornare e servire le lasagne nella teglia stessa o sul piatto da portata, dopo averle sformate; volendo servirle il giorno dopo è possibile riscaldarle in forno (v. alle voci "Forno", "Sformare" e "Riscaldare" nei Consigli utili).

✧ *108* CROSTATA DI TAGLIOLINI

Questa è una delle tante ricette di crostata di tagliolini,
è la meno elaborata e, a mio avviso, forse per questa ragione, la più buona.

Per 8 persone: tagliolini all'uovo (in confezione o fatti in casa) g 500 •
burro g 100 • parmigiano grattugiato g 100 • mozzarella fiordilatte g 300 •
prosciutto crudo g 60 • sale •
per i piselli al burro: piselli g 300, burro g 40, pancetta g 30, 1 cipollina, sale •
per la besciamella: latte l 1/4, burro g 10, farina g 15, sale •
pangrattato g 15
Tempo di cottura: *20 minuti nel forno a 180 °C*
1 minuto e mezzo per i tagliolini

Preparare i piselli come indica la ricetta "Piselli al burro" (v. n. 274), e farli asciugare bene sul fuoco.

Preparare la besciamella (v. n. 28) e riporla in frigorifero perché indurisca.

Cuocere i tagliolini in acqua salata facendoli bollire, una volta immersi solo per 1 minuto e mezzo, quindi condirli con 100 grammi di burro e quasi tutto il parmigiano e assicurarsi che siano saporiti.

Ungere di olio e cospargere di pangrattato una teglia di 28 centimetri di diametro. Porre in essa metà dei tagliolini conditi (se si ha il tempo di farli in casa vedere la ricetta n. 1 e raddoppiarne le dosi) e distribuirvi sopra i piselli, il prosciutto e il fiordilatte tagliati a pezzetti, e metà della besciamella fredda a fiocchetti. Se la crostata deve essere sformata, assicurarsi che né la salsa né il ripieno siano a contatto con il bordo della teglia.

Mescolare i rimanenti tagliolini a poca besciamella fredda e formare il secondo strato; distribuirvi sopra ancora dei fiocchetti di besciamella, cospargere di parmigiano e infornare.

Non tenere la teglia nel forno oltre il tempo indicato per la cottura. Prima di sformare aspettare che la crostata sia tiepida.

Il giorno dopo averla preparata sarà egualmente buona se riscaldata al momento di essere servita (v. alle voci "Forno", "Sformare" e "Riscaldare" nei Consigli utili).

✧ *109* PANIERINI DI TAGLIOLINI

Raffinati, piccolini e belli a vedersi, questi panierini
sono molto indicati per un buffet.

Per 14 panierini: tagliolini all'uovo (in confezione o fatti in casa) g 500 •
burro g 100 • parmigiano grattugiato g 100 •
mozzarella fiordilatte g 220 • prosciutto crudo g 60 •
per i piselli al burro: piselli g 300, burro g 40, pancetta g 30, 1 cipollina, sale •
per la besciamella: latte dl 2, burro g 10, farina g 10, sale •
pangrattato g 70
Tempo di cottura: *15 minuti nel forno a 180 °C*
1 minuto e mezzo per i tagliolini

Preparare 14 formette di 8 centimetri di diametro e 7 di altezza, ungendole internamente di olio e cospargendole di pangrattato fino al bordo.

Procedere come per la "Crostata di tagliolini" (v. n. 108) mettendo però i tagliolini nelle formette. Queste devono essere riempite fino a tre quarti della loro altezza e il ripieno deve essere abbondante in modo che la pasta, a fine cottura, risulti umida e saporita. Non tenere in forno più del tempo indicato e sformarli tiepidi. Se si offrono il giorno dopo, riscaldarli prima di servire.

✧ *110* VOL-AU-VENT DI TAGLIATELLE BENEDETTA

Una pietanza di alto livello come questa può anche essere eseguita con facilità utilizzando la pasta sfoglia moderna.

*Per 8 persone: per la pasta sfoglia moderna, o classica: farina g 400,
margarina g 200, oppure g 400, acqua dl 1, sale g 3 •
mezze tagliatelle all'uovo (in confezione) g 400
(oppure pasta all'uovo preparata con farina g 300, uova 3, olio cl 1, sale g 3) •
brodo di carne delicato l 1 ¹/₂ • parmigiano e gruviera grattugiati g 60 •
piselli sgranati g 200 • 1 cipollina • mozzarella fiordilatte g 200 • burro g 180 •
per spennellare la sfoglia: 1 uovo*
Tempo di cottura: *1 ora e mezzo per i piselli
3 minuti per le tagliatelle
20 minuti nel forno a 200 °C per il timballo*

Cuocere a tegame coperto i piselli con la cipollina affettata, 30 grammi di burro e un po' d'acqua; a fine cottura salarli. Essi devono risultare asciutti.

Se si desidera preparare la pasta all'uovo in casa, seguire le indicazioni della ricetta specifica (v. n. 1); spianare quattro sfoglie sottili e ricavare delle tagliatelle della larghezza di 1 centimetro. Tuttavia la pietanza risulterà ottima anche se preparata con la pasta all'uovo in confezione.

Lessare le tagliatelle nel brodo, scolarle e condirle con i formaggi già mescolati tra loro e poi con 40 grammi di burro.

Fare la pasta sfoglia (v. n. 13 o 14) e, dopo aver piegato per la quarta e ultima volta la "pettola" in quattro, dividere la pasta in due pezzi uguali; da uno ricavare una sfoglia sottile e sufficientemente grande per foderare fino al bordo una teglia sottile con diametro di 28 centimetri e bordo alto 6, unta di burro. Dall'altro pezzo di pasta ricavare delle pettole sottilissime e da queste tante strisce larghe 4 centimetri e disporle sul fondo della teglia lungo il suo perimetro; metterne otto, una sull'altra, inframmezzandole con poche tagliatelle e ungendole con gli 80 grammi di burro fuso rimanenti, in modo che non si attacchino tra loro. L'ultima strisciolina non deve essere coperta di tagliatelle; alla fine verrà spennellata di tuorlo, insieme al cornicione.

Mettere metà delle tagliatelle nel centro del tegame, distribuirvi sopra i piselli raffreddati e il fiordilatte a pezzettini e coprire con l'altra metà disponendola a cupola e facendo attenzione a non ammassarla e a non farla andare sul cerchio di strisce. Rovesciare un poco verso l'interno il bordo della sfoglia di rivestimento e formare un bel cornicione; questo durante la cottura si staccherà un poco dalla teglia e si ripiegherà su se stesso, poggiandosi sul cerchio fatto di strisce di pasta sfoglia.

Spennellare col tuorlo questo cornicione e anche il cerchio di strisce, e infornare. Al termine della cottura in forno, sarà facile sformare.

Avremo così ottenuto un pasticcio dalla classica forma di vol-au-vent, con al centro le tagliatelle messe a cupola e intorno un bordo piatto, circolare, fatto di pasta sfoglia.

RISO

✧ *111* Riso nei Peperoni

Per 8 persone: peperoni grandi 5 (kg 1 circa) • riso fino g 450 •
per dl 7 di brodo di pollo: testa e zampe di 1 pollo, carote 2, 1 cipolla,
sedano 1 costa, pomodori 2, sale •
burro g 70 • parmigiano grattugiato g 25 • pangrattato g 25
***Tempo di cottura:** 5 minuti per il riso*
45 minuti nel forno a 180 °C

Preparare il brodo con gli ingredienti indicati; dopo cotto, sgrassarlo.
In 4 decilitri e mezzo di brodo cuocere il riso, con il sale necessario, per i pochi minuti indicati in modo che risulti ancora crudo e il brodo venga completamente assorbito; spolverizzare di metà del parmigiano.
Lavare i peperoni, privarli del picciolo, e tagliarli in tre cerchi, in senso orizzontale.
Ungere di burro e spolverizzare di pangrattato una teglia da tavola di 24 per 32 centimetri. Sistemare i cerchi di peperoni nella teglia e riempirli completamente di riso. Su ciascuno di essi mettere un pezzetto di burro, del parmigiano e del pangrattato. Infornare quando il forno ha raggiunto la massima temperatura, per poi abbassarla a 180 °C; durante la cottura versare sui peperoni il rimanente brodo bollente.
Servire caldi nella teglia stessa questi timballetti che devono risultare asciutti.

✧ *112* Riso al Pesce

Un piatto succulento e appetitoso, anche se preparato con pesci surgelati.

Per 6 persone: riso fino g 450 • gamberetti g 450 • seppioline g 450 •
vongole fresche col guscio g 500 • pomodori pelati g 400 • olio d'oliva cl 12 •
aglio 1 spicchio • prezzemolo 1 mazzetto • sale

Tempo di cottura: 15 minuti per la salsa
50 minuti per le seppioline
15 minuti per i gamberi
15 minuti per le vongole

Preparare una salsa con 6 cucchiai d'olio, un po' d'aglio tritato, il sale e i pomodori, su fuoco moderato e in un tegame coperto.

I gamberetti e le seppioline possono essere anche surgelati; le vongole devono essere assolutamente fresche.

Togliere la testa ai gamberetti e con le forbici tagliare lungo il dorso il guscio per poterlo asportare facilmente; sciacquarli (velocemente se sono surgelati) e raccoglierli in un piatto.

Pulire le seppioline e tagliarle a liste. Lavare le vongole e porle su fuoco vivace in una padella coperta, per pochi minuti, per farle aprire, poi sgusciarle e filtrare la loro acqua attraverso un telo bagnato e strizzato.

Mettere sul fuoco un pentolino con l'olio rimasto e l'aglio tritato; appena l'aglio si sarà imbiondito, unirvi le seppioline, coprire, e far cuocere per 35 minuti a fuoco molto moderato. Infine aggiungere le vongole con la loro acqua filtrata e i gamberetti puliti e senza guscio; coprire e continuare la cottura per altri 15 minuti; provare il sale.

Lessare il riso al dente, condirlo con la salsa di pomodoro, riversarlo nel piatto da portata e distribuirvi sopra i pesci cotti, con il loro sugo.

Cospargere di prezzemolo tritato.

✧ *113* RISO AL POMODORO E FUNGHI

Questo riso, condito con una semplice salsa al pomodoro e funghi,
risulterà più saporito se passato in forno.

Per 4 persone: riso fino g 250 • pomodori pelati g 400 • funghi secchi g 30 •
olio d'oliva e burro g 60 • aglio 1 spicchio • parmigiano grattugiato g 50 • sale
Tempo di cottura: 10 minuti per i funghi
30 minuti per la salsa
9 minuti per il riso

Tenere in ammollo in poca acqua fredda i funghi per circa 1 ora; sollevarli delicatamente senza smuovere l'acqua terrosa, sgocciolarli e tagliarli a pezzetti.

Filtrare attraverso un telo bagnato e strizzato 4 cucchiai dell'acqua in cui sono stati in ammollo i funghi e tenerla da parte.

Far rosolare i funghi a pezzetti in 20 grammi di burro, su fuoco moderato, rimestando sovente; dopo solo 2 minuti, unirvi l'acqua filtrata, terminare la cottura a tegame scoperto e salare.

Mettere in una piccola pentola i pomodori a pezzetti, l'aglio tritato, 40 grammi di olio e burro, un cucchiaino di sale; coprire e far cuocere per 20 minuti, rimestando, su fuoco moderato. Unire i funghi con il loro condimento e far cuocere il tutto, a tegame coperto, per altri 5-6 minuti.

In poca acqua salata bollire il riso per il tempo indicato; scolarlo, condirlo con il sugo e versarlo sul piatto da portata. Il parmigiano va servito a parte.

Per insaporirlo in forno, seguire le indicazioni della ricetta "Timballetti di riso" (v. n. 120).

✧ *114* RISOTTO ALLA MILANESE

È la base di tutti i risotti ed è unico per la presenza del midollo,
che gli dà un sapore tutto particolare.

Per 5 persone: riso superfino g 400 • brodo di carne o vegetale l $1/_2$ •
burro g 50 • midollo di bovino g 30 • 1 cipollina • vino bianco cl 2 •
zafferano 2 bustine • parmigiano grattugiato g 100 • sale
***Tempo di cottura:** 10 minuti per rosolare*
15 minuti per cuocere

Preparare un buon brodo (v. n. 57 o 59) e filtrarlo attraverso un telo bagnato e strizzato.

Tagliare a fettine sottili la cipolla e bollirla in una pentola di media grandezza ma alta; poi rosolarla brevemente nel burro, con il midollo setacciato, a fuoco molto basso (v. alla voce "Cipolla" nei Consigli utili).

Versare nella pentola il riso e lasciarlo rosolare per qualche minuto; aggiungere il sale necessario, spruzzare pochissimo vino e aspettare che evapori.

In una pentola a parte mantenere costantemente il brodo in ebollizione, per versarlo poco alla volta sul riso.

Dopo ogni ramaiolo di brodo versato, aspettare che venga assorbito girando continuamente il riso con un cucchiaio di legno fino a che non risulti cotto al dente. Il fuoco deve essere moderato.

A cottura pressoché ultimata aggiungere lo zafferano sciolto in un cucchiaio di brodo caldo e dare un ultimo bollore. Versare il risotto sul piatto da portata e servire a parte il parmigiano nella formaggiera.

✧ *115* RISOTTO ALLO CHAMPAGNE

Ingredienti raffinati come il tartufo e lo champagne rendono questo risotto
adatto a qualsiasi pranzo o colazione importante.

*Per 5 persone: riso superfino g 400 • brodo delicato l $^1/_2$ • burro g 70 •
1 cipollina • tartufo 8 fettine • champagne dl 2 • parmigiano grattugiato g 80*
Tempo di cottura: *10 minuti per rosolare
15 minuti per il riso*

Fare questo risotto con lo stesso procedimento indicato per il "Risotto alla milanese" (v. n. 114), ma con gli ingredienti sopra indicati; il vino viene sostituito dallo champagne e sono assenti midollo e zafferano. Rispettare il seguente ordine: rosolare il riso nel burro con la cipollina affettata, prima bollita e poi colorita nel burro; versare metà dello champagne e lasciarlo asciugare; aggiungere le fettine di tartufo e versare il brodo un po' alla volta aspettando che venga assorbito prima di versarne altro.

Al termine versare l'altro decilitro di champagne e dare un ultimo bollore.

Porre subito il risotto nel piatto da portata, mettendo in evidenza le fettine di tartufo. Servire il parmigiano a parte nella formaggiera.

✧ *116* RISOTTO AI GAMBERETTI

Una preparazione facile per un primo piatto raffinato.

Per 6 persone: *riso superfino g 400 • gamberetti kg 1 • olio d'oliva cl 15 •
aglio 1 spicchio grande • sale*
Tempo di cottura: *2 ore per il brodo di gamberetti
10 minuti per rosolare
15 minuti per il riso*

I gamberetti freschi possono essere sostituiti dai gamberetti surgelati, se si acquistano sfusi e non puliti e se si rispetta il procedimento di cottura.

Pulire, sciacquare e sgusciare metà dei gamberetti e metterli da parte. L'altra metà deve essere solo privata delle interiora, e non della testa e del guscio.

Il brodo è basilare per la buona riuscita del risotto: mettere in 2 litri di acqua fredda, con un po' di sale, le teste e i gusci della prima metà dei gamberetti e aggiungere la seconda metà di gamberetti interi, privati solo delle interiora.

Far cuocere a fuoco moderato per non meno di 2 ore. Filtrare il brodo attraverso un colino da tè.

In un altro tegame rosolare nell'olio l'aglio tritato fino a farlo diventare biondo scuro. Versare il riso, farlo rosolare per qualche minuto e aggiungere i gamberetti sgusciati tenuti da parte. Salare e poi versare, poco alla volta, il brodo in ebollizione a parte, mescolando continuamente. Cuocere il riso per il tempo indicato, regolando la quantità di brodo in modo che alla fine il risotto non risulti asciutto, ma neanche brodoso, e sia saporito di sale e al dente. Versarlo in un piatto da portata concavo, avendo cura di mettere in evidenza qualche gamberetto.

❖ *117* RISOTTO AI PISELLI

Per ottenere un buon risultato, i piselli devono essere freschissimi e teneri.

Per 4 persone: *riso superfino g 200 • piselli freschi sgranati g 250 •*
1 cipolla • burro g 80 • vino bianco cl 6 • sale
Tempo di cottura: *1 ora e mezzo circa per i piselli*
12 minuti per il riso

Cuocere i piselli in una pentola con 3 decilitri e mezzo di acqua, 50 grammi di burro e la cipolla a fettine, finché non siano ben cotti e asciutti.
A parte far rosolare il riso per un paio di minuti in 30 grammi di burro, versare il vino e quando si sarà asciugato aggiungere i piselli cotti, caldi e salati, insieme al loro sugo. Procedere con la cottura a risotto, versando un po' per volta circa 5 decilitri di acqua salata in ebollizione a parte. Non usare formaggio, né brodo.

❖ *118* SARTÙ DI RISO

È un tipico pasticcio napoletano di riso, dal ricco e abbondante ripieno.

Per 8-10 persone: *riso fino g 800 • uova 4 •*
per la salsa: pomodori pelati kg 2, polpa di manzo g 700, olio e burro g 150,
aglio 1 spicchio, vino bianco dl 1, sale •
per il ripieno: fegatini e rognoni di pollo kg 1, cipolline 2, burro g 75,
polpettine di carne fritte 20, piselli sgranati g 300,
sale, parmigiano grattugiato g 100 • pangrattato g 50
Tempo di cottura: *7 minuti per lessare il riso*
1 ora per la salsa
40 minuti nel forno a 200 °C per il "sartù"

Preparare la salsa facendo rosolare nell'olio e nel burro la polpa di manzo; spruzzarvi il vino, farlo evaporare un poco e aggiungere i pomodori, uno spicchio d'aglio tritato e il sale occorrente. Lasciare su fuoco moderato e a tegame coperto per 1 ora; al termine passare la salsa al tritaverdure, dopo aver messo da parte la carne. Cuocere il riso al dente in acqua salata, considerando come inizio del tempo di cottura il momento in cui, dopo aver immerso il riso, l'ebollizione riprende. Scolarlo e lasciarlo raffreddare. Quando è freddo unirvi le uova sbattute a parte con poco sale e poi condirlo con un terzo della salsa fredda.
Cuocere le interiora separatamente – i fegatini con poco burro, una cipollina tritata e un pizzico di sale per circa 15 minuti, i rognoni con burro, sale e mezzo bicchiere di acqua, coperti, per 30 minuti circa – indi tagliarle a fettine sottili e insapo-

rirle con un po' di salsa. Preparare delle polpettine molto piccole, friggerle e rigirarle in un po' di salsa. Cuocere i piselli come indica la ricetta "Piselli al burro" (v. n. 274) ma senza la pancetta.

Ungere d'olio e cospargere di pangrattato una teglia di 24 centimetri di diametro e 8 di altezza. Rivestirla con due terzi del riso condito, formando uno strato sul fondo e anche sulle pareti fino al bordo, poi riempirla con il ripieno a strati: prima distribuire sul fondo un po' di salsa e parmigiano abbondante, poi le polpettine, i rognoni, i fegatini e i piselli. Ricoprire con il restante riso e cospargere di salsa e di parmigiano.

Trascorso il tempo necessario alla cottura in forno, lasciar riposare il "sartù" per una mezz'ora e infine sformare.

Servirlo accompagnato da abbondante salsa in salsiera. Si può presentare anche il giorno seguente, dopo averlo riscaldato (v. alle voci "Forno", "Sformare" e "Riscaldare" nei Consigli utili).

✧ *119* SARTUNCINI DI RISO BIANCHI

Questi deliziosi, piccoli sformati sono molto indicati per un buffet.

Per 10 "sartuncini": riso fino g 400 • burro g 130 •
parmigiano grattugiato g 100 • 1 uovo • pangrattato g 50 •
per il ripieno: piselli sgranati g 200, funghi secchi g 15, salsicce 2,
mozzarella fiordilatte g 200 •
per la besciamella: latte dl 2, burro g 10, farina g 10
Tempo di cottura: *7 minuti per il riso*
10 minuti nel forno a 180 °C per i "sartuncini"

Tenere in ammollo i funghi secchi per 1 ora in poca acqua fredda; poi farli rosolare in 10 grammi di burro a fuoco moderato per qualche minuto.

Cuocere le salsicce, senza bucarle, in 20 grammi di burro in un tegame coperto, su fiamma bassa, per 30 minuti; spellarle e tagliarle a fettine sottili e poi a pezzetti, conservandone il sugo.

Preparare la besciamella (v. n. 28) e farla raffreddare. Cuocere i piselli secondo le indicazioni della ricetta "Piselli al burro" (v. n. 274), farli asciugare bene sul fuoco e salarli dopo cotti.

Lessare il riso al dente in acqua salata, considerando come inizio del tempo di cottura il momento in cui l'acqua riprende l'ebollizione dopo l'immersione del riso. Scolarlo, lasciarlo raffreddare e condirlo con 60 grammi di burro, metà del parmigiano, i funghi cotti e tagliati a pezzetti e l'uovo sbattuto a parte con un pizzico di sale.

Preparare 10 formette di 8 centimetri di diametro e 7 di altezza, ungendole di olio e cospargendole di pangrattato, anche all'interno del bordo.

Mettere in ognuna di esse due cucchiai di riso facendolo aderire anche alle pareti.

Disporre sullo strato sottile di riso il parmigiano, un cucchiaino di besciamella, tre pezzetti di salsiccia, due cucchiaini di piselli e quattro pezzetti di fiordilatte. Coprire il tutto con un altro cucchiaio di riso mescolato a un cucchiaino di besciamella. Nel centro della superficie fare un buchetto e versarvi un paio di cucchiaini del sugo delle salsicce, chiudendolo poi con altro parmigiano. La formetta deve essere riempita fino ai due terzi della sua altezza, il riso deve essere poco e il ripieno abbondante.

Infornare e sformare. Se i "sartuncini" vengono serviti il giorno dopo possono anche essere riscaldati senza danno (v. alle voci "Forno", "Sformare" e "Riscaldare" nei Consigli utili).

✧ *120* TIMBALLETTI DI RISO

La facile preparazione di questi saporiti timballetti ne fa un piatto giornaliero, ma non banale.

Per 4 persone: *riso fino g 250 • pomodori pelati g 400 • funghi secchi g 30 • olio d'oliva e burro g 60 • aglio 1 spicchio • parmigiano grattugiato g 50 • 1 uovo • mozzarella fiordilatte g 60 • sale • burro g 40*
Tempo di cottura: *15 minuti nel forno a 200 °C*

Preparare il "Riso al pomodoro e funghi" (v. n. 113). Far raffreddare il riso condito, poi mescolarvi 20 grammi di parmigiano, usando due forchette perché non si spappoli.

In una ciotola sbattere l'uovo con poco sale, versarlo sul riso e amalgamare delicatamente il tutto.

Ungere di burro 4 formette lisce di 8 centimetri di diametro e 7 di altezza, riempirle per due terzi di riso, praticare al centro un incavo e infilarvi il fiordilatte a pezzettini. Coprire con altro riso e cospargere di parmigiano. Infornare e cuocere per il tempo indicato. Per sformare i timballetti passare la lama di un coltello tra il bordo della formetta e il riso.

Giuseppe De Nittis, *Il pranzo a Posillipo*.
Milano, Galleria d'Arte Moderna,
Collezione Grassi.

Silvestr Feodosievič Ščedrin,
Terrazza a Sorrento.
Parigi, Museo del Louvre.

Vincenzo Migliaro, *Taverna a Posillipo*.
Napoli, Museo Nazionale di Capodimonte.
Collezione Banco di Napoli.

Luigi Crisonio, *Ristorante a Mergellina*.
Napoli, Collezione privata.

Gnocchi

✧ *121* Gnocchi di Semolino

*Una ricetta classica che, per la raffinata presentazione,
è adatta a pranzi importanti.*

Per 6 persone: *semolino g 300 • latte l 1 ¹/₄ • uova 3 • gruviera g 60 •
parmigiano grattugiato g 50 • burro g 20 • sale g 6*
Tempo di cottura: *10 minuti su fornello
25 minuti nel forno a 200° C*

Versare il latte con il sale in un pentolino alto, metterlo sul fuoco e al primo bollore far cadere a filo il semolino. Abbassare la fiamma e mescolare costantemente con un cucchiaio di legno. A metà cottura aggiungere un uovo alla volta, continuando sempre a mescolare. Amalgamare bene il tutto, unirvi il gruviera tagliato a pezzettini piccolissimi e metà del parmigiano. Dopo pochi minuti, quando l'impasto avrà cominciato a staccarsi dalle pareti della pentola, spegnere il fuoco e versare il semolino su un piano di marmo bagnato d'acqua. Distenderlo in uno strato alto 1 centimetro, aiutandosi prima col palmo della mano bagnato e poi con la lama di un coltello per renderlo uniforme. Quando il semolino si sarà raffreddato del tutto, ricavarne tante rondelle usando un bicchiere capovolto, col bordo bagnato, o una formina del diametro di 4 centimetri.
Ungere di olio una teglia da tavola del diametro di 32 centimetri e adagiarvi gli gnocchi in un solo strato, ma appoggiati l'uno all'altro, a scalino.
Cospargere di parmigiano, distribuire qualche fiocchetto di burro e infornare.
Gli gnocchi debbono rosolare fino a colorirsi. Servire nella teglia stessa.

✧ *122* Gnocchi di Patate Gratinati

Per 8 persone: *per gli gnocchi: patate g 700, farina g 500, burro g 10,
tuorli 2, sale g 8 • per la salsa: pomodorini g 300, pomodori pelati g 300,*

zucchero $^1/_2$ cucchiaino, olio d'oliva cl 4, burro g 40, aglio 1 spicchio,
basilico 8 foglie, sale • per gratinare: mozzarella fiordilatte g 150,
parmigiano grattugiato g 25 • burro g 40
Tempo di cottura: *30 minuti per le patate*
2 minuti per gli gnocchi
30 minuti per la salsa
10 minuti nel forno a 180 °C per gratinare

Cuocere a fuoco moderato, in un tegamino, i pomodori pelati con mezzo spicchio di aglio tritato, quattro cucchiai di olio e il sale necessario.

Contemporaneamente, in un altro pentolino, cuocere a fuoco moderato i pomodorini tagliuzzati, senza averli spellati, insieme con 40 grammi di burro, mezzo spicchio di aglio tritato e un pizzico di sale. Dopo 15 minuti unire ai pomodorini mezzo cucchiaino di zucchero.

Infine unificare le due salse in un unico tegame e continuare la cottura per 5 minuti. Ritirare la salsa dal fuoco, aggiungere le foglie di basilico lavate e spezzate in due.

Mettere a lessare le patate, che devono essere bianche e farinose; l'acqua, fredda e salata, deve ricoprirle completamente. A cottura ultimata pelarle, setacciarle e porle in una ciotola. Aggiungervi i tuorli, il burro e la farina poco per volta, amalgamando il tutto con le mani fino a che l'impasto si addensi. Esso non deve essere duro ma neanche molle; a tale scopo giudicare se aumentare o diminuire la quantità di farina. Continuare a lavorare delicatamente l'impasto sul piano di lavoro infarinato. Prenderne infine un pezzetto alla volta e formare dei bastoncini spessi non meno di 1 centimetro; rotolarli sul piano infarinato e con un coltello tagliare tanti pezzetti rettangolari lunghi 2 centimetri.

A Napoli gli gnocchi sono lisci, non hanno la classica rigatura che si ottiene quando per farli si usa una forchetta; premere dunque sul pezzetto, nel senso della lunghezza, il dito medio infarinato, poi disporre man mano questi gnocchi su un piano cosparso di farina.

Immergerli infine in abbondante acqua salata in ebollizione, uno alla volta, distanziati tra loro. Non appena vengono a galla sollevarli e sgocciolarli con un mestolo forato.

Metterli in 8 piccole teglie di creta, unte di burro, a strati, condendo ogni strato con la salsa preparata. Distribuire sulla superficie di ciascuna teglia il fiordilatte a pezzetti e il parmigiano.

Far gratinare gli gnocchi in forno per 10 minuti e poi servirli fumanti.

✧ *123* GNOCCHI VERDI DI PATATE

Per 8 persone: *per gli gnocchi: patate g 400, farina g 500,*
1 tuorlo, spinaci g 350, sale •

per il condimento: burro g 120, parmigiano grattugiato g 100
Tempo di cottura: *30 minuti per le patate*
2 minuti per gli spinaci
3 minuti per gli gnocchi

Lessare al dente in acqua salata gli spinaci puliti e lavati. Sgocciolarli e strizzarli fortemente tra le mani, quindi tritarli finemente su un tagliere.

Cuocere le patate con la buccia in acqua fredda salata e calcolare i 30 minuti di cottura dal momento in cui l'acqua entra in ebollizione.

Pelare le patate, setacciarle e unirle in una ciotola agli spinaci tritati, al tuorlo e a un pizzico di sale, aggiungendo un po' alla volta la farina fino a che l'impasto si addensi, poi ricavarne gli gnocchi secondo le indicazioni della ricetta precedente.

Lessare gli gnocchi in acqua salata e adagiarli sul piatto da portata a strati, condendo ognuno di essi col burro, fatto imbiondire in precedenza, e abbondante parmigiano.

CAPITOLO III

PESCI

✦

CARNI

PESCI

✧ *124* PESCE A POLPETTE

Per le polpette di pesce si può utilizzare sia il pesce fresco sia quello surgelato.

*Per 10 polpette: cernia fresca o surgelata g 800 • mollica di pane raffermo g 60 •
parmigiano grattugiato g 30 • tuorli 2 • 1 chiara d'uovo • sale •
olio d'oliva per friggere dl 1 • prezzemolo tritato q.b. • mostarda di senape q.b.*
Tempo di cottura: *8 minuti ogni 4 polpette*

Scongelare, pulire, lavare e lessare il pesce; tritarne la polpa.
Mettere in ammollo la mollica di pane in acqua fredda.
In una ciotola amalgamare con le mani la carne del pesce, le uova, il parmigiano e
il pane ben strizzato; aggiungere il sale necessario e un po' di prezzemolo tritato
fino.
Formare delle piccole polpette e appiattirle con le mani, quindi metterle a friggere
nell'olio già caldo, in una padella di media grandezza, a fiamma un po' vivace per
non farle sgretolare. Dopo circa 5 minuti, rigirarle perché cuociano da ambo i lati.
Servirle calde accompagnate da mostarda di senape e insalata verde.

✧ *125* PESCIOLINI IN PASTELLA

*Per questa preparazione sono indicati quei pesciolini bianchi, appena nati,
ancora privi di spine, che a Napoli vengono denominati cecenielli.*

*Per 24 frittelle: pesciolini g 200 • per la pastella: farina g 180, latte dl 1, acqua dl 1,
sale g 6, lievito di birra g 12 • olio d'oliva per friggere dl 3 $^1/_2$ • limoni 2*
Tempo di lievitazione: *40 minuti.*

Questi pesciolini non vanno puliti né privati della testa e della coda; bisogna soltanto lavarli e sgocciolarli bene.

Preparare la pastella secondo la ricetta specifica (v. n. 19) e quando essa appare ben cresciuta, prenderne 2 cucchiai alla volta, senza smuoverla troppo altrimenti decresce, e porli in un piatto fondo.

Aggiungervi 10-12 pesciolini, mescolare delicatamente e, in un padellino di ferro alto e piccolo pieno di olio fumante, friggere l'impasto diviso in 2 pizzelle, mezzo minuto per parte.

Appena si saranno imbiondite, sollevarle dall'olio e adagiarle su della carta assorbente da cucina. Ripetere questa operazione fino a esaurimento di pesciolini e pastella. Servire calda questa frittura casalinga, accompagnata da spicchi di limone.

✧ *126* GAMBERETTI CON OLIO E LIMONE

I gamberetti freschi non hanno bisogno di alcuna presentazione;
quelli surgelati non debbono essere acquistati in confezione già puliti;
vanno invece comperati sfusi, interi e con il guscio.

Per 4 persone: *gamberetti g 800 • olio d'oliva cl 3 •*
1 limone • sale • prezzemolo $^1/_2$ mazzetto
Tempo di cottura: *3 minuti*

Se i gamberetti sono surgelati, considerare che per questa ricetta sono indicati quelli piccoli; non farli scongelare completamente, pulirli senza staccarne la testa e, ancora un po' duri di ghiaccio, sciacquarli velocemente.

Lessarli in poca acqua salata con la buccia di mezzo limone.

Farli bollire per il tempo indicato e lasciarli nella loro acqua calda per una decina di minuti.

Sgocciolarli, staccare la testa, eliminare il nero residuo e infine togliere loro il guscio, cercando di non frantumarli.

Condirli freddi con olio, succo di limone e un po' di sale.

Tenerli in frigorifero fino al momento di servire; solo allora rimescolarli, cospargerli di prezzemolo tritato e guarnirli con foglie di lattuga.

Se i gamberetti sono freschi vanno preparati e cotti nello stesso modo. Tenere presente che anche quelli grandi, così cucinati, sono ottimi.

✧ *127* POLPI CON OLIO E LIMONE

I polpi per questa ricetta devono essere quelli "veraci",
cioè con due file di ventose su ogni tentacolo.
I polpi di colore grigio scuro, che dopo cotti diventano rossi,
sono più teneri di quelli con la pelle rossastra.

Per 4 persone: polpi di grandezza media kg 1 • olio d'oliva cl 2 •
limoni 2 • sale • prezzemolo 1 mazzetto
Tempo di cottura: *30 minuti per i polpi freschi*
15 minuti per quelli surgelati

Se i polpi sono surgelati comperarli sfusi e non puliti.

Pulirli quando sono ancora un po' duri di ghiaccio e lavarli velocemente.

In una pentola con acqua poco salata e la scorza di mezzo limone, far bollire i polpi non oltre il tempo indicato se non sono troppo grandi.

Una volta cotti, lasciarli nella loro acqua calda per circa 20 minuti perché la cottura prosegua senza che si spappolino.

Sgocciolarli e, quando si saranno raffreddati, tagliarli con le forbici in piccoli pezzi. Essendo più teneri dei polpi freschi è opportuno tenerli qualche ora in frigorifero perché si induriscano un po'. Condirli con l'olio, abbondante succo di limone e poco sale.

Al momento di servirli, cospargerli di prezzemolo tritato fine e accompagnarli con un'insalata verde mista.

Se i polpi sono freschi vanno puliti e lessati nello stesso modo; però, essendo più consistenti, il tempo di cottura va prolungato. Prima di servirli, non vanno tenuti in frigorifero, per evitare che induriscano.

✧ *128* PURPETIÉLLI AFFOGATI

È molto importante dare al polpo affogato una forma raccolta.
I polpi "veraci" sono i migliori, ma, cucinati secondo questa caratteristica
ricetta napoletana, sono molto saporiti anche quelli piccolissimi
che a Napoli vengono chiamati senischi.

Per 4 persone: polpi piccoli kg 1 • olio d'oliva cl 5 •
aglio 1 spicchio e $^1/_2$ • pomodori 3 • sale
Tempo di cottura: *30 minuti*

Se i polpi sono surgelati comperarli piccoli e "veraci", cioè con due file di ventose sui tentacoli. Pulirli quando sono ancora un po' duri di ghiaccio, sciacquarli velocemente e aspettare che si scongelino del tutto.

Di solito i polpi si cucinano in una pignatta di creta che non ne fa disperdere il profumo. Far rosolare dunque l'aglio tritato con l'olio. Capovolgere i polpi in modo che la testa venga avvolta dai tentacoli, infilzarne due o tre per volta dalla sommità con una forchetta e, quando l'olio frigge vivacemente, calarveli per due o tre volte immergendo soltanto le punte dei tentacoli; questi, al contatto con l'olio bollente, si arricciano e i polpi assumono una bella forma raccolta che manterranno anche dopo cotti.

Ripetere questa veloce operazione con gli altri polpi, poi adagiarli nel recipiente tutti insieme, ben diritti, con le punte sul fondo, insieme con i pomodori spezzettati. Coprire e lasciar cuocere a fuoco molto moderato; salare a fine cottura. È usanza napoletana condire 100 grammi di spaghetti col sugo ricavato da questa cottura e disporli nel piatto da portata attorno ai *purpetiélli*.

Se i polpi sono freschi vanno preparati e cotti nello stesso modo, considerando che risultano gustosi anche i *senischi*, cioè quelli che hanno una sola fila di ventose sui tentacoli.

✧ *129* SEPPIOLINE ARROSTITE

Per 4 persone: seppioline 8 • olio d'oliva cl 6 •
aceto o succo di limone q.b. • sale • aglio ¹/₂ spicchio • prezzemolo q.b.
Tempo di cottura: 12 minuti per 4 seppie

Se le seppioline sono surgelate comprarle sfuse e non farle scongelare completamente prima di pulirle (v. *Il pesce surgelato* alla voce "Pesce" nei Consigli utili). Sciacquarle velocemente senza rimuovere l'osso interno perché serve a non farle deformare né arricciare durante la cottura. Fare attenzione a non staccare i tentacoli dal corpo, cosa che può avvenire durante la cottura sulla graticola.

Farle macerare nell'olio per 20 minuti circa, in frigorifero.

Sulla graticola, a fuoco abbastanza vivace, arrostirne 4 per volta, 5-6 minuti per parte. Non smuoverle affinché vengano marcate dalle righe scure della graticola. Poi rigirarle, salarle e arrostirle per altri 5-6 minuti.

Sui fornelli casalinghi è bene usare una graticola chiusa, non unta, essendo le seppie già bagnate di olio.

Prima di servirle, sfilare l'ossicino interno, cospargerle di poco prezzemolo e aglio tritato e condirle con gocce di limone o di aceto. Servirle calde con insalata verde.

Se le seppioline sono fresche prepararle nello stesso modo considerando però che, essendo profumate, sono gustose anche a temperatura ambiente, come antipasto.

✧ *130* CALAMARI IN UMIDO

Per 4 persone: calamari medi kg 1 • pomodori maturi g 400 • olio d'oliva cl 5 •
aglio 1 spicchio • prezzemolo ¹/₂ mazzetto • sale
Tempo di cottura: 15 minuti per i piccolissimi
1 ora per i medi

Pulire, sciacquare, tagliare a cerchi sottili i calamari, dividendo in due la testa nel senso della lunghezza (v. *Il pesce surgelato* alla voce "Pesce" nei Consigli utili).

Far rosolare l'aglio tritato nell'olio, poi mettervi i calamari e farveli insaporire. Aggiungervi i pomodori spellati e già cotti a parte per qualche minuto, coprire bene e cuocere a fuoco molto moderato.

A cottura ultimata salarli e servirli cosparsi di prezzemolo tritato.

Con questa ricetta, ma senza i pomodori, risultano gustosissimi quei calamari molto piccoli, reperibili solo in alcuni periodi dell'anno, che si possono cucinare interi.

Accompagnare con verdura cotta, condita con olio e limone.

✧ *131* Calamari Fritti

Per 4 persone: calamari g 800 • farina g 200 •
olio d'oliva per friggere dl 3 $^1/_2$ • limoni 2 • sale
Tempo di cottura: 2 minuti

Se i calamari sono surgelati non scegliere i piccolini bensì quelli grandi (da 250-280 grammi) perché sono morbidi e saporiti.

Non farli scongelare completamente prima di pulirli. Sciacquarli velocemente e tagliarli a cerchi non sottili dividendo in due la testa nel senso della lunghezza. Quindi farli scongelare del tutto, sgocciolarli e infarinarli.

Friggerli in una padella media a fuoco vivace, girandoli uno per volta dopo 1 minuto per far cuocere l'altro lato.

Porli man mano su della carta assorbente, salarli e servirli caldi con spicchi di limone e contorno di insalata verde.

Se i calamari sono freschi procurarseli piccoli; il procedimento è lo stesso ma il tempo di cottura inferiore.

✧ *132* Alici au Gratin

L'aceto dà molto sapore a queste alici, più del pomodoro che molti usano.

Per 6 persone: alici piccole kg 1 • olio d'oliva cl 8 • aceto cl 2 •
aglio 2 spicchi • pangrattato g 20 • sale
Tempo di cottura: 10 minuti nel forno a 180 °C

Pulire bene le alici privandole della testa, della spina centrale e della coda.

Lavarle più volte e porle in una teglia da tavola non troppo grande unta di olio, in tre strati.

Su ogni strato mettere un po' di aglio tritato, un terzo dell'olio indicato e il sale necessario. Cospargere sul tutto il pangrattato.

Infornare e, a metà cottura, versare l'aceto.

Non cuocere più del tempo indicato.

Non disporre meno di tre strati di alici nella teglia; ciò perché in tal modo il pesce conserva umidità e sapore.

Servire nella teglia stessa, accompagnando con insalata verde.

✧ *133* ALICI FRITTE

Saper friggere non è facile; per avere un buon risultato bisogna usare l'olio d'oliva,
perché in esso l'alimento rimane consistente,
e tenere la temperatura dell'olio molto alta, senza mai diminuirla.

Per 4 persone: *alici grandi g 750 • farina g 100 • uova 2 • sale •*
olio d'oliva per friggere dl 2 • limoni 2
Tempo di cottura: *2 minuti*

Pulire le alici privandole della testa e della spina centrale, ma non della coda; così aperte e spianate, lavarle e sgocciolarle bene. Infarinarle da ambo le parti, immergerle nelle uova sbattute con un pizzico di sale e friggerle in olio caldo, in una padella, preferibilmente di ferro, a fuoco vivace. Appena appaiono dorate da un lato rigirarle e dopo 1 minuto sollevarle con un mestolo forato, adagiarle su della carta assorbente e servirle calde, guarnite con spicchi di limone.

✧ *134* TRIGLIE ALLA LIVORNESE

Le triglie piccole non sono consigliabili per questo tipo di cottura
perché hanno troppe spine.

Per 4 persone: *triglie 4 (da g 200-250 ciascuna) • farina g 80 •*
pomodori pelati g 220 • aglio $^1/_2$ *spicchio • sale • olio d'oliva cl 8 • vino bianco cl 8*
Tempo di cottura: *10 minuti per la salsa*
15 minuti complessivamente per le triglie

Se le triglie sono surgelate scegliere quelle di scoglio, che sono di un colore rosso vivo e più saporite (v. *Il pesce surgelato* alla voce "Pesce" nei Consigli utili).

Pulirle prima che si siano scongelate del tutto, poi lavarle e sgocciolarle.

Preparare una salsa con i pomodori, l'aglio tritato, pochissimo olio e sale.

Salare le triglie, infarinarle e, in una padella con olio molto caldo, rosolarle una alla volta a fuoco vivace, 2 minuti per parte. Spruzzare il vino, aspettare che evapori, poi sollevare il pesce e metterlo in un piatto da cucina.

Ripetere la stessa operazione per tutte le altre triglie.

Sistemarle in una teglia da tavola in un solo strato, unirvi la salsa, coprire e terminare la cottura per altri 10 minuti. Servire con contorno di verdura lessata e condita con olio e limone.

Se le triglie sono fresche il procedimento è lo stesso ma bisogna valutare il pesce per la freschezza e non per la varietà.

✧ *135* TRIGLIE FRITTE

Per 4 persone: triglie kg 1 • farina g 150 •
olio d'oliva per friggere dl 2 $^1/_2$ • limoni 2 • sale
Tempo di cottura: 2 minuti e mezzo per le triglie di g 80
4 minuti per le triglie di g 130

Se le triglie sono surgelate è opportuno che siano di misura media, di almeno 130 grammi l'una. Farle scongelare completamente poi pulirle senza privarle della testa, squamarle, lavarle e, dopo averle sgocciolate, infarinarle.

Friggerle in olio fumante in una padella di media grandezza, rigirandole a metà cottura. Non abbassare la fiamma durante la frittura e cuocere tre pesci per volta.

Quando saranno divenute di colore biondo, sollevarle e adagiarle su della carta assorbente.

Cospargerle su tutti e due i lati di sale fino e servirle calde, con spicchi di limone, accompagnate da insalata verde.

Se le triglie sono fresche il procedimento è lo stesso ma considerare che risultano saporite anche se più piccole.

✧ *136* FRAVAGLIE DI TRIGLIE

Una vera leccornia è questa frittura di triglie.
Così piccoline esse si trovano nei nostri mercati durante il mese di agosto.

Per 4 porzioni: triglie piccolissime g 550 • farina g 150 •
olio d'oliva per friggere dl 2 $^1/_2$ • limoni 2 • sale g 6
Tempo di cottura: 1 minuto e mezzo

Per questa frittura sono necessari dei pesciolini piccolissimi (10 di essi devono pesare 12-14 grammi). Se riesce difficile procurarsi le triglie, vanno bene anche i *rutunni* che sono dei piccoli pesci molto sottili e di colore argento scuro.

Non pulirli né privarli della testa; sciacquarli e sgocciolarli bene.

Infarinarli, scuoterli per privarli della farina in eccesso, quindi farli cadere "a pioggia" nell'olio fumante, ben distanziati tra loro; riempire di un solo strato la padella, che deve essere di media misura, e non smuoverli per 1 minuto; trascorso questo tempo rigirarli più volte per l'altro $^1/_2$ minuto di cottura, a fiamma costantemente vivace. Poggiarli poi su della carta assorbente e ripetere l'operazione fino a esaurimento.

Cospargerli di sale e sistemarli sul piatto da portata per servirli caldi accompagnati da spicchi di limone.

✧ *137* TROTE IN UMIDO

Per questo tipo di cottura sono indicate le trote salmonate.

Per 4 persone: trote fresche 2 (da g 650 ciascuna) • olio d'oliva cl 4 •
salvia 4 foglie • sale
Tempo di cottura: *20 minuti nel forno a 200 °C*

Ungere d'olio le trote pulite e salarle. Chiudere ognuna di esse in carta d'argento o carta oleata insieme con qualche foglia di salvia, o di altra erbetta odorosa.
Infornarle e cuocerle per il tempo indicato, considerando che il tempo di cottura è proporzionato al peso.
Servirle calde e umide, accompagnate da un'insalata di verdure cotte, condite con olio e limone.

✧ *138* TROTE FRITTE

È sufficiente trattare la trota con alimenti delicati
quali il burro e il latte perché risulti gustosa e raffinata.

Per 4 persone: trote 4 (da g 200 ciascuna) • farina g 120 •
burro g 120 • latte l $^1/_2$ • limoni 2 • sale
Tempo di macerazione: *20 minuti*
Tempo di cottura: *8 minuti per trota*

Se le trote sono surgelate farle scongelare completamente prima di pulirle, poi sciacquarle velocemente. Metterle a macerare nel latte per 20 minuti.
Sgocciolarle senza risciacquarle, e infarinarle. Friggerne due per volta nel burro caldo 4 minuti per lato. Non abbassare mai la fiamma durante la frittura, che esige fuoco vivace. Poggiarle infine su della carta assorbente, salarle e servirle con spicchi di limone e accompagnate da insalata verde.
Se le trote sono fresche procedere nello stesso modo.

✧ *139* TROTE ALLA MUGNAIA

Per 4 persone: trote 4 (da g 250 ciascuna) • sale • farina g 100 •
olio d'oliva e burro g 100 • 1 limone • latte l $^3/_4$
prezzemolo $^1/_2$ mazzetto • burro brunito g 50
***Tempo di macerazione:** 30 minuti*
***Tempo di cottura:** 10 minuti per trota*

Se le trote sono surgelate scongelarle completamente, pulirle, risciacquarle e farle macerare nel latte in frigorifero per mezz'ora.

Trascorso il tempo indicato, sgocciolarle bene, salarle, infarinarle e friggerle una per volta a fuoco vivace in un poco di olio e burro, 5 minuti per lato. Man mano che cuociono, metterle sul piatto da portata riscaldato e distribuirvi sopra qualche goccia di limone. Al momento di servirle, cospargerle di prezzemolo tritato fino e versarvi il burro brunito e caldo.

Accompagnare con fagiolini al burro e insalata verde.

Se le trote sono fresche procedere nello stesso modo.

✧ *140* SOGLIOLE FRITTE

Per 4 persone: sogliole 4 (da g 150-200 ciascuna) • farina g 80 •
uova 2 • sale • olio d'oliva per friggere dl 2 • limoni 2
***Tempo di cottura:** 8 minuti per sogliola*

Se le sogliole sono surgelate badare a che il peso non sia inferiore a quello indicato.

Scongelarle completamente, pulirle, risciacquarle e spellarle su entrambi i lati praticando un taglietto nella coda con la punta di un coltello e tirando con forza la pelle verso la testa, che deve rimanere attaccata al corpo.

Infarinare le sogliole così preparate, rotolarle nelle uova sbattute con il sale e friggerle in padella una per volta, a fuoco vivace, 4 minuti per parte.

L'olio deve essere d'oliva così durante la frittura la carne della sogliola non si asciuga e rimane umida. Servirle calde con spicchi di limone e contorno di insalata verde. Se le sogliole sono fresche prepararle e cucinarle nello stesso modo.

✧ *141* SOGLIOLE ALLA MUGNAIA

Per questa ricetta sono da preferire le bellissime sogliole di Dover
che sono grandi e carnose.

Per 4 persone: sogliole 4 (da g 200 ciascuna) • sale • farina g 80 •
olio d'oliva e burro g 100 • 1 limone •
prezzemolo ¹/₂ mazzetto • burro brunito g 40
Tempo di cottura: *8 minuti per sogliola*

Se le sogliole sono surgelate scongelarle completamente e spellarle, praticando con la punta di un coltellino un taglio nella coda e tirando la pelle verso la testa. Pulirle, risciacquarle velocemente, salarle e infarinarle.

Friggerne una alla volta in una padella larga, con un po' di olio e di burro, a fuoco vivace, 4 minuti per parte.

Man mano poggiare le sogliole fritte sul piatto da portata caldo, inumidirle con delle gocce di limone e cospargerle di prezzemolo tritato fine, bagnato d'acqua.

Preparare il burro brunito e versarlo ben caldo sulle quattro sogliole; al contatto con esso il prezzemolo e il limone messi sopra il pesce friggono e danno alla pietanza il sapore caratteristico della "cottura alla mugnaia". Servirle con contorno di fagiolini al burro.

Se le sogliole sono fresche il procedimento di preparazione e cottura è lo stesso.

✧ *142* MERLUZZO FRITTO

Per 4 persone: merluzzi senza testa 2 (da g 300 ciascuno) • farina g 100 •
uova 2 • sale • olio d'oliva per friggere dl 2 • limoni 2
Tempo di cottura: *4 minuti*

Se i merluzzi sono surgelati farli scongelare completamente, pulirli, sciacquarli e sgocciolarli.

Privarli della coda e tagliarli a fette spesse circa 2 centimetri. Infarinare le fette e passarle nelle uova sbattute con il sale.

In una padella media friggere, in olio ben caldo, cinque o sei fette alla volta, girandole dopo 2 minuti di cottura perché cuociano da tutti e due i lati.

Servire il merluzzo caldo guarnendo il piatto con spicchi di limone e accompagnando con insalata verde.

Se i merluzzi sono freschi prepararli e cucinarli nello stesso modo, considerando che risultano ottimi anche se sono più grandi.

✧ *143* MERLUZZO AU GRATIN

I merluzzi freschi sono buoni cucinati in bianco;
quelli surgelati, cucinati nel modo qui descritto, sono ottimi;
è importante che siano piccoli.

*Per 4 persone: merluzzetti surgelati, senza testa, g 550 •
olive nere da cucina g 50 • capperi salati g 25 • acini di uva passa 10 •
aglio 1/2 spicchio • olio d'oliva e burro g 80 • pangrattato g 20 • sale
Tempo di cottura: 10 minuti nel forno a 160 °C*

Lessare al dente in acqua salata i merluzzetti puliti e non del tutto scongelati (v. *Il pesce surgelato* alla voce "Pesce" nei Consigli utili).
Mettere i filetti in una teglia da tavola unta d'olio. Distribuirvi sopra le olive snocciolate e tritate, i capperi lavati e tritati, l'aglio tritato e l'uva passa. Versare l'olio e cospargere di pangrattato e di fiocchetti di burro. Infornare e servire i pesci ben caldi, nella teglia stessa, accompagnandoli con fagiolini al burro e insalata verde. Per il merluzzo fresco procedere nello stesso modo ma usare solo il burro.

✧ *144* Baccalà au Gratin

*La cottura in forno e il pangrattato fanno sì che gli umori del baccalà
non si disperdano ed esaltino il gusto di questo pesce.*

*Per 4 persone: baccalà già ammollato g 850 • olio d'oliva cl 6 •
olive nere da cucina g 50 • capperi salati g 25 • aglio 1 spicchio •
pangrattato g 20 • sale (facoltativo)
Tempo di cottura: 30 minuti nel forno a 150 °C*

Tagliare a pezzi il baccalà, porlo in una teglia da tavola e versarvi sopra l'olio indicato. Distribuire sul pesce le olive nere snocciolate e tagliate a pezzetti, i capperi lavati e tritati, l'aglio tritato e il pangrattato. Aggiungere due cucchiai di acqua e infornare. Far cuocere a fuoco moderato, smuovendo il pesce nel tegame con una paletta perché non si attacchi sul fondo. Assaggiare e, se è necessario, salare.
Servire il baccalà molto caldo, accompagnato con "Patate al forno" (v. n. 269).

✧ *145* Baccalà al Pomodoro

*Il baccalà cotto in umido è un piatto di antica tradizione napoletana.
Eccone due versioni, la prima più semplice, adatta a palati delicati,
la seconda più saporita.*

*Per 4 persone: baccalà già ammollato g 800 •
per la salsetta: pomodori pelati g 250, olio d'oliva cl 5, aglio 1 spicchio, sale •
farina g 80 • olio d'oliva per friggere dl 1 1/2
Tempo di cottura: 30 minuti*

I versione

Cuocere in un tegame, per pochi minuti, una salsetta fatta con i pomodori, l'olio, l'aglio tritato e pochissimo sale.

Tagliare a pezzi il baccalà già ammollato e adagiarlo sulla salsa. Coprire e far cuocere sul fornello a fiamma moderata.

A metà cottura provare il sale e, se necessario, aggiungere qualche cucchiaio di acqua calda.

Servire quando la salsa si è asciugata, accompagnando con patate lesse.

II versione

Tagliare a pezzi e infarinare il baccalà già ammollato.

In una padella con abbondante olio d'oliva, molto caldo, friggere i pezzi rigirandoli sui due lati. Quando assumono un colore dorato, deporli su carta assorbente. Preparare una salsa uguale a quella descritta nella prima versione e farla restringere bene sul fuoco. Adagiarvi poi il baccalà fritto, non coprire, e cuocere per pochi minuti rigirando i pezzi nella salsa su tutti e due i lati.

Accompagnare con patate lesse.

✧ *146* TONNO O PESCE SPADA A TRANCE

L'aceto è molto indicato nelle preparazioni di pesci dal sapore forte.

Per 4 persone: trance sottili g 800 • olio d'oliva cl 5 • aglio 1 spicchio •
sale • origano q.b. • aceto cl 2
Tempo di cottura: 30 minuti

Se le trance di pesce sono surgelate pulirle prima che siano completamente scongelate, lavarle e intaccare in due o tre punti la pelle scura che le circonda. Adagiarle in un tegame largo, unto d'olio, che le contenga in un solo strato.

Condirle con l'olio, l'aglio tritato e il sale necessario, coprire e far cuocere sul fornello a fuoco moderato, smuovendo ogni tanto il pesce perché non si attacchi al fondo del tegame. A metà cottura, aggiungere un po' di origano e, se occorre, due cucchiai di acqua calda.

Se le trance sono di pesce fresco prepararle e cuocerle nello stesso modo ma aggiungere l'aceto dieci minuti prima della fine della cottura.

✧ *147* CERNIA A TRANCE

La carne della cernia, sostanziosa ma dal sapore delicato,
si valorizza se trattata con ingredienti quali il burro e il vino bianco.

*Questo vale per il pesce surgelato; la cernia fresca ha un suo profumo
inconfondibile che non va alterato dall'aggiunta di altri sapori.*

Per 4 persone: *trance di cernia sottili g 800 • burro o olio d'oliva g 60 •
aglio 1 spicchio • prezzemolo $^1/_2$ mazzetto • pangrattato g 25 •
sale • vino bianco cl 6*
Tempo di cottura: *30 minuti*

Se le trance sono di pesce surgelato non farle scongelare del tutto; risciacquarle e
intaccare in due o tre punti la pelle scura. Adagiarle in un solo strato in un tegame
unto di burro. Condirle con burro e sale e cospargerle di pangrattato e di un po' di
aglio tritato.

Cuocere su fiamma bassa, coprendo il tegame, e smuovendo ogni tanto le trance
perché non si attacchino al fondo.

A metà cottura togliere il coperchio e spruzzare a poco a poco il vino che serve a
rendere più delicato il pesce surgelato.

Servire con patate lesse intere e non condite.

Se le trance sono di pesce fresco prepararle e cucinarle nello stesso modo di quelle
surgelate, ma usare l'olio anziché il burro e non bagnare col vino. A fine cottura
cospargerle solo di prezzemolo tritato.

✧ *148* Cernia al Forno

Per 5-6 persone: *cernia kg 1 $^1/_2$ • sale • vino bianco dl 2 • olio d'oliva cl 6 •
1 limone • aglio 1 spicchio • prezzemolo $^1/_2$ mazzetto*
Tempo di cottura: *60 minuti nel forno a 150 °C*

Se la cernia è surgelata non deve superare il peso indicato; inoltre è preferibile scegliere fra quella bianca o quella rossa perché la nera, che vive nei mari profondi, è
meno gustosa (v. *Il pesce surgelato* alla voce "Pesce" nei Consigli utili).

Pulire il pesce quando è ancora un po' duro di ghiaccio, distribuirvi sopra il sale,
l'aglio e il prezzemolo tritati, l'olio e qualche fetta di limone.

Mettere la cernia a cuocere nel forno, smuovendola ogni tanto perché non si attacchi al fondo del tegame.

Dopo 10 minuti di cottura capovolgere il pesce, che non si frantumerà perché ancora un po' surgelato, mettervi sopra l'aglio e le fette di limone cadute nella teglia e
spruzzarvi il vino, un po' alla volta, fino al termine della cottura.

Durante gli ultimi 5 minuti, versare il restante vino e far cuocere ancora qualche
minuto. Sfornare e recuperare subito il sugo, prima che si asciughi, da mettere in
salsiera.

Servire la cernia nel piatto da portata contornata da patate lesse intere non condite
e accompagnata dal sugo in salsiera.

Se la cernia è fresca valutarla solo per la freschezza e non in base alla qualità. Cucinarla nello stesso modo, ma evitare di rigirarla durante la cottura perché potrebbe rompersi.

✧ *149* PESCE IN BIANCO

Se il pesce è fresco risulterà ottimo bollito,
se è surgelato è opportuno racchiuderlo in un cartoccio
affinché non perda l'umore e il profumo di mare,
come avviene se è cotto nell'acqua.

Per 4 persone: *sarago o spigola o dentice o orata di kg 1 • olio d'oliva cl 4 •*
per la salsetta per pesce bollito: olio d'oliva cl 8, succo di limone cl 6,
prezzemolo ¹/₂ mazzetto, sale g 5
Tempo di cottura: *50 minuti nel forno a 140 °C per il pesce surgelato*
6 minuti sul fornello per il pesce fresco

Se il pesce è surgelato avvolgerlo senza farlo scongelare, con testa e squame, in un foglio di carta oleata ben unto con 3-4 cucchiai di olio, in modo che non entri aria. Adagiare il cartoccio sulla leccarda del forno, infornare e far cuocere a fuoco moderato.

Naturalmente il tempo di cottura indicato qui è per un pesce del peso di circa 1 chilogrammo.

Preparare la "Salsetta per pesce bollito" (v. n. 20).

Una volta cotto, liberare il pesce dalla carta, privarlo della pelle e delle spine e disporre i filetti sul piatto da portata, spolverizzarli di sale e versarvi sopra la salsetta. Servire caldo.

Se il pesce è fresco farlo bollire, considerando che il bollore deve essere minimo durante tutta la cottura (v. alla voce "Pesce" nei Consigli utili).

Servirlo nel piatto da portata, intero, caldo, guarnito con patate lesse e accompagnato dalla salsetta sopra indicata.

✧ *150* SALMONE ALL'INGLESE

Da Londra Ida mi ha portato la ricetta del salmone in bianco;
questo pesce infatti lessato nell'acqua non dà un buon risultato.

Per 6 persone: *salmone di kg 1,250 • per 2 l di brodo vegetale: 1 cipolla, carote 2,*
pomodori 2, sedano 2 gambi, sale • vino bianco dl 6 • limone ¹/₂ scorza • sale
Tempo di cottura: *6-7 minuti*

Preparare un brodo vegetale con gli ingredienti indicati e 2 litri e mezzo di acqua salata facendolo cuocere soltanto 40 minuti. Filtrarlo, allungarlo fino a che abbia raggiunto la quantità richiesta, poi versarlo, freddo, nella pesciera; aggiungere il vino, mezza scorza di limone e il salmone pulito e intero. Coprire e far bollire, per i pochi minuti indicati, con il sale necessario. Trascorso tale tempo, spegnere il fuoco, e lasciare il pesce nel brodo per altri 30 minuti. In tal modo la cottura continua senza che il pesce si frantumi.

Servirlo ancora tiepido, nel piatto da portata, contornato di patate lesse, per un pranzo importante. Accompagnare con maionese in salsiera.

✧ *151* SALMONE A TRANCE

Contrariamente ad altri pesci tagliati a trance,
il salmone risulta gustoso se rosolato con il burro e non con l'olio.

Per 4 persone: *trance di salmone 4 (g 650 circa) • burro g 80 •*
farina g 60 • sale • limoni 2
Tempo di cottura: *8 minuti*

Se le trance di salmone sono surgelate farle scongelare del tutto, sciacquarle senza intaccare la pelle scura che le circonda e infarinarle.

In una padella larga riscaldare metà del burro e friggere due trance per volta. Dopo 4 minuti rigirarle e salarle; il fuoco deve essere costantemente vivace. Servirle calde con spicchi di limone.

Se le trance sono di pesce fresco prepararle nello stesso modo perché questa cottura semplice fa risaltare il raffinato sapore del salmone.

✧ *152* SPIGOLA AL FORNO

Le spigole fresche dei golfi vanno condite solo con olio, aglio e prezzemolo;
il vino, il burro e le salse sono indicati per pesci di mari più profondi,
che sono meno gustosi.

Per 4 persone: *spigola di kg 1 • olio d'oliva cl 5 • aglio $^1/_2$ spicchio •*
prezzemolo $^1/_2$ mazzetto • sale • 1 limone
Tempo di cottura: *50 minuti nel forno a 150 °C*

Se la spigola è surgelata tenere in considerazione la varietà: quella picchiettata di nero è buona, ma quella di colore argenteo e uniforme, la "verace", è di gusto più raffinato (v. *Il pesce surgelato* alla voce "Pesce" nei Consigli utili).

Pulirla quando non è completamente scongelata, cospargerla di olio, prezzemolo e aglio tritati, sale e qualche fettina di limone.

Adagiarla in una teglia e cuocerla in forno con una tazzina d'acqua, a temperatura costantemente moderata perché non si asciughi troppo, indurendosi. Smuoverla ogni tanto con una paletta affinché non si attacchi al fondo della teglia. Dopo 10 minuti di cottura rigirare il pesce che, essendo ancora duro di ghiaccio, non può rompersi; in seguito non smuoverlo più. A fine cottura, cospargere la spigola di altro prezzemolo tritato e adagiarla sul piatto da portata. Recuperare subito il poco sugo caldo prima che si asciughi, e versarlo sul pesce.

Accompagnare con patate lesse intere e non condite disposte nello stesso piatto, intorno al pesce, e con un'insalata verde a parte.

Se la spigola è fresca più che alla varietà fare attenzione al grado di freschezza; va cotta nello stesso modo ma non è necessario aggiungere acqua durante la cottura né bisogna rigirarla perché si frantumerebbe.

✧ *153* SPIGOLA IN UMIDO

Per 2 persone: spigola surgelata di g 550 • 1 cipolla • olio d'oliva cl 4 • sale
Tempo di cottura: 40 minuti nel forno a 150 °C

Pulire la spigola quando non è del tutto scongelata, poi metterla in una teglia con l'olio, la cipolla intera e il sale necessario e introdurla nel forno.

All'inizio della cottura smuovere il pesce con una paletta affinché non si attacchi al fondo della teglia; dopo 10 minuti rivoltarlo e non smuoverlo più.

Versare spesso su di esso il fondo di cottura, raccogliendolo con un cucchiaio. Servire prontamente perché il pesce surgelato non va mai riscaldato.

✧ *154* ORATA ALL'ACQUA PAZZA

"All'acqua pazza" è un'espressione napoletana che indica il sugo del pesce appena macchiato di pomodoro: questo deve essere pochissimo, contrariamente a quanto si usa abitualmente nella cucina meridionale.

Per 5 persone: orata kg 1,200 • olio d'oliva cl 8 •
pomodori pelati g 80 • aglio ¹/₂ spicchio • sale
Tempo di cottura: 1 ora nel forno a 150 °C

Se l'orata è surgelata scongelarla solo per 2-3 ore e pulirla quando è ancora dura di ghiaccio. Sciacquarla velocemente e metterla in una teglia con l'olio, il sale e mezzo bicchiere d'acqua (v. *Il pesce surgelato* alla voce "Pesce" nei Consigli utili).

Infornarla e smuoverla ogni tanto con una paletta perché non si attacchi al fondo. Dopo 15 minuti di cottura, rigirarla, essendo ancora un po' surgelata non si frantumerà. Dopo altri 20 minuti aggiungervi i pomodori bollenti con un po' di sale e di aglio tritato.

Raccogliere con un cucchiaio il sugo che è nella teglia e versarlo sul pesce, per due o tre volte.

Appena l'orata è cotta, mettere il suo fondo di cottura in una salsiera: la glassa del pesce deve essere recuperata subito, altrimenti, rimanendo nella teglia calda, si asciuga. Porre il pesce sul piatto da portata e circondarlo di poche patate lesse, intere e non condite. Servire subito con l'"acqua pazza" in salsiera, accompagnato da un'insalata verde.

Se l'orata è fresca va cucinata nello stesso modo; non sarà però necessario aggiungere acqua durante la cottura né dovrà essere rigirata perché potrebbe rompersi.

✧ *155* SARAGO AL FORNO

Questa è la ricetta classica per il sarago dei golfi
le cui carni saporite vengono così valorizzate.

Per 4 persone: *sarago di g 900 • sale • olio d'oliva cl 8 •*
aglio 1 spicchio • 1 limone • prezzemolo $^1/_2$ mazzetto
Tempo di cottura: *35 minuti nel forno a 150 °C*

Se il sarago è surgelato pulirlo quando è ancora un po' duro di ghiaccio e sciacquarlo velocemente (v. *Il pesce surgelato* alla voce "Pesce" nei Consigli utili).

Metterlo in una teglia, cospargerlo di sale, aglio tritato e olio e disporvi sopra due spicchi di limone spremuti e aperti a ventaglio.

Infornarlo e smuoverlo ogni tanto perché non si attacchi al fondo.

Dopo 7-8 minuti rivoltarlo e rimettervi sopra le scorze di limone. Versare due cucchiai di acqua bollente.

A cottura ultimata metterlo in un piatto da portata e recuperare il sugo che va unito al prezzemolo tritato e servito a parte nella salsiera. Accompagnare con insalata verde.

Se il sarago è fresco la preparazione è la stessa ma il pesce non va rivoltato e non è necessario aggiungere l'acqua.

✧ *156* ZUPPA DI PESCE

Una buona zuppa alla napoletana prevede alcuni pesci obbligatori.
Volendo se ne possono aggiungere altri quali i polpi e i calamari.

*Per 6 persone: scorfano di kg 1,100 • seppie g 650 • palombo a trance g 400 •
cozze col guscio g 400 • pomodori passati g 200 • olio d'oliva cl 9 •
1 carota • aglio 1 spicchio • crostini di pane 12 • sale*
*Tempo di cottura: 50 minuti per lo scorfano surgelato
40 minuti per le seppie
30 minuti per lo scorfano fresco
25 minuti per il palombo*

Se i pesci sono surgelati pulirli quando non sono del tutto scongelati; poi lavarli velocemente e cucinarli ciascuno in un tegame diverso.

Tagliare a liste le seppie, ancora un po' dure e metterle in un piccolo tegame in cui si sia fatto rosolare un po' d'aglio tritato in due cucchiai d'olio. Aggiungere mezzo bicchiere d'acqua bollente, salare, coprire e cuocere a fuoco moderato.

In un altro tegame, coperto, cuocere lo scorfano con quattro cucchiai d'olio, un po' d'aglio tritato e il sale. Smuoverlo sovente con una paletta. Dopo 25 minuti, rigirarlo e aggiungere mezzo bicchiere di acqua bollente. Continuare la cottura per il tempo indicato che è più lungo di quello richiesto dal pesce fresco.

In un tegame largo versare tre cucchiai d'olio, poco aglio tritato, il pomodoro, la carota tritata, un po' di sale e far bollire il tutto per qualche attimo; aggiungere le trance di palombo, coprire e, a fuoco moderato, cuocere per il tempo indicato.

Poggiare lo scorfano cotto su un piatto e privarlo della pelle, della testa e delle spine; tagliarlo a grossi pezzi e metterli nel tegame con il palombo cotto, versandovi anche tutto il suo fondo di cottura allungato con una tazzina di acqua bollente.

Versare nello stesso tegame le seppie con il loro sugo e le cozze, coprire e cuocere ancora per 5 minuti.

Girare con delicatezza, un pezzo alla volta, le carni dei vari pesci e allungare, se necessario, con qualche cucchiaio di acqua calda, perché la zuppa risulti un po' brodosa.

La zuppa di pesce classica prevede sempre qualche cozza con guscio cotta solo quei pochi minuti sufficienti a farla aprire. Servire nei singoli piatti poggiandovi sul bordo due crostini da intingere nel sughetto.

Se i pesci sono freschi vanno puliti e cucinati tutti nello stesso tegame, rispettando il tempo di cottura di ciascuno.

Versare in un tegame largo l'olio, rosolarvi l'aglio tritato e aggiungervi le seppie pulite e tagliate a liste; farle rosolare circa 2 minuti. Unirvi i pomodori caldi e il sale necessario, coprire e far cuocere moderatamente, versando a metà cottura mezzo bicchiere d'acqua bollente. Dopo 20 minuti circa aggiungere le trance di palombo, e lo scorfano, pulito ma intero. Salare, coprire e far cuocere a fiamma moderata, ricordando di aggiungere le cozze 5 minuti prima della fine della cottura. Rigirare lo scorfano durante la cottura; dopo circa 30 minuti toglierlo dal tegame, poggiarlo su un piatto, privarlo della pelle e delle spine e rimetterne la carne, in grossi pezzi, nello stesso recipiente. Allungare con due cucchiai d'acqua, se necessario, perché la zuppa risulti un po' brodosa.

CARNI

✧ 157 POLPETTE AL POMODORO

In un libro di tradizione napoletana
non è possibile trascurare le classiche polpette al pomodoro.

Per 6 persone: *polpa di manzo o di vitella macinata g 350 •*
parmigiano grattugiato g 25 • uova 2 • mollica di pane raffermo g 60 •
uva passa e pinoli g 60 • salame napoletano g 50 • aglio 3 spicchi •
pomodori pelati g 400 • olio d'oliva cl 12 • sale • basilico q.b.
Tempo di cottura: *15 minuti per ogni 5 polpette*
30 minuti per la salsetta

Far ammollare la mollica di pane in acqua fredda per un'oretta; poi strizzarla bene.

In una ciotola amalgamare con le mani la carne, il parmigiano, le uova, il pane strizzato e il sale necessario.

Formare dodici polpette, farvi un incavo e mettere nel centro di ciascuna di esse 4-5 chicchi di uva passa, 4-5 pinoli, qualche piccolo pezzetto di salame e due piccolissimi pezzetti di aglio; chiuderle bene e farsele rotolare tra i palmi per levigarle.

Mettere le polpette in una padella media con 5 centilitri di olio caldo, ma non fumante, e non smuoverle per qualche minuto.

Con l'aiuto di una paletta di legno, girarle e farle cuocere da tutti i lati finché si formi una crosticina.

A cottura ultimata sollevarle, sgocciolarle bene per privarle di ogni residuo di grasso e poggiarle in un piatto.

Nella padella pulita cuocere una salsetta con i pomodori a pezzettini, un po' d'aglio tritato, 2 centilitri di olio e un po' di sale; quando si sarà ristretta, mettervi le polpette fritte e farle cuocere in questo sugo, rigirandole più volte, per 5 minuti.

Aggiungere 5-6 foglie di basilico lavate e spezzettate, mescolarle e servirle calde con un contorno di "Patate a ostia" (v. n. 268).

✧ *158* Polpettine al Limone

Per 40 polpettine: polpa di vitella macinata g 400 •
parmigiano grattugiato g 35 • tuorli 3 • 1 chiara d'uovo •
mollica di pane raffermo g 60 • 1 cipollina •
olio e burro g 140 • sale • limoni 2
Tempo di cottura: *10 minuti circa*

Tenere la mollica di pane in ammollo per circa 1 ora in acqua fredda.
In una ciotola amalgamare con le mani la carne, il parmigiano, le uova, il sale e il pane ben strizzato.
Ricavare dall'impasto delle polpette molto piccole.
Far rosolare in una padella con l'olio e il burro la cipollina tritata (dopo averla bollita), a fuoco lento. Unirvi le polpettine con mezza tazzina di acqua e cuocerle per 7-8 minuti, rigirandole con una paletta di legno; quando l'acqua si sarà asciugata, lasciarle rosolare per qualche minuto.
Cuocere 13-14 polpettine per volta, in modo che nella padella siano disposte in un solo strato.
Una volta cotte, sollevarle e metterle da parte in un piatto.
Versare il succo dei limoni nella padella contenente il grasso avanzato e i residui di carne e dare un bollore. Disporre uno strato di polpettine sul piatto da portata e versarvi sopra metà sughetto; quando sarà stato assorbito bene formare un secondo e poi un terzo strato col rimanente sughetto. Servire a temperatura ambiente.

✧ *159* Polpettone Classico

Per 4 persone: polpa di manzo o di vitella macinata g 300 •
parmigiano grattugiato g 20 • mollica di pane raffermo g 50 •
mortadella (o salame rustico) g 40 • provola (o mozzarella fiordilatte) g 30 •
uova 3 • olio d'oliva per friggere cl 6 • sale •
per la salsetta di cipolle: cipolle 2, olio d'oliva cl 6, vino bianco cl 4
Tempo di cottura: *40 minuti per il polpettone*
20 minuti per la salsetta

Tenere la mollica di pane in ammollo in acqua fredda per circa 1 ora. Far rassodare un uovo. Porre in una ciotola la carne macinata, il parmigiano, due uova, un pizzico di sale e il pane molto ben strizzato. Amalgamare il tutto con le mani fino a rendere omogeneo il composto; poi, sul tavolo di cucina, dare alla carne la forma di un polpettone.
Sempre con le mani, praticare un incavo per tutta la lunghezza del polpettone e inserirvi la provola e la mortadella tagliata a listarelle e l'uovo sodo a spicchi sottili.

Richiudere comprimendo la carne con le dita in modo che l'imbottitura non fuoriesca. Versare l'olio in una padella piuttosto larga e appena sarà caldo mettervi a friggere il polpettone a fuoco medio, roteando il recipiente affinché la cottura sia uniforme. Prima di rigirarlo, aspettare che si sia formata la crosta sul lato a contatto con la padella; a tale scopo usare due palette. Servire caldo con il classico contorno di broccoli lessati e fatti rosolare in olio d'oliva con dell'aglio tritato. Altrimenti servire a temperatura ambiente con la salsetta così preparata: tagliare a fette sottili le cipolle e, dopo averle bollite, metterle a rosolare in un padellino con l'olio, a fuoco moderato, girandole continuamente (v. alla voce "Cipolla" nei Consigli utili). Dopo il tempo indicato spruzzarle di vino, farlo asciugare, poi sgrassare. Coprire con questa salsa il polpettone tagliato a fette.

✧ *160* Fettine alla Pizzaiola

Questa ricetta esige poco pomodoro;
le fettine di carne non devono bollire nel sugo, ma arrostire.

Per 4 persone: costolette senza osso o fette di "colardella" (nella regione lombare)
o fettine di "filetto" o di "pezzo a cannella" (nella coscia) di manzo
o di vitella g 450 • pomodori pelati g 180 •
aglio 1 spicchio • olio d'oliva cl 4 • sale g 10 • origano q.b.
Tempo di cottura: *5-6 minuti per la salsa*
50 secondi per una fetta spessa
30 secondi per una fetta sottile

Preparare in una padella una salsa con i pomodori, l'aglio, l'olio e un poco del sale indicato e farla restringere.
Tagliare la carne in tante fette piccole e uguali. Lasciare nella padella solo un po' della salsa preparata e cuocervi, a fuoco vivace, due fette alla volta, rigirandole dopo qualche secondo; salarle e poggiarle su un piatto da portata con il loro poco sugo. Rimettere nella padella altra salsa e ripetere l'operazione con altre due fettine di carne; e così via con la salsa e la carne rimanenti.
Questo procedimento serve a rendere le fettine sugose e tenere. Disporre sul piatto da portata, spolverizzare di origano e servire con "Patatine rosolate" (v. n. 272).

✧ *161* Fettine Arrostite

Per 4 persone: "costolette" con o senza osso, oppure fette di "filetto" o
di "colardella" (nella regione lombare) di manzo o di vitella 4 •
olio d'oliva cl $^1/_2$ • rosmarino o salvia q.b. • sale g 8

*Tempo di cottura: 50 secondi per una fetta spessa
30 secondi per una fetta sottile*

Per l'acquisto e la frollatura, v. "Tagli di carni bovine" e "Carni" nei Consigli utili. Intaccare in un paio di punti la pelle che circonda le fette di carne. Riscaldare bene la graticola, o la padella, su fuoco vivace.

Ungere le fette da un solo lato e poggiarle, una alla volta, sul tegame rovente con il lato unto a contatto. Non muovere la carne fino a metà cottura, indi girarla e mettervi sopra gli odori desiderati; le fettine presenteranno le classiche righe scure dell'arrosto. Perché la carne risulti sugosa e tenera, la cottura deve avvenire su fuoco vivace e non prolungarsi oltre il tempo indicato.

Adagiare le fette arrostite sul piatto da portata, salarle e servirle con insalata fresca o "Patate a fiammifero" (v. n. 267).

✧ *162* Fette di Filetto ai Funghi

*Se non si ha la possibilità di procurarsi dei funghi freschi di bosco,
usare quelli secchi, ma non i coltivati, che sono privi del profumo necessario.*

*Per 4 persone: fette di "filetto" 4 • funghi secchi 20 •
burro g 60 • vino bianco dl 1 • latte cl 2 • sale
Tempo di cottura: 50 secondi per fetta
10 minuti per la salsetta*

Le fette di filetto debbono essere uguali tra loro, spesse e del peso di circa 120 grammi ciascuna. Cuocerle nel burro una alla volta, in una padella già calda e a fuoco vivace. Salarle e poggiarle sul piatto da portata.

Ammollare i funghi in poca acqua fredda per 1 ora; strizzarli e tagliuzzarli; farli rosolare in poco burro, versare il vino e lasciar cuocere per 10 minuti, quindi aggiungere il latte. Unire questa salsetta al fondo di cottura, farla restringere e coprire con essa le fette di carne calde. Servirle con del "Riso pilaw" (v. n. 277).

✧ *163* Scaloppine al Marsala o al Limone

*Per 4 persone: "costolette" senza osso oppure fette di "filetto" o di "girello"
o di "pezzo a cannella" (nella coscia) di manzo o di vitella g 400 •
burro e olio d'oliva g 50 • 1 cipolla • farina g 40 •
marsala secco cl 2 (oppure limoni 2) • sale
Tempo di cottura: 50 secondi per una fetta spessa
30 secondi per una fetta sottile*

Per l'acquisto e la frollatura, v. "Tagli di carni bovine" e "Carni" nei Consigli utili. Far rosolare nell'olio e nel burro indicati, a fuoco moderato per 2 minuti, la cipolla affettata dopo averla cotta in acqua. Privare le fettine del grasso tutt'intorno, dividerle in piccole fette tutte uguali e infarinarle da ambo i lati. Versare in una padella un po' del sugo con la cipolla e, a fuoco vivace, cuocere due fettine per volta, salandole; non superare il tempo di cottura indicato. Poggiare le fettine cotte in un piatto, e ripetere l'operazione con un altro po' di sugo e altre due fettine fino a esaurimento. Al momento di servire, rimettere tutta la carne in padella con il suo condimento, spruzzarvi il marsala, dare un bollore e servire con contorno di "Cavolini di Bruxelles al burro" (v. n. 257). Il marsala può essere sostituito dal succo di limone, che però non deve essere fatto bollire; esso va unito al sugo della carne dopo che la padella è stata allontanata dal fuoco.

✧ 164 COTOLETTE ALLA MILANESE

Per 4 persone: "costolette" con o senza osso (oppure fettine di paillard nella natica di manzo o di vitella g 350) 4 • uova 2 • latte cl ¹/₂ • parmigiano grattugiato g 10 • pangrattato g 200 • burro e olio d'oliva g 80 • limoni 2 • sale
Tempo di cottura: 2 minuti e mezzo per la costoletta
1 minuto e mezzo per la fettina

La classica cotoletta alla milanese è fatta con la "costoletta", con o senza osso; fettine per paillard tagliate dalla natica del manzo o del vitello risultano egualmente saporite e tenere (v. alle voci "Tagli di carni bovine" e "Carni" nei Consigli utili).
Togliere la pelle tutt'intorno alle fette e renderle di uguali dimensioni.
Sbattere le uova e unire a esse qualche goccia di latte e il sale necessario. Bagnare nelle uova così preparate le fette di carne da ambo i lati e passarle nel pangrattato unito al parmigiano, pressando con le mani in modo che il tutto aderisca bene. Cuocere una cotoletta per volta in una padella con poco grasso; immergerle nel condimento caldo e subito dopo abbassare la fiamma e terminare a fuoco moderato la cottura, rigirandole a metà di essa. Toglierle dalla padella e appoggiarle su della carta assorbente.
Servirle calde accompagnate da spicchi di limone e insalata verde. Se le costolette hanno l'osso, presentarle a tavola con l'estremità avvolta in carta argentata.

✧ 165 COSTOLETTE ALLA CIPOLLA

Per 4 persone: "costolette" di manzo 4 • 1 cipolla • burro g 40 • vino bianco dl 1 • latte cl 2 • 1 limone • sale

Tempo di cottura: 1 minuto per costoletta

Cuocere le "costolette", con o senza osso, una alla volta, nella padella già rovente, con il grasso indicato e a fuoco vivace. La cottura deve essere di breve durata affinché la carne risulti tenera e sugosa.

Poggiare le costolette cotte sul piatto da portata e salarle.

Far rosolare nel fondo di cottura la cipolla tritata molto fine, a fuoco lento per circa 3 minuti.

Versare poi il vino e lasciarlo asciugare.

Unire due cucchiai di latte, far restringere e, lontano dal fuoco, aggiungere il succo di limone. Coprire le costolette con questa salsetta e servirle calde con insalata verde.

✧ *166* OSSOBUCO AL POMODORO

Per 4 persone: ossibuchi 4 (kg 1) • olio d'oliva cl 6 • 1 cipolla piccola • carote 2 •
sedano 2 gambi • vino bianco dl 1 • pomodori pelati g 270 •
patate g 400 (o riso g 200, brodo delicato dl 4 e burro g 15) • sale
Tempo di cottura: 10 minuti per rosolare
1 ora e mezzo per cuocere

Far rosolare gli ossibuchi (frollati) da entrambe le parti, in una padella larga, con due cucchiai di olio e su fuoco vivace (v. alle voci "Carni" e "Cipolla" nei Consigli utili).

A parte, in un tegamino, fare imbiondire la cipolla, dopo averla bollita, con tre cucchiai d'olio e su fuoco moderato; aggiungervi le carote e il sedano tritati e farli rosolare un po'. Unire poi questi odori con il loro condimento agli ossibuchi e bagnare col vino.

Far bollire a parte i pomodori, quindi versarli nel tegame della carne, coprire bene e cuocere a fiamma bassa, aggiungendo a più riprese 4 decilitri di acqua bollente. Salare a fine cottura e fare in modo che il sugo risulti ristretto.

Lessare in acqua salata le patate con la buccia, spellarle e tagliarle a tocchetti. Oppure rosolare il riso in 15 grammi di burro e cuocerlo a risotto nel brodo delicato. Mettere gli ossibuchi nel piatto da portata, coprire con il sugo e disporre tutt'intorno le patate non condite o il riso.

✧ *167* INVOLTINI DI CARNE ALLA CHITARRA

L'originale forma "a chitarra" è data dal ripieno di carciofi;
questi involtini legano bene con un contorno di patate.

*Per 6 porzioni: fettine sottili di "pezzo a cannella" (nella coscia) di manzo
o di vitella g 800 • carciofi 6 • prosciutto crudo g 100 •
burro e olio d'oliva g 120 • 1 cipolla • vino bianco dl 2 • sale*
Tempo di cottura: *4 minuti per rosolare
50 minuti per cuocere*

Le fettine di vitella rendono gli involtini più delicati, quelle di manzo più rustici e saporiti (v. alle voci "Tagli di carni bovine" e "Carni" nei Consigli utili).
Togliere i nervi e la pelle tutt'intorno alle fette e dividere ciascuna, nel suo verso, in due parti uguali a forma di triangolo.
Con questa quantità di carne e questa ricetta si preparano dodici involtini.
Procurarsi dei carciofi teneri, senza spine e non grandi: pulirli "a cuore" come indica la ricetta "Carciofi alla giudìa" (v. n. 251) lasciando un gambo di 4 centimetri.
Sistemare su ogni fettina un pezzetto di prosciutto e mezzo carciofo tagliato nel senso della lunghezza.
Avvolgere la carne sul ripieno, strettamente ma non più di una volta.
Piegare in sotto, come un pacchetto, le due estremità dell'involtino e legarlo con del sottile spago bianco.
In un tegame che possa contenere i dodici involtini serrati in un solo strato, far rosolare la cipolla affettata e precedentemente bollita in acqua; aggiungere la carne, bagnarla con il vino, coprire il tegame e cuocere a fuoco moderato per il tempo indicato.
Salare a fine cottura.
Togliere lo spago quando si saranno raffreddati e al momento di servire riscaldarli nel loro sugo.
Accompagnare con "Patatine à la maître d'hôtel" (v. n. 271).

✧ 168 INVOLTINI DI CARNE A BAULETTO

*Per 4 persone: fettine sottili di "pezzo a cannella" (nella coscia) di manzo
o di vitella g 500 • prosciutto crudo 70 • gruviera g 30 •
olio d'oliva e burro g 70 • brodo delicato cl 4 • marsala secco cl 6 • sale*
Tempo di cottura: *4 minuti per rosolare
40 minuti per cuocere*

Togliere i nervi e la pelle tutt'intorno a ciascuna fettina e dividerla, nel suo verso, in due parti uguali e rettangolari. Con queste dosi si preparano otto involtini.
Su ogni pezzo di carne porre un dado di gruviera avvolto in un pezzetto di prosciutto. Richiudere sul ripieno le fettine, in modo che lo contengano ben stretto, piegando le due estremità in sotto come per fare un pacchetto rettangolare. Dare a questi involtini una bella forma di "bauletto" e legarli, senza stringere troppo, con dello spago sottile.

Rosolarli con olio e burro in un tegame che li contenga serrati in un solo strato, a fuoco moderato. Bagnarli con marsala di ottima qualità e, allorché il vino si sarà asciugato, aggiungere un po' di brodo caldo. Terminare la cottura costantemente a fuoco moderato e tegame coperto. Salare a fine cottura.

Levare lo spago agli involtini freddi e servirli, dopo averli riscaldati nel loro sugo, con un contorno di spinaci al burro o di patate.

✧ *169* BRACIOLE NAPOLETANE

Per 6 persone: fette sottili di carne di maiale o di manzo g 800 •
salame napoletano g 100 • prezzemolo 1 mazzetto e $^1/_2$ •
pecorino grattugiato g 80 • aglio 2 spicchi • pinoli e uva passa g 100 •
polpa di manzo tritata g 100 • vino bianco cl 15 •
pomodori pelati g 480 • olio d'oliva e sugna g 100 • zucchero g 20 • sale
Tempo di cottura: 8 minuti per rosolare
40 minuti per cuocere

La classica braciola, o "braciuola", come si dice a Napoli, si prepara con la carne di maiale; quella di manzo la rende meno pesante ma ugualmente saporita; è indicato il taglio del "pezzo a cannella" (nella coscia) (v. alle voci "Tagli di carni bovine" e "Carni" nei Consigli utili).

Rendere di dimensioni uguali dodici fettine di carne rettangolari e poggiare su ciascuna di esse quattro pezzettini sottili di salame, un cucchiaino colmo di prezzemolo tritato, due o tre acini di uva passa, un paio di pinoli, due pezzettini di aglio, un cucchiaino colmo di formaggio e un po' di polpa di carne tritata, che ha lo scopo di rendere morbida la braciola. Avvolgere una sola volta la carne intorno al ripieno e legare l'involtino alle due estremità con dello spago sottile, stringendo in modo che si formino due specie di "volants". Disporre le braciole in una pentola larga e farle rosolare nell'olio e nella sugna. Spruzzarle di vino, aspettare che evapori un poco, ma non del tutto, e aggiungere i pomodori pelati caldi. Coprire e cuocere a fuoco moderato. A cottura ultimata salare e aggiungere lo zucchero.

Quando le braciole si saranno raffreddate slegarle. Al momento di servirle riscaldarle nella loro glassa e sistemarle nel piatto da portata, coperte di sugo. Accompagnare con broccoli lessati e poi fatti rosolare in olio d'oliva con dell'aglio tritato.

✧ *170* SPEZZATINO BIANCO

Per 8 persone: polpa di "pettola di spalla" di vitello kg 1 •
burro e olio d'oliva g 80 • 1 cipollina • vino bianco dl 1 •
brodo delicato dl 1 • besciamella g 80 • sale

Tempo di cottura: 10 minuti per rosolare
1 ora e mezzo per cuocere

Preparare la besciamella (v. n. 28) e lasciarla raffreddare.
Tagliare la carne in piccoli pezzi uguali fra loro, dopo averla fatta frollare (v. alle voci "Carni" e "Cipolla" nei Consigli utili).
Far rosolare in un poco di condimento la cipolla affettata dopo averla cotta in acqua. In un tegame rosolare con il rimanente grasso i pezzetti di carne, su fuoco molto moderato. Bagnare col vino, aspettare che evapori un poco, unirvi la cipolla col suo condimento e coprire. Cuocere a bassa temperatura, allungando con il brodo in ebollizione a parte, non lasciando mai asciugare la glassa del tutto durante la cottura. Salare lo spezzatino quando i pezzetti di carne risultano cotti.
Aspettare che il sugo si restringa e poi aggiungere la besciamella ben raffreddata.
Dare un solo bollore, poi spegnere il fuoco.
Servire caldo, con "Piselli al burro" (v. n. 274).

✧ *171* Spezzatino al Vino Rosso

Raffinato e molto gustoso, in Francia è chiamato "spezzatino della Borgogna",
regione famosa per il buon vino rosso.

Per 5-6 persone: polpa di "pettola di spalla" di manzo g 700 • olio d'oliva
e burro g 100 • vino rosso dl 3 • cipolline 5 • funghi secchi g 25 •
brodo delicato dl 1 • farina g 10 • patate piccole 10 • sale
Tempo di cottura: 10 minuti per rosolare le cipolle
2 ore per lo spezzatino

Far rosolare su fuoco molto basso le cipolline intere in poco burro. Tagliare la carne (dopo averla frollata) a pezzetti uguali tra loro e metterli a rosolare, con l'olio e il burro rimasto, in un tegame non troppo grande, su fuoco moderato. Versare poi il vino caldo e aggiungere le cipolline con il loro sugo. Coprire e cuocere sempre su fiamma bassa, allungando, a metà cottura, con poco brodo caldo. A cottura ultimata togliere lo spezzatino dal tegame (v. alla voce "Carni" nei Consigli utili).
Sciogliere la farina in un po' di brodo freddo e versarla nel tegame che contiene il sugo, mescolando bene. Aggiungere i funghi, tenuti in ammollo in acqua fredda per circa 1 ora, sgocciolati e tagliati in pezzi grossi. Salare, rimettere la carne nel tegame e far cuocere il tutto, coperto e su fuoco moderato, per 20 minuti.
Il sugo deve risultare denso: esso servirà a condire e insaporire, oltre che la carne, anche le patatine, che vanno bollite intere, con tutta la buccia, in acqua salata.
Sistemare al centro del piatto da portata lo spezzatino, ricoperto di sugo, e intorno le patatine ben calde.

✧ *172* SPEZZATINO ALL'UNGHERESE

Per 6 persone: polpa di "pettola di spalla" di manzo g 750 •
olio d'oliva e sugna g 70 • cipolle 2 • pomodori pelati g 100 • aglio ¹/₂ spicchio •
paprica 1 cucchiaino • maggiorana 1 cucchiaino • patate g 750 • sale
Tempo di cottura: 1 ora e mezzo per la carne
30 minuti per le patate

Tenere la carne per qualche giorno in frigorifero a frollare. Tagliarla poi a pezzetti uguali e farli rosolare in un tegame non troppo largo con metà del grasso indicato, per pochi minuti. A parte, in un tegamino, bollire in mezzo bicchiere d'acqua le cipolle affettate; quando saranno asciugate, aggiungere il rimanente grasso e farle rosolare per qualche minuto.

Versare le cipolle rosolate, con il loro condimento, nel tegame della carne; unirvi i pomodori a pezzi e riscaldati a parte, l'aglio tritato, la paprica, la maggiorana e un bicchiere di acqua bollente. Coprire e far cuocere a fuoco moderato.

A cottura ultimata salare la carne e lasciarla raffreddare. Aggiungere quindi una tazza d'acqua, le patate tagliate a grossi dadi e la maggiorana. Coprire e far cuocere su fuoco moderato per altri 30 minuti, salando quanto è necessario.

✧ *173* ROAST-BEEF

Un pezzo di carne arrosto richiede una cottura di breve durata su fiamma vivace.
Il classico roast-beef, cotto su fuoco vivo, si scurisce all'esterno
ma internamente conserva il colore roseo della carne.

Per 6 persone: pezzo intero di "filetto" o di "girello" o di "punta di natica"
di manzo o di vitella g 800 • olio d'oliva cl 4 • salvia o rosmarino q.b. • sale
Tempo di cottura: 30 minuti nel forno a 200 °C

Scegliere un pezzo intero di carne, stretto e lungo. Dopo la necessaria frollatura legarlo con spago sottile e porlo con l'olio d'oliva in una teglia non grande che lo contenga bene. Passare nel forno già caldo e rigirarlo sovente (v. alla voce "Tagli di carni bovine" nei Consigli utili).

Dieci minuti prima che termini la cottura, salarlo e aggiungere gli odori desiderati. Tagliarlo a fettine sottili solo quando è del tutto freddo. Versare un cucchiaio di acqua calda nel sugo per recuperarlo.

Mettere le fettine di roast-beef sul piatto da portata, versarvi sopra il sugo caldo e accompagnare con patatine rosolate disposte nello stesso piatto. Altrimenti servirle fredde, senza sugo, con un contorno di insalata verde. La glassa potrà servire per condire qualche primo piatto che necessita di sugo di carne.

✧ *174* Vitella Glassata

È un piatto classico della vecchia generazione.
Il sugo di questa carne serve a condire, insieme con il parmigiano, i maccheroni.
In tal modo si preparano contemporaneamente un primo e un secondo piatto.

Per 6 persone: *pezzo intero di "girello" oppure "punta di natica"*
di vitella kg 1,200 • olio d'oliva cl 14 • cipolline 8 • vino bianco cl 15 • sale
Tempo di cottura: *6 minuti per rosolare*
1 ora e mezzo per cuocere

Legare il pezzo di carne (dopo averlo fatto frollare) con dello spago sottile, metter-lo a rosolare nell'olio, poi aggiungere il vino un po' alla volta (v. alle voci "Tagli di carni bovine" e "Carni" nei Consigli utili). Quando esso è in parte evaporato, ag-giungere le cipolline spellate e intere, coprire la pentola e cuocere a fuoco modera-to. Rigirare sovente la carne, salando negli ultimi 10 minuti di cottura.
Le cipolline, non rosolate, sono più digeribili e danno maggior sapore al sugo. Ta-gliare la carne a fettine sottili solo quando è del tutto fredda.
Coprire le fettine con un terzo del sugo e servire con delle classiche patate fritte.
Il condimento che avanza servirà per condire 420 grammi di maccheroni, malta-gliati o tagliatelle, insieme a 35 grammi di parmigiano grattugiato.

✧ *175* Vitella Glassata alla Francese

La vitella, cucinata con il lardo, acquista un sapore particolare da alta cucina.

Per 6 persone: *pezzo intero di "lacerto" (nella natica) di vitella kg 1,100 •*
lardo g 80 • vino bianco dl 2 • brodo dl 1 • pancetta a listarelle g 80 •
carote 2 • cipolle grandi 2 • sale
Tempo di cottura: *10 minuti per rosolare*
1 ora e tre quarti per cuocere

Per l'acquisto e la frollatura, v. "Tagli di carni bovine" e "Carni" nei Consigli utili.
Tagliare a fettine sottili il lardo e, sul tagliere, batterlo ripetutamente con la lama ta-gliente di un coltello fino a che diventi una crema. Porlo in una pentola che possa contenere la carne e farlo sciogliere a fuoco lento; tirar via i pezzettini duri che si sono formati e rosolare nel lardo le cipolle e le carote affettate finemente.
Mettere la pancetta a liste intorno al pezzo di carne intero (dopo la necessaria frol-latura) e legare il tutto con dello spago sottile. Far rosolare la carne così preparata nella pentola, su fuoco moderato perché la cipolla non bruci. Bagnare con il vino e aspettare che evapori un poco. Allungare con il brodo in ebollizione a parte, copri-

re e far cuocere per il tempo indicato. Salare a fine cottura; la glassa, densa e saporita, va setacciata o stemperata con i denti di una forchetta.

Far raffreddare la carne, poi tagliarla a fettine sottili, ricoprirle del sugo caldo e sgrassato e servirle con "Patate a nido d'ape" (v. n. 270).

✦ *176* MANZO CON FRITTATINA

Molto delicato, questo piatto di carne, anche se di aspetto rustico.

Per 6 persone: *polpa di "pezzo a cannella" (nella coscia) oppure "punta di natica"
di manzo g 600 • olio e burro g 70 • vino bianco cl 5 • uova 2 •
parmigiano grattugiato g 40 • uva passa e pinoli g 30 •
prezzemolo $^1/_2$ mazzetto • 1 limone • sale*
Tempo di cottura: *6-7 minuti per rosolare
1 ora e 20 minuti per cuocere*

Far tagliare la carne in modo da ottenere un'unica larga fetta. Tenerla in frigorifero per due giorni a frollare.

Sbattere le uova in un piatto con poco sale e del parmigiano.

In una padella larga, con pochissimo olio, fare una frittata rotonda, piatta e poco cotta. Stendere la frittata sulla fetta di carne ben spianata e spargervi sopra il rimanente parmigiano, il prezzemolo tritato, l'uva passa e i pinoli.

Arrotolare la fetta su se stessa senza far fuoruscire la frittata e legarla con dello spago sottile. In un tegame far rosolare con il grasso indicato il rotolo di carne, su fuoco moderato; bagnarlo con il vino, aspettare che evapori un po', coprire e lasciar cuocere per il tempo richiesto. Salare a fine cottura. Quando la carne si sarà raffreddata, tagliarla a fettine sottili e disporle sul piatto da portata, ricoprendole di sugo caldo al quale è stato aggiunto il succo di limone. Servire con verdura rosolata.

✦ *177* MANZO CON PROSCIUTTO

Una pietanza rustica, molto saporosa.

Per 6 persone: *polpa di "pezzo a cannella" (nella coscia) o "punta di natica"
di manzo g 700 • olio e burro g 70 • vino bianco cl 5 • prosciutto crudo g 30 •
prosciutto cotto g 30 • provolone grattugiato g 20 • sale*
Tempo di cottura: *6-7 minuti per rosolare
1 ora e 20 minuti per cuocere*

Far tagliare la carne in modo da ottenere una larga fetta. Tenerla in frigorifero a frollare per un paio di giorni.

Poggiare la fetta ben spianata sul tavolo di cucina e distribuirvi sopra i due tipi di prosciutto tritati e il provolone. Arrotolare la carne su se stessa, legarla ben stretta con spago sottile, e cuocerla come è indicato nella ricetta "Manzo con frittatina" (v. n. 176) aggiungendo mezzo bicchierino d'acqua durante la cottura. Tagliare a fettine e accompagnare con purè di patate.

✧ *178* Manzo alle Acciughe

*Per 4 persone: pezzo intero di "lacerto" o "punta di natica" di manzo g 700 •
olio d'oliva e sugna g 60 • vino rosato cl 4 • acciughe salate pulite g 8 •
rosmarino 1 rametto • sale*
Tempo di cottura: *6-7 minuti per rosolare*
1 ora e mezzo per cuocere

Per l'acquisto e la frollatura, v. "Tagli di carni bovine" e "Carni" nei Consigli utili. Tenere la carne a frollare in frigorifero per due o tre giorni, poi legarla ben stretta con spago sottile e porla in un tegame non troppo grande. Aggiungere il grasso e far rosolare il pezzo da tutti i lati su fuoco vivace. Bagnare con 3-4 cucchiai di vino; quando esso sarà un po' evaporato, unire le acciughe lavate e tritate finemente. Coprire bene e cuocere per il tempo indicato, a fiamma bassa, salando a metà cottura e aggiungendo, se necessario, una tazzina di acqua bollente. A cottura ultimata, aspettare che la carne si raffreddi e poi tagliarla a fettine sottili. Disporre sul piatto da portata le fettine "a specchio" e versare su ciascuna il sugo ottenuto, che deve risultare denso e asciutto. Servire con "Patate al forno" (v. n. 269).

✧ *179* Genovese della Nonna

*Nell'Italia meridionale si usava cucinare la "genovese" per il pranzo
della domenica; la si preparava con pazienza e con arte per rendere la carne
tenera e il sugo digeribile e gustosissimo. Questa ricetta segue lo stesso procedimento
di un tempo e svela i piccoli segreti e gli accorgimenti delle nostre nonne,
oltre a offrirci, contemporaneamente, sia un primo sia un secondo piatto.*

*Per 6 persone: pezzo intero di "punta di natica" o "girello" di manzo kg 1,200 •
cipolle grandi g 600 • carote 2 • sedano 1 cuore • olio d'oliva cl 18 •
vino bianco dl 2 • sale*
Tempo di cottura: *2 ore per cuocere, 30 minuti per rosolare*

Per l'acquisto e la frollatura, v. "Tagli di carni bovine" e "Carni" nei Consigli utili. Dopo la necessaria frollatura legare il pezzo di carne, che deve essere lungo e stretto, con dello spago sottile bianco e metterlo in una pentola dal bordo alto con le cipolle affettate sottilmente, le carote e il sedano ridotti anch'essi a fettine sottili, un bicchiere di acqua e l'olio. Coprire e far cuocere lentamente; salare a fine cottura. Dopo 2 ore, quando la carne si sarà cotta, toglierla dalla pentola e se la glassa è ancora liquida farla asciugare. Mettere la carne con la glassa in una padella larga su fuoco vivace e solo adesso farla rosolare, spruzzandola poco per volta di vino e rigirandola sovente; questa operazione deve durare 30 minuti proprio perché bisogna aspettare che il vino si asciughi prima di versarne dell'altro.

Alla fine la glassa avrà assunto un colore nerastro.

Fare raffreddare la carne, tagliarla a fette sottili, sistemarle sul piatto da portata e ricoprirle con un terzo del sugo allungato con un cucchiaio di acqua bollente. Con il rimanente sugo e del parmigiano condire 420 grammi di maltagliati per un primo dal gusto particolare. Accompagnare la carne con delle "Patate a ostia" (v. n. 268).

✦ *180* CARNE FARCITA DI SPINACI

Per 10 persone: pezzo intero di "primo taglio" (nella coscia) di manzo kg 1,200 •
olio d'oliva e burro g 100 • polpa di manzo macinata g 250 •
spinaci crudi puliti g 250 • 1 uovo • sale
Tempo di cottura: 1 ora e mezzo nel forno a 150 °C

Con un coltello tagliente produrre nel pezzo intero di carne una tasca ben profonda, cercando di allargarla in ugual misura.

Mescolare in un piatto la carne macinata, gli spinaci crudi e tritati molto finemente, l'uovo e poco sale. Mettere questo impasto nella tasca e chiudere l'apertura cucendo con ago e filo bianco molto forte.

In una teglia di giusta misura mettere il pezzo di carne farcita con l'olio e il burro e infornare. Rigirare sovente.

Negli ultimi dieci minuti di cottura aggiungere il sale necessario.

A cottura ultimata far raffreddare la carne, poi tagliarla a fette sottili e disporle sul piatto da portata, non accavallate ma "a specchio". Allungare la glassa rimasta nella teglia con mezza tazzina di acqua bollente e servire il sugo a parte nella salsiera. Accompagnare con "Patatine à la maître d'hôtel" (v. n. 271).

✦ *181* GAMBONCELLO DI MANZO AL FORNO

È una pietanza rustica e particolare;
si porta in tavola su un tagliere e i commensali si servono
tagliando essi stessi dei pezzetti di carne da accompagnare a riso pilaw.

Per 6 persone: stinco di manzo con osso di kg 2 $^1/_2$ • olio d'oliva 1 cucchiaio •
1 cipollina • 1 carota • sedano 1 costa • vino rosso l 1 •
brodo di manzo delicato l 1 • lauro e ginepro q.b. •
per il riso pilaw: riso g 300, burro g 50, brodo vegetale dl 7, sale
Tempo di macerazione nel vino: *1 giorno*
Tempo di cottura: *15 minuti per rosolare*
2 ore e mezzo nel forno a 150°C

Mettere lo stinco o "gamboncello" con il suo osso nel vino con la carota, la cipolla e il sedano tagliati a pezzi, il lauro e il ginepro.

Tenerlo così in frigorifero a macerare e frollare per il tempo indicato.

Sgocciolare il pezzo di carne e farlo rosolare a fuoco molto moderato, con un cucchiaio d'olio, in modo che il vino di cui si è impregnato evapori, e versarne a poco a poco un bicchiere di quello in cui è stato a macerare.

Porre poi lo stinco in una teglia da forno con i bordi alti che lo contenga agevolmente. Coprire almeno per metà di brodo caldo e mettere nel forno già riscaldato. Al bollore del brodo, abbassare la temperatura del forno a 150°C e far cuocere per circa un paio d'ore, finché la carne non si sia ben cotta.

Girare sovente il gamboncello e durante la cottura aggiungere altro brodo caldo e salare.

Trascorse le due ore, la glassa deve risultare densa e la carne deve essersi contratta a forma di palla.

Preparare il "Riso pilaw" (v. n. 277) con gli ingredienti indicati.

Collocare il gamboncello su un tagliere grande, e avvolgere l'estremità dell'osso con carta d'argento.

Setacciare il condimento e metterlo nella salsiera. Accompagnare con il riso disposto a piramide in un piatto tondo.

✦ *182* CARNE IN PÂTÉ

È un pasticcio di carne che si può preparare anche il giorno prima di servirlo.
Di facile esecuzione, è molto gradevole per il sapore di arrosto del ripieno.

Per 8 persone: per la pasta sfoglia del vecchio Munzù: farina g 165,
sugna g 110, acqua cl 6, sale g 1 •
per il ripieno: salsicce g 240, polpa di manzo tritata g 140,
prosciutto crudo g 100, 1 cipolla piccola, prezzemolo $^1/_2$ mazzetto,
1 tuorlo, burro g 25 •
per la farcia: farina g 5, latte dl 1, 1 tuorlo, burro g 20, sale • burro g 20 •
per spennellare: 1 tuorlo
Tempo di cottura: *15 minuti per rosolare*
15 minuti nel forno a 200°C

Preparare la farcia sciogliendo bene il mezzo cucchiaio di farina in poche gocce di latte freddo; aggiungere il latte rimanente, il burro e poco sale. Far bollire per 7-8 minuti, fino a che la farcia risulti densa, poi amalgamarla con il tuorlo.

A parte bollire la cipolla affettata in poca acqua per una decina di minuti; quando si sarà asciugata del tutto, unirvi 25 grammi di burro e farla rosolare per qualche minuto.

Aggiungere la carne tritata e le salsicce spellate e tagliuzzate e cuocere a fuoco moderato fino a che si siano asciugate, assumendo un color bruno. Non aggiungere sale. Unire al composto freddo il prosciutto crudo tagliato a pezzetti, il prezzemolo tritato e la farcia di latte e uovo, e mescolare.

Assaggiare per giudicare il sale e dare al composto la forma di un polpettone.

Preparare la pasta (v. n. 15), con le proporzioni sopra indicate. Dopo che l'impasto avrà riposato un poco, spianare un'unica sfoglia rettangolare stretta e lunga, di 15 per 55 centimetri; spalmare su tutta la superficie 30 grammi di sugna e poi avvolgerla su se stessa dal lato corto. Ne risulterà un cilindro della lunghezza di circa 15 centimetri che andrà disposto in senso verticale sul tavolo; col palmo della mano comprimerlo dall'alto, scendendo per tutta la lunghezza, poi dal centro, col matterello, stendere la pasta verso i quattro punti cardinali fino a ottenere una sfoglia rettangolare di circa 25 per 38 centimetri.

Poggiare il polpettone al centro della sfoglia e richiudervela attorno. Decorare la superficie superiore con delle striscioline di pasta, bucherellarla e spennellarla col tuorlo sbattuto.

Poggiare il pâté sulla leccarda unta di burro e introdurre nel forno già riscaldato. Calcolare il tempo di cottura da quando la pasta dà segni di frittura.

Servire il pasticcio a temperatura ambiente, tagliato a fette di medio spessore e accompagnato da verdure rosolate.

✧ *183* FILETTO IN SFOGLIA

Per 10 persone: pezzo intero di "filetto" di manzo o vitella g 800 • olio cl 3 •
per la salsa duxelles: funghi coltivati g 150, pomodori pelati g 30,
aglio 1/2 spicchio, 1 cipollina, prosciutto cotto g 20, burro g 10 •
per la salsa di pomodoro: pomodori pelati g 120, olio d'oliva cl 1,
aglio 1/2 spicchio, zucchero g 3, sale •
per la pasta sfoglia: farina g 400, margarina g 300 •
per spennellare: 1 tuorlo • burro g 20
Tempo di cottura: 20-25 minuti per il filetto nel forno a 180 °C
12 minuti per il filetto in sfoglia nel forno a 200 °C
30 minuti complessivamente per le due salse

Legare accuratamente il filetto con dello spago sottile e farlo frollare.

In un tegame con 3 centilitri d'olio cuocere in forno il pezzo di carne, salandolo e rigirandolo sovente perché non si formi la crosta tutt'intorno.

A cottura ultimata, sfornarlo, slegarlo e sgocciolarlo; il sugo potrà essere utilizzato per altre preparazioni.

Per la salsa duxelles, rosolare la cipolla a fettine nel burro. Unirvi i funghi tagliati a pezzetti piccoli e lasciarli insaporire. Aggiungervi il prosciutto cotto tritato e una salsetta ristretta di 30 grammi di pomodori pelati, aglio e sale, cotta a parte, e lasciare sul fuoco ancora per qualche minuto.

Per la salsa di pomodoro versare in un pentolino tre o quattro cucchiai di pomodori pelati, poco aglio, sale, un centilitro d'olio e una punta di cucchiaino di zucchero.

Far restringere bene e unire alla prima salsa, dando un bollore.

Queste due salse, cotte senza grasso e bene asciutte, non inumidiranno la pasta sfoglia che dovrà contenerle. Preparare la pasta sfoglia (v. n. 13 o14) regolandosi, per la quantità della margarina, secondo la propria esperienza. Stendere sul piano di lavoro una sola sfoglia molto sottile e della misura giusta per avvolgere il filetto; conservare qualche ritaglio per le guarnizioni.

Mettere nel centro della sfoglia meno della metà della salsa bene asciutta e fredda. Poggiarvi sopra il filetto e ricoprirlo, anche lateralmente, con la rimanente salsa. Avvolgere la carne nella sfoglia e saldare i due lembi facendo pressione con le dita. Bucherellare la pasta e guarnirla a piacimento con i ritagli, poi spennellarla con il tuorlo sbattuto. Ungere di burro una teglia di giusta misura e adagiarvi dentro il filetto in sfoglia.

Infornare e cuocere ricordando che il tempo di cottura va calcolato dal momento in cui sulla pasta si notano delle bollicine di cottura. Presentarlo a tavola intero e servirlo tagliato a fette spesse, accompagnato da un'insalata verde.

✧ *184* VITELLO TONNATO

Ecco un piatto freddo gradito durante la stagione estiva e adatto a un buffet.

Per 6 persone: *pezzo intero di "girello" di vitella g 700 • olio d'oliva cl 3 •*
tonno sott'olio g 250 • acciughe salate 3 • capperi salati g 20 •
per la maionese: tuorli 2, olio dl 2, 1 limone, sale g 1 •
per guarnire: 1 limone, capperi salati g 15
Tempo di cottura: *50 minuti nel forno a 180 °C*

Cuocere la carne come un roast-beef (v. n. 173) ma per il tempo qui indicato.
Preparare la maionese (v. n. 22) con le proporzioni sopra indicate.
Setacciare il tonno sgocciolato, tritare i capperi e le acciughe dopo averli ben lavati, e raccogliere il tutto in una ciotola; versarvi a filo la maionese, mescolando, e assaggiare per giudicare se la salsa così ottenuta vada salata.
Tagliare a fette sottili il pezzo di carne raffreddato e disporle sul piatto da portata senza sovrapporle. Coprire con la salsa di tonno e guarnire con un cappero dispo-

sto al centro di ciascuna fetta e con sottili mezzelune di limone posate sul bordo del piatto.

Accompagnare con "Scarole a involtino Olga" (v. n. 278).

✧ 185 COSTOLETTE DI MAIALE

Per 4 persone: costolette di maiale 4 • pangrattato g 80 • limoni 2 •
olio d'oliva cl 3 • sale
Tempo di cottura: 3 minuti per costoletta

Spolverizzare di pangrattato la costoletta da ambo le parti, comprimendo con le mani per farlo bene aderire.

Cuocere in padella una fetta di carne alla volta in poco olio, girandola dopo un paio di minuti.

Salarla e completare la cottura, sempre a fuoco moderato.

Servire le costolette con spicchi di limone e contorno di insalata verde.

✧ 186 MAIALE AL LATTE

Per 4-5 persone: pezzo intero di coscia di maiale g 900 • burro e olio d'oliva g 60 •
vino bianco dl 1 • latte l 1 • aglio 3 spicchi • sale
Tempo di cottura: 3-4 minuti per rosolare
1 ora e mezzo per cuocere

Dopo la necessaria frollatura, legare bene con spago sottile il pezzo di carne lungo e stretto e farlo rosolare a fuoco moderato in una pentola alta con olio e burro.

Spruzzarvi il vino e farlo asciugare (v. alla voce "Carni" nei Consigli utili).

Versare il latte in ebollizione a parte e aggiungere gli spicchi d'aglio interi, senza sbucciarli; questi, a fine cottura, vanno tolti dal sugo che ne avrà assorbito solo il profumo.

Cuocere la carne su fiamma bassa e nella pentola ben chiusa. A cottura ultimata salarla, sollevarla e poggiarla su un piatto.

Il sugo deve continuare a bollire, scoperto, perché il latte si coaguli e si restringa.

Rimettere allora il pezzo di maiale nella pentola e rigirarlo per un paio di minuti da tutti i lati a fuoco moderato, per insaporirlo nell'intingolo.

Tagliare la carne a fettine sottili quando è fredda, condirla con un terzo del suo sugo caldo e guarnirla con patate lesse.

Il sugo rimanente sarà utilizzato per condire 300 grammi di tagliatelle di grano duro alle quali prima siano stati mescolati 30 grammi di parmigiano grattugiato.

✧ *187* MAIALE IN FRICASSEA

Il sugo di questa carne si può utilizzare per condire maccheroni o patate al forno.

Per 4 persone: *polpa di maiale g 600 • burro e olio d'oliva g 30 • tuorli 3 •*
parmigiano grattugiato g 10 • chiare d'uovo 2 • latte cl 6 • sale •
1 limone • foglie di insalata q.b.
Tempo di cottura: *5-6 minuti per rosolare*
1 ora e mezzo per cuocere
3 minuti per la fricassea

Far rosolare il pezzo di carne intero nell'olio e burro, rigirandolo da tutti i lati per il tempo indicato, a fuoco medio.

Coprire e cuocere fino a che risulti ben cotto. Se è necessario, versare tre cucchiai di latte o di acqua; salare a fine cottura.

Tagliare la carne a dadi grossi quanto una noce e metterli nel tegame con solo due cucchiaini del sugo di cottura.

In un piatto sbattere le uova con il sale, tre cucchiai di latte e il parmigiano.

Versare il tutto sulla carne, alzare la fiamma e non smuovere per 1 minuto, poi continuare la cottura per gli altri 2 minuti a fuoco moderato, mescolando continuamente con un cucchiaio di legno. Ritirare il tegame dal fuoco e versarvi il succo del limone. Mescolare bene e versare sul piatto da portata, guarnito con foglie di insalata verde condite con olio e limone.

✧ *188* COTOLETTE DI PIEDE DI PORCO

Questa ricettina d'epoca è dedicata a coloro
che sono ghiotti di carne di maiale e della sua cotica.

Per 4 persone: *piedi di porco 2 • uova 3 • pangrattato g 200 •*
aceto cl 4 • lauro 2 foglie • sale • olio d'oliva per friggere dl 2 • limoni 2
Tempo di cottura: *2 ore e 15 minuti per la bollitura*
2 minuti per le cotolette

Cuocere ciascun piede di maiale separatamente in 2 litri e mezzo d'acqua con l'aceto, il lauro, la scorza di mezzo limone; al bollore schiumare.

A cottura ultimata far raffreddare e dividere i piedi in due per il lungo, con un coltello. Scartate le ossa, tagliare a liste non spesse tutti i pezzi di carne, indorarli nelle uova sbattute col sale, passarli nel pangrattato, indorarli nuovamente e friggerli in padella, in olio bollente, a fuoco moderato.

Servire calde queste saporite cotolette guarnite con spicchi di limone.

✧ *189* Coppa di Testa di Maiale

Oggi, questo salume non si trova facilmente in commercio,
quindi, fatto in casa, acquista un valore particolare.

Per 2 salami: testa di maiale di kg 6 • pistacchi g 20 • cannella g 8 • pepe g 4 • sale
Tempo di cottura: 1 ora e mezzo
Tempo di conservazione: 5-6 giorni in frigorifero

Far tagliare dal macellaio la testa di maiale in due parti nel senso della lunghezza e far togliere gli occhi. Essendo molto grande è meglio prepararla in due volte.

Porre quindi mezza testa in un recipiente con acqua fredda e sale, cambiando spesso l'acqua finché non risulti pulita; immergerla in acqua bollente e lavarla bene privandola di tutti i peli. Sciacquarla ancora molte volte sotto acqua corrente. Infine metterla in una pentola con acqua salata e lasciarla bollire circa 1 ora e mezzo, dopo averla schiumata al primo bollore.

Sgusciare i pistacchi e tagliarli in due nel senso della lunghezza.

A parte mescolare un po' di cannella in polvere con un po' di pepe pestato e sale. È bene preparare la coppa velocemente, perché è necessario che la carne non si raffreddi.

Dalla mezza testa lessata ricavare la carne, il grasso, la cotica, l'orecchio e il grugno. Tagliare il tutto a liste di 1 centimetro e mezzo per 2 e mezzo e spesse 1 e mezzo; metterle in una ciotola riscaldata e amalgamarle alle spezie e ai pistacchi; salare.

Disporre questo composto su un telo pulito e stringervelo attorno per farne uscire tutta l'acqua e il grasso superfluo. Dare all'impasto la forma di un polpettone, chiuderlo in un altro telo, avvolgendovelo ben stretto, e legare le due estremità con dello spago da cucina.

Mettere questo salame in una forma da plum-cake riempiendo i vuoti con dei canovacci affinché non si deformi. Dopo ventiquattr'ore, aprire il telo e disporre sul piatto da portata questo squisito salame, affettato sottile, con contorno di insalata verde mista.

✧ *190* Salsicce con Polenta

Per 5-6 persone: salsicce 10 • olio d'oliva e sugna g 80 •
parmigiano grattugiato g 40 •
per la polenta: farina di granoturco g 200, acqua l 1 ¹/₄, sale g 10 • burro g 25
Tempo di cottura: 40 minuti per la polenta
40 minuti per le salsicce nel forno a 140 °C
10 minuti per la polenta e salsicce nel forno a 160 °C

Bucare con un ago le salsicce, metterle in una teglia e cuocerle in forno con il condimento indicato, che è abbondante per non farle asciugare; durante la cottura girarle spesso.

Una volta cotte, poggiarle in un piatto con un po' del loro sugo.

Preparare la polenta mettendo l'acqua e il sale in una pentola di acciaio.

Al bollore versare al centro la farina, mescolando continuamente con un cucchiaio di legno; abbassare la fiamma e far cuocere per il tempo indicato.

Quando la polenta si stacca dalle pareti della pentola versarla in una teglia da tavola di forma rettangolare unta di burro.

Ammassare la polenta verso i bordi della teglia e collocare al centro le salsicce.

Versare mezza tazzina di acqua bollente nel recipiente in cui sono state cotte le salsicce e mescolare per recuperare tutto il condimento.

Distribuire questo sugo sulla polenta, cosparsa di abbondante parmigiano.

Infornare a temperatura richiesta e calcolare il tempo di cottura da quando la polenta mostra segni di frittura.

✧ *191* PROSCIUTTO COTTO AL FORNO

Questa pietanza è buona anche fredda.
Preferire il prosciutto di Praga, di forma rotonda, chiuso nella sua cotica.

Per 8 persone: prosciutto cotto kg 1 • vino bianco dl 4 $^{1}/_{2}$ • zucchero g 15
***Tempo di cottura:** 20 minuti per bollire*
50 minuti nel forno a 180 °C

Procurarsi in salumeria un pezzo intero di prosciutto cotto, stretto e lungo, con la cotica.

Legarlo con lo spago e avvolgerlo in un telo, che va legato a sua volta con dell'altro filo. Sistemarlo in una pentola con coperchio, ricoprirlo d'acqua e farlo bollire pian piano per il tempo indicato.

Lasciarlo raffreddare nella sua acqua, slegarlo, e privarlo delicatamente della cotica, aiutandosi con un coltello. Tagliarne il grasso superfluo, cercando di lasciarne solo uno spessore di un quarto di centimetro tutt'intorno.

Mettere il prosciutto così preparato in una piccola teglia con la metà del vino indicato e coprire. Infornare e durante la cottura bagnare con altro vino.

Dopo circa 30 minuti, aggiungere lo zucchero.

Nell'ultimo quarto d'ora di cottura, levare il coperchio e rigirare sovente il prosciutto affinché si colori da tutte le parti.

Filtrare il sugo attraverso un panno bagnato e strizzato, e versarlo caldo nella salsiera. Servire il prosciutto a fette molto sottili, insieme al sugo.

Il prosciutto cotto in forno è ottimo anche servito a temperatura ambiente, tagliato a fettine e adagiato su delle verdure cotte al burro e calde.

✧ *192* AGNELLO AL FORNO CON PATATE

Affinché la carne risulti saporita e le patate siano ben rosolate
è opportuno cucinare l'agnello da solo
e poi mettere a cuocere le patate nella sua glassa.

Per 4 persone: agnello kg 1,200 • olio d'oliva cl 6 •
rosmarino 1 rametto • patate vecchie g 750 • sale
Tempo di cottura: 1 ora e mezzo nel forno a 160 °C per l'agnello
45 minuti nel forno a 180 °C per le patate

Tagliare l'agnello a pezzi e cuocerlo in forno con il condimento indicato, rigirandolo ogni tanto fino a che risulti ben cotto e colorito in modo uniforme.
Mezz'ora prima di toglierlo dal forno, cospargerlo di sale e rosmarino.
Se l'animale non è giovane, il tempo di cottura deve essere maggiore.
Disporre in un piatto i pezzi cotti ricoperti con una parte di sugo.
Tagliare a spicchi le patate, lavarle e metterle nella stessa teglia in cui è stato cotto l'agnello; aggiungere al sugo rimasto e raffreddato mezzo bicchiere d'acqua e poco sale e far cuocere per il tempo indicato. A metà cottura girare le patate per una sola volta; alla fine esse devono risultare ben asciutte e colorite.
Rimettere nella teglia l'agnello e tenerlo in forno per qualche minuto a riscaldarsi con le patate.
Infine servire in un unico piatto da portata.

✧ *193* POLLO ALLA CACCIATORA

Molte ricette richiedono la cottura del pollo nella salsa,
ma se si prepara la salsa alla cacciatora a parte e la si versa sul pollo cotto
al momento di servire, la pietanza risulta più raffinata.

Per 4-5 persone: pollo senza testa e zampe kg 1,200 •
olio d'oliva e burro g 60 • sale • per la salsa alla cacciatora: 1 cipollina,
funghi secchi g 25, vino bianco dl 1, salsa glassata g 150
Tempo di cottura: 15 minuti per rosolare ogni 3 pezzi di pollo
20 minuti per cuocere ogni 3 pezzi di pollo
50 minuti complessivamente per la salsa alla cacciatora

Per fare risultare saporite e sode le carni dei polli di allevamento è opportuno qualche accorgimento: il pollo non deve essere grande e bisogna farlo rosolare e cuocere a fuoco costantemente vivace, per breve tempo e a tegame scoperto (v. alla voce "Pollo" nei Consigli utili).

Tagliare il pollo in otto pezzi e farne rosolare al massimo tre alla volta, in una padella a fuoco forte e con poco condimento, per circa 15 minuti. Quando saranno divenuti di un bel colore scuro, abbassare un poco la fiamma e cuocerli per altri 20 minuti, rigirandoli spesso. Salare a fine cottura e tenere ancora per qualche minuto la padella sul fuoco, rigirando i pezzi di pollo. Togliere i pezzi di pollo dalla padella e metterli su un piatto da portata da tenere nel forno caldo in attesa di aggiungervi gli altri, che vanno rosolati e cotti nello stesso modo.

Preparare la "Salsa glassata" (v. n. 32).

Per la salsa alla cacciatora, far rosolare a fuoco moderato la cipollina affettata nella padella con il fondo di cottura del pollo.

Sgocciolare e tagliare a pezzetti i funghi, tenuti in ammollo in acqua fredda per circa 1 ora, e unirli alla cipolla. Dopo 5-6 minuti di cottura a fuoco moderato, bagnare con il vino e, quando sarà evaporato, aggiungere mezzo bicchiere di salsa glassata e cuocere il tutto per qualche minuto.

Versare questa salsa calda e cremosa su ogni pezzo di pollo e servire accompagnando con "Riso pilaw" (v. n. 277), per una cena raffinata.

✧ *194* POLLO ALL'ARANCIA

Per 4-5 persone: pollo senza testa e zampe kg 1,200 • burro g 60 • sale •
vino bianco cl 6 • brodo cl 6 • arance grandi 2 • ¹/₂ limone
Tempo di cottura: 15 minuti per rosolare
20 minuti per cuocere
10 minuti per la glassa

Tagliare, rosolare e cuocere il pollo come indica la ricetta del "Pollo alla cacciatora" (v. n. 193) e poi adagiare i pezzi su un piatto. Nella stessa padella, unire al fondo di cottura il vino e farlo evaporare. Aggiungere il brodo e aspettare che si restringa. Lontano dal fuoco versare in questo sugo il succo di un'arancia e di mezzo limone. Mescolare bene e rimettere in padella i pezzi di pollo. Rigirarli e dare loro un solo bollore.

Sistemare infine i pezzi di pollo sul piatto da portata col bordo guarnito di fette d'arancia e ricoprirli con la glassa. Servire caldo con spinaci al burro.

✧ *195* POLLO IN CROSTATA

Per 8 persone: pollo senza testa e zampe kg 1,250 • burro e olio d'oliva g 125 •
carciofi puliti g 550 • aglio 1 spicchio • piselli in scatola g 520 •
¹/₂ cipolla • vino bianco dl 1 • sale •
per la pasta brisée: farina g 400, margarina g 200, acqua cl 12, sale g 6 •

per spennellare: 1 uovo
Tempo di cottura: *7-8 minuti per rosolare*
1 ora e 10 minuti nel forno a 150 °C per cuocere
45 minuti nel forno a 200 °C per la crostata

Far rosolare, in un tegame da forno, con 40 grammi di olio e burro, il pollo intero e legato. Dopo il tempo indicato, bagnarlo con il vino e, senza aspettare che si asciughi completamente, passare il tegame nel forno già caldo. Salare a fine cottura.
Tagliare in otto pezzi il pollo cotto, disossarli intaccandone i tendini, quindi dividerli in due parti (v. alla voce "Pollo" nei Consigli utili).
Tagliare i carciofi a spicchi, lasciando un po' di gambo, e disporli in un tegame con due cucchiai di olio, un po' d'acqua e sale e uno spicchio d'aglio tritato, in un solo strato e coperti. Cuocere per 30 minuti.
A parte cuocere per circa 1 ora e mezzo i piselli, sgocciolati, con due bicchieri d'acqua, 40 grammi di burro, mezza cipolla affettata e un pizzico di sale, in un tegame coperto. Fare asciugare bene sul fuoco le due verdure.
Preparare la pasta brisée (v. n. 7) e dividerla in due parti disuguali.
Spianare la parte più grande in una sfoglia e con essa rivestire fino al limite del bordo una teglia del diametro di 28 centimetri, unta di burro.
Poggiarvi sopra i sedici pezzetti di pollo, dopo averli rigirati nel loro sugo freddo. Tra un pezzo e l'altro aggiungere le verdure fredde, alternandole.
Spianare la parte più piccola di pasta in una sfoglia molto sottile e coprire con essa il ripieno. Praticare al centro della sfoglia superiore un foro, circondandolo con una strisciolina di pasta arrotolata: ciò perché l'aria possa fuoruscire durante la cottura. Fare tutt'intorno alla crostata un bel cornicione alto e uguale, ripiegando l'orlo e marcandolo con le punte di una forchetta infarinata. Con la pasta avanzata fare delle striscioline sottili, arrotolarle e disporle come guarnizione. Spennellare con il tuorlo sbattuto e infornare. Sformare la crostata e servirla calda.

✧ *196* POLLO ALLA GENOVESE

Ecco una ricetta della scorsa generazione per i polli ruspanti.
Il sugo può servire per condire dei maccheroni.

Per 4 persone: *pollo senza testa e zampe kg 1 • olio d'oliva e burro g 60 •*
prosciutto crudo g 80 • cipolle 2 • brodo concentrato $^1/_2$ dado • 1 limone • sale
Tempo di cottura: *15 minuti per rosolare 3-4 pezzi*
30 minuti per cuocere

In un tegamino far bollire con un bicchiere d'acqua le cipolle affettate.
Quando l'acqua si sarà asciugata, aggiungere metà dell'olio e del burro e il prosciutto tagliato a pezzetti fini e far rosolare per circa 8-9 minuti su fiamma bassa.

Tagliare il pollo in 8 pezzi e metterne a rosolare 3-4 per volta in una larga padella, con il restante condimento, a fuoco vivace, per il tempo indicato (v. alla voce "Pollo" nei Consigli utili).

Unire tutti i pezzi nella stessa padella, aggiungere il sugo con la cipolla e far cuocere a fuoco medio, a tegame scoperto.

Dopo 30 minuti salare i pezzi, rigirarli nel sugo e disporli sul piatto da portata. (Se il pollo è ruspante cuocerlo a tegame coperto e più a lungo.)

Unire al fondo di cottura il brodo concentrato sciolto in mezza tazzina d'acqua e far bollire. Versare metà di questo sugo sul pollo, dopo avervi aggiunto il succo di un limone. L'altra metà del sugo, senza limone, può essere utilizzata per condire 150 grammi di maltagliati, lessati al dente e cosparsi di parmigiano grattugiato, da servire come contorno.

✧ *197* POLLO RIPIENO

Questa ricetta, originaria di Fontanarosa, nell'Avellinese, si riferiva al cappone.
Adattata al pollo risulta egualmente ottima.

Per 4-5 persone: *pollo senza testa e zampe kg 1,400 •*
olio d'oliva e burro g 80 • polpa di vitella magra g 170 •
prosciutto crudo g 120 • pancetta g 50 •
prosciutto cotto o lingua salmistrata g 100 • 1 uovo •
cognac cl 5 • cannella e chiodi di garofano q.b. • sale e pepe
Tempo di cottura: *2 ore nel forno a 150 °C*

Pulire e disossare il pollo. Tagliare la polpa di vitella (preferibilmente un taglio tenero di costata) a piccolissimi pezzetti (v. alla voce "Pollo" nei Consigli utili).

Tritare finemente con un coltello il prosciutto crudo e quello cotto, con tutto il grasso, e la pancetta. Amalgamare questi ingredienti con l'uovo, le spezie e un po' di sale e di pepe.

Poggiare il pollo disossato e bene aperto sul piano di lavoro e mettervi dentro il ripieno. Cucire la pelle per riunire le due metà del petto, lasciando che un tratto di filo fuoriesca alle estremità della cucitura, per poterlo sfilare.

Con le mani, ricomporre il pollo premendo dall'esterno perché il ripieno si distribuisca equamente nelle cosce e in tutte le parti, poi metterlo in una teglia che lo contenga ben stretto, insieme con il condimento, e infornare.

Lasciarlo rosolare per pochi minuti, poi bagnarlo con tre o quattro cucchiai di cognac e farlo cuocere a temperatura moderata, rigirandolo e salandolo un poco.

Quando il pollo è cotto, aspettare che si raffreddi, togliere il filo tirandolo da un lato e tagliarlo a fette sottili, nel senso della lunghezza.

Servirlo caldo, ricoperto di sugo e accompagnato da "Patatine à la maître d'hôtel" (v. n. 271), oppure a temperatura ambiente, con "Zucchini alla scapece" (v. n. 281).

✧ *198* TACCHINO AL FORNO

Servito intero, rosolato e ben colorito, è un piatto bello e imponente.

Per 12 persone: *tacchino intero pulito kg 3,500 • burro e olio g 120 •*
pancetta g 200 • Grand Marnier cl 120 • sale
Tempo di cottura: *2 ore nel forno a 150 °C*

Comprare il tacchino in tempo perché possa frollare almeno per tre giorni in frigorifero. Prima di farlo frollare, pulirlo bene, lavarlo e legare con spago sottile le
cosce e le ali sul petto in modo che rimanga raccolto.
Trascorsi i tre giorni di frollatura, salarlo internamente, ungerlo di burro e ricoprirlo completamente di fettine sottili di pancetta fermandole con lo spago.
Mettere il tacchino sulla leccarda ben unta d'olio e infornare. Durante la cottura,
che deve essere sempre a temperatura moderata, rigirarlo spesso e ungerlo del
grasso che cola nel tegame.
A cottura ultimata, quando il tacchino avrà assunto un bel colore dorato, spruzzarvi sopra un po' di Grand Marnier e farlo evaporare. Togliere lo spago e la pancetta e porre il tacchino sul piatto da portata. Unire al fondo di cottura una tazzina
d'acqua, mescolare bene sul fuoco e versare il sugo in una salsiera.
Servire il tacchino intero: a tavola, con un buon coltello affilato, tagliarlo a fette
partendo dalle cosce per arrivare al petto. Accompagnare con il sugo caldo e un
contorno di "Cipolline in agrodolce" (v. n. 259).

✧ *199* TACCHINO IN FRICASSEA

Per 5-6 persone: *petto di tacchino g 650 • burro e olio g 40 • ¹/₂ cipollina •*
vino bianco dl 1 • tuorli 4 • chiare d'uovo 2 • 1 limone • peperoncino forte • sale
Tempo di cottura: *3-4 minuti per rosolare*
1 ora e mezzo per cuocere

Bollire la cipollina affettata in un po' d'acqua e farla rosolare per pochi minuti in
burro e olio. Unirvi il tacchino ben frollato e tagliato a pezzettini uguali tra loro.
Far rosolare a fuoco molto moderato, rigirando sovente, poi spruzzare il vino e,
senza aspettare che evapori completamente, coprire il tegame e cuocere a fiamma
molto bassa.
Dopo qualche minuto versare circa 3 decilitri e mezzo d'acqua in ebollizione, aggiungere un po' di peperoncino e portare a termine la cottura. Quindi salare.
Il tacchino indurisce facilmente; per evitare ciò, la carne deve cuocere sempre nella
glassa umida. A cottura ultimata, quando il sugo si è ben ristretto, sbattere in un
piatto i tuorli con le chiare e il sale necessario e versarli sul tacchino. Far cuocere
per 2 minuti, rimestando.

Togliere il tegame dal fuoco, versare il succo del limone, mescolare e disporre il tutto sul piatto da portata.
Servire con contorno di "Piselli al burro" (v. n. 274).

✧ *200* ANATRA ALL'ARANCIA

*Per 6 persone: anatra pulita kg 1,600 • burro e olio d'oliva g 50 •
arance 2 • 1 limone • zucchero g 20 • aceto cl 3 • salsa glassata g 300 • sale
Tempo di cottura: 1 ora nel forno a 150 °C*

Pulire bene l'anatra e tenerla per due o tre giorni in frigorifero a frollare, dopo averne legato sul petto le cosce e le ali con dello spago sottile.
Cuocerla nel forno, a temperatura costantemente moderata, intera, chiusa in carta oleata con il sale e il grasso indicato.
Quando l'anatra è cotta, estrarla dal cartoccio, rimetterla sulla leccarda del forno con il suo condimento e farla rosolare da tutti i lati per circa 10 minuti. Dividerla poi in otto pezzi, e tagliare ciascun pezzo in due parti.
Preparare la "Salsa glassata" (v. n. 32) ma con proporzioni doppie, quindi versarla in una padella e farvi insaporire i pezzetti di anatra per qualche minuto, a fuoco moderato.
In un tegamino a parte far caramellare sul fuoco lo zucchero con l'aceto; poi, lontano dal fuoco, unirvi il succo delle arance e mezza scorza di limone grattugiata.
Disporre i pezzi caldi di anatra sul piatto da portata.
Aggiungere alla salsa glassata lo sciroppo d'arancia, anch'esso caldo, mescolare bene, tenendo la padella lontana dal fuoco, e versare una parte di questo sugo sui pezzi di anatra e una parte in una salsiera.
Accompagnare con insalata verde.

✧ *201* ANATRA AI PEPERONI

*Per 6 persone: anatra pulita kg 1,600 • olio vergine d'oliva dl 1 •
peperoni campestri all'aceto 4 • sale
Tempo di cottura: 30 minuti per rosolare
40 minuti per cuocere*

Far frollare l'anatra per 2-3 giorni nel frigorifero.
Tagliarla in otto pezzi e dividere in due quelli più grandi.
In una larga padella con l'olio e a fuoco moderato farli rosolare tutti insieme, rigirandoli, per il tempo indicato.

Sciacquare e sgocciolare bene i peperoni per attenuare il forte sapore di aceto e tagliarli a pezzi grossi, privandoli dei semi.

Dopo la lenta rosolatura dell'anatra, aggiungere i peperoni e il sale, coprire la padella e continuare la cottura a fuoco moderato, rimestando sovente. Servire calda.

✧ 202 Coniglio alla Cacciatora

È bene far macerare per un quarto d'ora il coniglio, tagliato in pezzi,
in poco aceto, per fargli perdere parte del suo aroma forte.

Per 4 persone: *coniglio già pulito kg 1 ¹/₄ • olio d'oliva cl 5 •*
vino bianco dl 1 • pomodori pelati g 200 •
funghi secchi g 20 • aglio 1 spicchio • sale •
per marinare: aceto l ¹/₄
Tempo di cottura: *10 minuti per rosolare*
1 ora e mezzo per cuocere

Pulire, spellare e far frollare il coniglio; dividerlo in nove pezzi nel modo seguente: rompere le ossa nelle giunture e ruotarle nel senso contrario a quello naturale, poi tagliare i tendini con le forbici.

Con questo sistema, dunque, staccare le cosce e le zampe anteriori; le cosce vanno poi divise in due, come pure "il filetto", che deve essere tagliato nel senso della lunghezza; infine staccare le costole in un unico pezzo.

Far macerare per circa un quarto d'ora i pezzi di coniglio nell'aceto. Sciacquarli bene e porli in un tegame largo con l'olio. Farli rosolare, poi bagnare con il vino.

Quando esso sarà un po' evaporato, aggiungere i pomodori caldi con l'aglio tritato.

Coprire e far cuocere il tutto su fuoco moderato per circa 1 ora e dieci minuti. Aggiungere allora i funghi, tenuti in ammollo in acqua fredda per circa 1 ora, tagliati a pezzetti e ben sgocciolati. Continuare la cottura lenta salando e, se necessario, allungando con una tazzina di acqua calda. Servire caldo con un contorno di "Scarole e broccoli rosolati" (v. n. 279).

✧ 203 Coniglio in Agrodolce

Questa è una ricetta classica della scorsa generazione.

Per 4 persone: *coniglio già pulito kg 1 ¹/₄ • sugna e olio d'oliva g 50 •*
aceto non forte dl 1 • zucchero g 15 • uva passa e pinoli g 25 • farina g 10 •

per marinare: aceto l $1/_4$
Tempo di cottura: *1 ora e mezzo*

Trattare il coniglio come nella ricetta precedente.
Mettere il grasso in una padella e farvi rosolare i pezzi, a fuoco medio. Versare a poco a poco l'aceto e lasciare che evapori un po'. Unire la farina ben diluita in un bicchiere d'acqua bollente. Coprire e cuocere rimestando spesso su fuoco molto moderato. A fine cottura aggiungere lo zucchero, l'uva passa, i pinoli e il sale e far cuocere ancora per 5-6 minuti.
Servire con contorno di "Peperoni au gratin" (v. n. 273).

✧ *204* Capretto con Piselli

Per 8 persone: *capretto kg 2,300 • olio d'oliva cl 8 •*
rosmarino 2 rametti • sale •
per i piselli al burro: piselli sgranati g 500, cipolle 2, burro g 60, pancetta g 40, sale
Tempo di cottura: *1 ora e un quarto nel forno a 160 °C per il capretto*
1 ora e mezzo per i piselli

Tagliare a pezzi il capretto, ungerlo con l'olio e salarlo. Disporre i pezzi in un tegame unto di olio che li contenga in un solo strato e infornare.
Rigirare più volte i pezzi fino a che si siano rosolati da tutti i lati. A 15 minuti dalla fine della cottura aggiungere il rosmarino.
A parte cucinare i "Piselli al burro" (v. n. 274).
Servire in un gran piatto da portata i pezzi di carne alternati a mucchietti di piselli, caldi e ben asciugati sul fuoco.

✧ *205* Trippa Gratinata

Per 4 persone: *trippa cotta di manzo o di vitella g 400 • olio d'oliva cl 4 •*
1 carota piccola • sedano 1 gambo • pomodori pelati 200 • aglio 1 spicchio •
pancetta g 70 • parmigiano grattugiato g 40 • sale
Tempo di cottura: *3 ore per bollire*
30 minuti nella salsa
7-8 minuti nel forno a 180 °C

Se la trippa è cruda, lavarla bene e metterla nell'acqua; al primo bollore, cambiare l'acqua con dell'altra pulita e bollente e proseguire la cottura per il tempo indicato.
Se è già cotta, è sufficiente lavarla in acqua bollente e sgocciolarla.

In un tegame far rosolare nell'olio l'aglio tritato insieme con la carota e il sedano, tritati anch'essi.

Dopo pochi minuti aggiungere la pancetta tagliata a pezzetti e farla un po' sciogliere. Versare infine i pomodori e far bollire a fuoco molto moderato; dopo 5-6 minuti unirvi la trippa tagliata a liste, con il sale necessario.

Coprire e far cuocere fino a che la trippa risulti tenera e il sugo asciugato.

Poco prima di servirla amalgamarvi metà del parmigiano e metterla in una piccola teglia da forno unta di burro. Cospargere del restante parmigiano e infornare.

Servire con guarnizioni di olive nere.

✧ 206 FEGATO ALLA VENEZIANA

La fettina di fegato è più saporita se cucinata con il burro,
e non con l'olio come si usa solitamente.

Per 4 persone: *fettine di fegato di manzo o di vitella g 400 • cipolle 2 •*
burro g 60 • sale
Tempo di cottura: *2 minuti per ogni 2 fettine*

Tagliare il fegato a fettine uguali e sottili e privarle della pellicola che hanno intorno. Bollire le cipolle affettate in poca acqua e poi rosolarle nel burro a fuoco moderato per pochi minuti (v. alla voce "Cipolla" nei Consigli utili). Versare in una padella un po' del sugo con la cipolla e cuocere due fettine alla volta, a fiamma bassa, salandole.

Dopo 1 minuto rigirarle e, una volta cotte da ambo i lati, porle in un piatto. Ripetere lo stesso procedimento per le altre fettine fino a esaurimento.

Riscaldarle tutte insieme in padella per pochi istanti e servirle ben calde, con del "Riso pilaw" (v. n. 277).

✧ 207 FEGATO DI MAIALE IN PADELLA

Per 4 persone: *fegato g 400 • pangrattato g 50 • sugna g 40 •*
alloro 8 foglie • aglio $^1/_2$ spicchio • crostini 8 • rete-membrana q.b. • sale
Tempo di cottura: *7-8 minuti per 5 pezzetti di fegato*

Tagliare il fegato a pezzetti. Rotolare ogni pezzetto nel pangrattato, cospargerlo di un po' di sale e di aglio tritato e chiuderlo nella rete con una foglia di alloro.

Cuocere 4-5 pezzetti per volta in padella con il grasso necessario, su fuoco moderato e rigirarli sovente. Servire i pezzi di fegato nella loro rete caldi e accompagnati da crostini di pane fritti o abbrustoliti.

✧ *208* FEGATO IN CARTOCCIO

Per 4 persone: fegato di manzo o di vitella g 400 • burro g 70 •
pancetta g 50 • 1 cipolla piccola • sale
Tempo di cottura: 8 minuti nel forno a 180 °C

Tagliare il fegato in otto fettine uguali di circa 50 grammi ciascuna, e togliere la pellicola che le circonda.

Preparare otto rettangoli di carta oleata abbastanza grandi da poter racchiudere in ciascuno una fetta di fegato spianata, e ungerli solo da un lato.

Mettere in una padella un po' del burro indicato e rosolarvi due fette di fegato alla volta per circa 1 minuto su fuoco vivace. Man mano che si cuociono poggiarle in un piatto con il loro condimento.

Nel centro di ciascun rettangolo di carta, sul lato unto, stendere una sottile e piccola fetta di pancetta, poi una mezza fettina sottilissima di cipolla e sopra questa una fetta di fegato con il suo sugo. Salare e coprire con un'altra mezza fettina di cipolla con sopra una fettina di pancetta. Chiudere i rettangoli di carta ripiegando in sotto le estremità come per confezionare un pacchetto. Poggiare tutti i cartocci sulla leccarda del forno unta di burro e passarli nel forno già caldo.

Servire le fettine di fegato ciascuna racchiusa nel proprio cartoccio che, a cottura ultimata, risulterà gonfio e dorato. Accompagnare con "Patatine à la maître d'hôtel" (v. n. 271).

CAPITOLO IV

ENTREMETS

✦

CONTORNI

ENTREMETS

✧ *209* UOVA À LA COQUE

Le semplici e saporite uova "al guscio"
non devono essere considerate solo un ricordo dell'infanzia.
Anche gli adulti possono apprezzare l'uovo fresco e... caldo
se cotto e preparato con cura.

Per 4 persone: *uova fresche 4 • panini 4*
Tempo di cottura: *1 minuto e mezzo*

Togliere le uova dal frigorifero mezz'ora prima di cuocerle. Lavarle accuratamente in acqua corrente, poi metterle in un pentolino, ricoperte d'acqua, e farle cuocere a fuoco moderato non oltre il tempo indicato.
A cottura ultimata, collocare ogni uovo, caldo e intero, nel portauovo e servirlo nel singolo piatto piano. Sarà il commensale a forare la sommità con un cucchiaino onde poter intingere nell'uovo dei pezzetti di panino.

✧ *210* UOVA AFFOGATE

Solitamente vengono chiamate "uova in camicia".
Come quelle "à la coque", sono molto digeribili perché vengono bollite.

Per 1 persona: *uova fresche 2 • acqua l $^1/_2$ • aceto cl $^1/_2$ •*
crostini di pane 2 • sale g 2
Tempo di cottura: *3 minuti*

Rompere un uovo alla volta e lasciarlo cadere in un piatto.
Mettere l'acqua, l'aceto e il sale in una padella di media grandezza, poi collocarla sul fornello a fuoco medio e, al bollore, versarvi con delicatezza le uova, una per volta e distanziate tra loro.

È importante il tempo di cottura; l'ebollizione deve essere minima per tutti i 3 minuti richiesti. Non cuocere più di due uova per volta.

Dopo un paio di minuti, con la punta di una forchetta, sollevare i lembi delle chiare d'uovo e ripiegarli sul tuorlo in modo da coprirlo interamente.

A cottura ultimata, prendere con un cucchiaio un uovo per volta e adagiarlo su un piatto.

Accompagnare con crostini di pane abbrustoliti.

✧ *211* OMELETTE CLASSICA

È ottima anche preparata solo con prezzemolo tritato e parmigiano grattugiato mescolati alle uova.

Per 2 persone: *uova 4 • parmigiano grattugiato g 10 •*
mozzarella fiordilatte g 60 • prosciutto crudo o salame g 15 •
olio d'oliva o burro g 40 • sale
Tempo di cottura: *3 minuti*

Tagliare la mozzarella a listarelle e il prosciutto, o il salame, a pezzettini sottili, raccogliendoli in un piatto.

Sbattere le uova in una ciotola con un po' di sale e mescolarvi il parmigiano. Versare le uova sbattute in una padella media, facendo in modo che si stendano su tutto il fondo. Distribuire il ripieno e dopo circa 1 minuto, aiutandosi con due forchette, sollevare un lembo dell'omelette e ripiegarlo su di esso. Dopo 1 altro minuto rivoltare e terminare la cottura. Servirla calda.

✧ *212* OMELETTE RUSTICA

Per 3 persone: *uova 6 • melanzane g 230 • ¹/₂ cipollina •*
pomodori pelati g 160 • aglio ¹/₂ spicchio • prezzemolo ¹/₂ mazzetto •
olio d'oliva cl 12 • sale
Tempo di cottura: *15 minuti per il ripieno*
10 minuti per la salsetta
4 minuti per l'omelette

Preparare una salsetta con 100 grammi di pomodori pelati passati al tritaverdure, un cucchiaio d'olio, un pizzico di sale e poco aglio tritato.

In una padella, con 8 centilitri d'olio, far rosolare a fuoco moderato la cipollina affettata e già cotta in acqua; aggiungervi le melanzane tagliate a grossi dadi, aumentare la fiamma e farle rosolare per circa 10 minuti. Infine, togliere l'olio di troppo e unirvi gli altri 60 grammi di pomodori pelati senza il loro liquido; mescolare, salare e aspettare che il tutto asciughi bene.

Sbattere le uova in una ciotola con un po' di sale e versarle in una padella larga in cui l'olio sia già caldo, facendo in modo che si stendano bene su tutto il fondo. Distribuire il ripieno preparato e dopo 2 minuti, aiutandosi con due forchette, sollevare un lembo dell'omelette e ripiegarlo su di esso; rivoltare e terminare la cottura.

Adagiare l'omelette su un piatto da portata ovale, ricoprirla con la salsetta calda e cospargerla di prezzemolo tritato molto fine.

✧ *213* OMELETTE À LA CONFITURE

È ottima per chiudere una cena leggera.

Per 1 persona: *uova 2 • zucchero g 4 •*
marmellata di albicocche o di pesche g 30 • burro g 25 • sale
Tempo di cottura: *2 minuti*

In una ciotola sbattere con una forchetta le uova con pochissimo sale e aggiungervi lo zucchero.

Far riscaldare il burro in una padella media, poi versare le uova e fare in modo che si stendano su tutto il fondo. Aggiungere la marmellata, distribuendola in uno strato non troppo spesso.

Dopo circa 1 minuto, con l'aiuto di due forchette, sollevare un lembo dell'omelette e ripiegarlo sul ripieno. Dopo 1 altro minuto rivoltare dall'altra parte e terminare la cottura. Servirla calda. Non è opportuno preparare questa omelette con dosi maggiori, quindi calcolarne una per persona.

✧ *214* FRITTATA DI CARCIOFI

La frittata può essere fatta di vari tipi di verdura, oltre che di carciofi;
naturalmente ogni verdura richiede dei ritocchi della ricetta.

Per 4-6 persone: *carciofi medi 6 • uova 5 • parmigiano grattugiato g 15 •*
aglio ¹/₂ spicchio • 1 limone • olio d'oliva cl 5 • sale
Tempo di cottura: *25 minuti per i carciofi*
30 minuti per la frittata

Pulire i carciofi "a cuore" come indica la ricetta "Carciofi alla giudìa" (v. n. 251) senza staccarne il gambo.

Strofinarli con il limone, lavarli, sgocciolarli e tagliarli nel senso della lunghezza in fette spesse. In una padella di media grandezza versare 3 centilitri d'olio, tre cucchiai di acqua, un pizzico di sale, l'aglio tritato e i carciofi tagliati a fette.

Coprire e lasciar cuocere a fuoco molto moderato per il tempo indicato.

A cottura ultimata, unire il parmigiano e mescolare.

In una ciotola sbattere le uova con una forchetta, aggiungendo il sale necessario. Unirvi i carciofi freddi e amalgamare il tutto. Riscaldare il restante olio in una padella di 22 centimetri di diametro, sul fornello a fuoco medio, e far cuocere la frittata 15 minuti per lato (v. alla voce "Frittata" nei Consigli utili).

✧ *215* Frittata di Patate

Per 4 persone: uova 4 • patate g 450 • olio cl 8 • sale
Tempo di cottura: 10 minuti per le patate
12 minuti per la frittata in forno
30 minuti per la frittata su fornello

Lessare le patate in acqua salata per il tempo indicato e scolarle. Una volta fredde, spellarle e tagliarle a fette rotonde e spesse.

Metterle in un tegame con metà della quantità di olio indicata e farle rosolare a fuoco vivace, rimestandole con due palette di legno. Sbattere le uova in una ciotola, salarle e unirvi le patate, ben sgocciolate e raffreddate; mescolare e fare la frittata nel rimanente olio, ben caldo, a fuoco moderato, sul fornello o in forno, in una teglia del diametro di 20 centimetri (v. alla voce "Frittata" nei Consigli utili).

✧ *216* Frittatine di Spinaci

Per 4 persone: uova 6 • burro e olio g 120 • spinaci puliti g 300 • sale
Tempo di cottura: 1 minuto e mezzo per una frittatina

Lavare gli spinaci e lessarli in poca acqua salata per 2 minuti.

Sgocciolarli e strizzarli fortemente tra le mani per eliminare ogni residuo di acqua.

In un padellino rosolare gli spinaci in 30 grammi di burro e farli asciugare bene sul fuoco. Poi tritarli molto finemente con un coltello.

In una ciotola sbattere le uova, salarle e unirvi gli spinaci tritati.

Mettere poco grasso in una padella antiaderente e aspettare che diventi caldo.

Versare allora quattro cucchiai di composto alla volta e fare delle frittatine arrotolandole su se stesse come delle omelette, fino a esaurimento del composto di uova e spinaci; ne risulteranno otto.

Servirle ben calde.

✧ *217* FIORI DI ZUCCHINI IN PASTELLA

Rustiche e tanto particolari, queste frittelle di verdura.

Per 24 frittelle: *fiori grandi di zucchini g 200 •*
per la pastella per fritture: farina g 200, acqua dl 2, lievito di birra g 12, sale •
olio d'oliva per friggere dl 4
Tempo di lievitazione: *40 minuti*
Tempo di cottura: *1 minuto per 2 frittelle*

Lavare e sgocciolare i fiori di zucchini.
Preparare la pastella per fritture (v. n. 19).
Versare l'olio in un pentolino e aspettare che diventi ben caldo.
Quando la pastella si sarà gonfiata, prenderne due cucchiaiate per volta, metterle in un piatto fondo, immergervi due fiori rigirandoli bene e poi friggerli nell'olio fumante.
Dopo 30 secondi, rigirare con due forchette le frittelle e tenerle nell'olio ancora per altri 30 secondi.
Sollevarle con un mestolo forato e adagiarle su della carta assorbente.
Procedere nello stesso modo fino a esaurimento della pastella.

✧ *218* FARINA GIALLA A SCAGLIUÓZZI

In Campania si chiamano scagliuózzi *questi bocconcini*
di polenta fritta, che sono molto indicati
per accompagnare delle verdure rosolate.

Per 30 scagliuózzi: *farina di granoturco g 150 • acqua l 1 • sale g 6 •*
olio d'oliva per friggere dl 2
Tempo di cottura: *40 minuti per la polenta*
3 minuti per friggere

Per fare la polenta mettere il sale nell'acqua indicata e portarla a ebollizione.
Versare a pioggia la farina, rimestando continuamente con un lungo cucchiaio di legno; dopo circa 40 minuti, quando la polenta si stacca dalle pareti della pentola, riversarla su un piano di marmo asciutto e, con un coltello, spanderla in uno strato alto non meno di 1 centimetro.
Quando si sarà raffreddata, tagliare la polenta in tanti rombi.
Versare in una padella l'olio, aspettare che diventi caldo e fumante e friggere gli *scagliuózzi* da ambo i lati per il tempo indicato.
Servirli caldi e croccanti.

✧ *219* Mozzarella Fritta

È una presenza classica nella "frittura all'italiana".

Per 8 pezzetti: *mozzarella fiordilatte g 250 • prosciutto crudo g 25 •*
farina g 60 • olio d'oliva per friggere dl 1 ¹/₂ • sale
Tempo di cottura: *20-30 secondi ogni 2 pezzetti*

La mozzarella fiordilatte è più indicata di quella di bufala perché più consistente.
Tagliare 8 fettine rettangolari della misura di 4 per 6 centimetri da una mozzarella
tenuta un paio di giorni in frigorifero.
Disporre su ciascuna di esse una fettina di prosciutto crudo della stessa misura, infarinare e comprimere in modo che la farina aderisca bene.
Mettere due fette per volta nell'olio fumante, preferibilmente in un padellino di
ferro alto 10 centimetri e col diametro di 13 centimetri alla base e 21 alla sommità,
col lato senza prosciutto verso il basso; non smuoverle né girarle.
Dopo 20-30 secondi risulteranno brunite; con un mestolo forato sollevarle dall'o-
lio e poggiarle su carta assorbente.
Disporle subito nel piatto da portata e servirle calde.

✧ *220* Mozzarella in Carrozza

È un antico, saporito piatto della cucina meridionale.

Per 4 mozzarelle "in carrozza": *fette di pagnotta di pane bianco raffermo 8 •*
fette di mozzarella fiordilatte 4 • uova 3 • sale
olio d'oliva per friggere dl 2
Tempo di cottura: *2 minuti per sandwich*

Comperare il pane due o tre giorni prima della preparazione e tenere la mozzarella un giorno in frigorifero perché si asciughi.
Tagliare il pane a fette molto sottili, eliminare la crosta, e ricavare dei rettangoli di 8
centimetri per 6 e mezzo.
Tagliare la mozzarella in fette delle stesse dimensioni di quelle di pane. Porre una
fetta di fiordilatte tra due fette di pane e passare i tre pezzi uniti a sandwich nelle
uova sbattute e salate. Evitare che l'uovo entri tra l'una e l'altra fetta.
Versare olio abbondante in un pentolino di ferro alto circa 10 centimetri, con diametro di 13 centimetri alla base e di 21 alla sommità.
Quando l'olio è ben caldo, friggere due mozzarelle "in carrozza" alla volta, senza
abbassare la fiamma durante la cottura (v. alla voce "Frittura" nei Consigli utili).
Quando le fette sono ben dorate, con un mestolo forato sollevarle dall'olio e poggiarle su della carta assorbente.

Giuseppe Ruoppolo, *Natura morta con agrumi,*
rinfrescatoio di rame, pappagallo e fiori recisi.
Milano, Collezione Interbanca.

Aniello Ascione, *Natura morta di frutta*.
Napoli, Museo Nazionale di Capodimonte.

Nella pagina a fianco, in alto: Tommaso Realfonzo, *Natura morta
con focaccia, uova e salame*.
Roma, Collezione privata.

Nella pagina a fianco, in basso: Tommaso Realfonzo, *Natura morta
con dolciumi e fiori*.
Roma, Collezione privata.

Giuseppe Recco, *Pesci*.
Napoli, Museo Nazionale di Capodimonte.

✧ *221* Cavolfiore Fritto

È indicato nella "frittura all'italiana" o anche da solo, prima di un piatto di carne.

Per 12 pezzi: *cavolfiore g 750 • uova 2 • farina g 60 •*
olio d'oliva per friggere dl 1 $^1/_2$ • sale
Tempo di cottura: *3 minuti*

Lessare al dente in acqua salata il cavolo intero, scolandolo quando è ancora un po'
duro; lasciarlo raffreddare.
Dividere delicatamente i vari piccoli "fiori" senza guastarne la forma. Infarinare
ogni pezzo, rotolarlo nelle uova sbattute con il sale, e friggerne tre o quattro per
volta in olio molto caldo, a fuoco costantemente vivace, preferibilmente in un pentolino di ferro alto 10 centimetri e del diametro di 13 centimetri alla base e di 21 alla sommità. Dopo averli fritti, poggiare i pezzi di cavolfiore su della carta assorbente e servirli caldi.

✧ *222* Arancini di Riso

Per la preparazione degli arancini è preferibile che il riso sia cotto a risotto.

Per 6 arancini: *riso superfino g 200 • burro g 50 • 1 cipolla •*
uova 2 • parmigiano grattugiato g 20 • mozzarella fiordilatte g 80 •
salame rustico g 40 • piselli sgranati g 80 • pangrattato g 60 • sale •
olio d'oliva per friggere dl 1 $^1/_2$
Tempo di cottura: *15 minuti per il risotto*
15 minuti per friggere

Con 20 grammi di burro, qualche fettina di cipolla e l'acqua necessaria cuocere i
piselli come indicato nella ricetta "Piselli al burro" (v. n. 274).
Rosolare in 30 grammi di burro la rimanente cipolla affettata e bollita in precedenza; versare nello stesso tegame il riso e farlo rosolare per qualche minuto, poi continuarne la cottura a risotto, versandovi man mano circa 4 decilitri di acqua in
ebollizione a parte; salare.
Quando il riso è cotto e raffreddato, mescolarvi con una forchetta un uovo intero
e un tuorlo, sbattuti a parte con il parmigiano e un pizzico di sale. Conservare la
chiara del secondo uovo.
Con le mani bagnate prendere una porzione di riso alla volta e formare delle palle.
Infilare nell'interno di ogni arancino dei pezzettini di fiordilatte e di salame e qualche pisello. Chiuderli bene, comprimendoli tra le mani, e dare a ognuno di essi la
forma sferica iniziale. Sbattere la chiara tenuta a parte e rotolarvi dentro gli arancini. Passarli poi nel pangrattato, facendolo aderire bene.

Friggerne quindi tre o quattro per volta in una padella o in un pentolino di ferro alto 10 centimetri e del diametro di 13 centimetri alla base e 21 alla sommità; immergerli nell'olio molto caldo e abbassare subito la fiamma; girarli man mano che diventano dorati.

A cottura ultimata, poggiarli su della carta assorbente e servirli caldi.

✧ 223 CROQUETTES DI PATATE

Per ottenere un buon risultato, è necessario seguire scrupolosamente
gli accorgimenti descritti nella ricetta.
Queste croquettes sono una presenza classica nella "frittura all'italiana".

Per 14 croquettes: *patate vecchie kg 1 • uova 2 •*
parmigiano e pecorino grattugiati g 20 • provola o fiordilatte g 80 •
prosciutto crudo g 40 • prezzemolo $^1/_2$ mazzetto • pangrattato g 100 •
sale • olio d'oliva per friggere dl 2
Tempo di cottura: *2 minuti*

Lessare le patate con la buccia in acqua salata. Spellarle calde, setacciarle e unirvi i tuorli, i formaggi grattugiati e il prezzemolo tritato fine; provare il sale.

Impastare questi ingredienti con le mani, amalgamando bene.

Formare dei salamini di 6,5 per 3 centimetri; inserire al centro di ciascuno un po' di provola tagliata a liste sottili e di prosciutto a pezzetti.

Sbattere in un piatto le chiare d'uovo tenute in disparte e rotolarvi dentro le croquettes; poi passarle nel pangrattato, comprimendole con le mani senza però guastarne la forma. Riempire di olio d'oliva un pentolino di ferro alto 10 centimetri, con il diametro di 21 centimetri alla sommità e di 13 alla base, porlo su fuoco vivace e aspettare che diventi ben caldo.

Friggere 3 o 4 croquettes per volta, senza mai abbassare la fiamma.

Il pentolino consigliato consente di friggere le croquettes completamente immerse nell'olio; in tal modo esse non debbono essere rigirate e si dorano in modo uniforme senza spaccarsi né sgretolarsi.

Divenute bionde e croccanti, sollevarle dall'olio con un mestolo forato, adagiarle su della carta assorbente e servirle calde.

✧ 224 PANZAROTTI

Sono piccole pizze imbottite e fritte, fatte con un tipo di sfoglia molto sottile
che le rende leggere e raffinate.
Tradizionalmente fanno parte della "frittura all'italiana".

Per 15 panzarotti: per la pasta per panzarotti farina g 150,
burro o sugna g 20, acqua cl 6, sale g 2 •
per il ripieno: 1 uovo, mozzarella fiordilatte g 150, salame rustico g 30,
parmigiano grattugiato g 10, prezzemolo tritato q.b. •
olio d'oliva per friggere dl 2
Tempo di cottura: *mezzo minuto ogni 3 panzarotti*

Fare la pasta (v. n. 6) e spianare con il matterello tre sfoglie rettangolari molto sottili.

Preparare il ripieno sbattendo in un piatto l'uovo con il sale e con il prezzemolo; unirvi il fiordilatte tagliato a dadini, il salame a pezzetti e il parmigiano. Amalgamare gli ingredienti e tenerli da parte.

Servendosi di un bicchiere che abbia un'imboccatura di 9 centimetri di diametro, ricavare dei dischi di pasta.

Mettere un po' di ripieno su ogni disco e ripiegarlo a mezzaluna. Saldare bene i lembi del panzarotto facendo pressione con le dita; se necessario, bagnarne il bordo interno con un goccio d'acqua per farli meglio aderire.

Poggiare i panzarotti su un canovaccio infarinato.

Versare l'olio in una padella o in un pentolino di ferro alto 10 centimetri e del diametro di 13 centimetri alla base e 21 alla sommità e aspettare che diventi ben caldo.

Immergere nell'olio fumante e abbondante tre panzarotti per volta, versandovi sopra, con un cucchiaio, l'olio bollente perché si gonfino. Rigirarli per dare loro una doratura uniforme e non abbassare mai la fiamma durante la frittura.

Adagiare i panzarotti su della carta assorbente e servirli caldi.

✧ 225 Frittura all'Italiana

Era usanza servire questa frittura mista una volta alla settimana, il mercoledì,
come secondo piatto o come "entremets".
Essa comprende le uova alla monachina, i panzarotti, le croquettes di patate,
la mozzarella fritta e qualche altra frittura di verdura come il cavolfiore
o le zucchine a fiammifero.

Per 6 porzioni: *ingredienti e proporzioni uguali alle ricette segnalate.*

Preparare la frittura seguendo le indicazioni delle ricette: "Uova alla monachina" (v. n. 53), "Panzarotti" (v. n. 224), "Croquettes di patate" (v. n. 223), "Mozzarella fritta" (v. n. 219) e, a scelta, "Zucchini a fiammifero" (v. n. 280) o "Cavolfiore fritto" (v. n. 221).

Sistemare le varie fritture in una grande teglia da tavola e, al momento di servire, riscaldare in forno (v. alla voce "Riscaldare" nei Consigli utili).

✧ 226 Peperoni Imbottiti

È un caratteristico e saporito piatto napoletano di facile esecuzione;
ottimo anche se mangiato freddo.

Per 6 persone: peperoni grandi 6 • 1 melanzana •
mollica di pane raffermo g 80 • olive nere g 80 • capperi salati g 50 •
acciughe salate 2 • olio d'oliva dl 1
Tempo di cottura: 35 minuti nel forno a 200 °C

Scegliere dei peperoni non troppo grandi, ma lisci e lunghi e uguali tra loro.
Tagliarne orizzontalmente la sommità e conservarla a parte perché servirà in seguito a chiudere il peperone ripieno.
Tagliare la melanzana a cubetti e farli rosolare in otto cucchiai di olio.
Una volta cotti, metterli da parte in un piatto e far rosolare nello stesso olio e a fuoco vivace la mollica di pane raffermo tagliata a dadini.
Unirvi poi le olive snocciolate e spezzettate, i capperi lavati e tritati, le acciughe pulite, lavate e tagliate.
Mescolare bene il tutto sul fuoco, infine sgocciolarlo e unirlo ai cubetti di melanzana; salare se necessario.
Distribuire equamente il ripieno in ciascun peperone e chiuderlo con la calottina tagliata in precedenza.
Ungere d'olio una teglia, disporvi i peperoni in un unico strato e infornare.
Durante la cottura a calore sempre costante e forte rigirare i peperoni sui quattro lati, affinché una volta cotti, riesca facile privarli, ancora caldi, della sottile pelle che li ricopre.

✧ 227 Patate al Forno Maria Elena

Piatto semplice, di tradizione nelle famiglie meridionali.

Per 6 persone: patate vecchie kg 2 • cipolle grandi g 300 •
olio d'oliva cl 14 • pomodori maturi rotondi g 400 • sale g 10
Tempo di cottura: 1 ora nel forno a 200 °C

Sbucciare le patate e tagliarle a fette tonde e spesse.
Affettare sottilmente le cipolle. In una ciotola condire le patate crude con 10 centilitri di olio e con la metà del sale e mescolare bene.
Tagliare a fette tonde e spesse anche i pomodori.
In una teglia da tavola di 28 centimetri di diametro, unta di olio, disporre a strati le fette di cipolle, di patate e di pomodori, terminando con questi ultimi.

Ogni volta che si completa lo strato di pomodori, versarvi sopra un po' dell'olio rimasto e cospargere di un pizzico di sale. Infornare mettendo sulla teglia un coperchio; a metà cottura levare il coperchio e lasciar cuocere per altri 30 minuti. Servire nella teglia stessa (v. alla voce "Forno" nei Consigli utili).

✧ 228 Gâteau di Patate

Per 8 persone: patate vecchie kg 2 • burro g 175 • uova 4 •
parmigiano e pecorino romano grattugiati g 160 • latte dl 2 •
provola g 400 • pangrattato q.b. • sale
Tempo di cottura: *50 minuti nel forno a 200 °C*

Lessare le patate in acqua fredda e salata, senza sbucciarle.
Calcolare 30 minuti di cottura dal primo bollore dell'acqua, poi scolarle, sbucciarle e setacciarle.
Raccogliere in una ciotola le patate setacciate e, quando sono fredde, unirvi le uova sbattute con poco sale, il latte, 150 grammi di burro (tolto dal frigorifero parecchie ore prima) e i formaggi grattugiati.
Amalgamare gli ingredienti con le mani fino a ottenere un impasto omogeneo e morbido. Non è il latte che rende soffice il gâteau, bensì il grasso.
Ungere di burro una teglia da tavola del diametro di 24 centimetri e con il bordo alto almeno 4 e cospargerla di pangrattato.
Distribuire i due terzi dell'impasto di patate sul fondo e lungo le pareti della teglia, delicatamente, evitando di smuovere il pangrattato che li riveste.
Tagliare la provola a cubetti e cospargerne lo strato di patate.
Coprire con il rimanente impasto e levigarne la superficie con le punte di una forchetta.
Spolverizzare di parmigiano e infornare. Servire caldo.

✧ 229 Parmigiana di Melanzane

La "parmiggiana", come si dice a Napoli,
è un piatto tradizionale della cucina partenopea.

Per 6 persone: melanzane kg 1 ¹/₄ • pomodori freschi kg 1 •
aglio 1 spicchio • zucchero q.b. • mozzarella fiordilatte g 250 •
parmigiano e pecorino grattugiati g 40 • olio d'oliva per friggere dl 3 •
basilico • sale • burro g 25
Tempo di cottura: *50 minuti nel forno a 170 °C*
3 minuti per la frittura
40 minuti per la salsa

Preparare una salsa con i pomodori pelati, due cucchiai di olio d'oliva, un po' di sale e uno spicchio d'aglio tritato e farla cuocere in un tegame coperto a metà, rimestando sovente; a fine cottura aggiungere un po' di zucchero.

Scegliere delle melanzane lunghe e dritte e tagliarle nel senso della lunghezza a fette dello spessore di $^1/_2$ centimetro, eliminando la prima e l'ultima perché costituite da sola buccia.

Versare l'olio in una padella di ferro, aspettare che diventi ben caldo e friggere le fette di melanzane disponendole in un unico strato per volta. Non abbassare la fiamma durante la cottura; dopo circa 1 minuto e mezzo, rigirarle e farle cuocere per altrettanto tempo; quando saranno divenute di colore scuro, sollevarle con una paletta forata e adagiarle su della carta assorbente. Salarle pochissimo.

Ungere di burro una teglia di 24 centimetri di diametro; versare sul fondo un po' di salsa di pomodoro e sistemarvi a strati le fette di melanzane alternandole con alcuni cucchiai di salsa, parmigiano e pecorino mescolati, fiordilatte a pezzetti e qualche foglia di basilico.

Ricoprire l'ultimo strato solo con salsa e parmigiano.

Con queste dosi si ottengono tre strati di melanzane ben conditi.

Infornare alla temperatura indicata e calcolare i 50 minuti da quando si notano lungo il bordo della teglia i primi segni di cottura. La parmigiana non va gustata calda, è ottima a temperatura ambiente.

✧ 230 Zucchini Ripieni di Carne

Se ne può variare il ripieno unendo alla carne o la polpa degli zucchini o il riso:
la prima versione rende la pietanza più gustosa, la seconda più delicata.

Per 6 persone: *zucchini kg 1 • carne macinata g 300 • 1 cipolla • 1 uovo •*
parmigiano grattugiato g 25 • olio e burro g 70 • pangrattato g 25 • sale
Tempo di cottura: *30 minuti nel forno a 180 °C*

Procurarsi degli zucchini di media grandezza, non troppo lunghi e possibilmente tutti di eguale misura.

Tagliare ogni zucchino in due nel senso della lunghezza, scavarne la polpa e raccoglierla in una ciotola.

Bollire in acqua salata gli zucchini per soli 40 secondi, sollevarli delicatamente con un mestolo forato e metterli su un canovaccio a sgocciolare.

Far rosolare in padella, in 5 centilitri d'olio, la cipolla precedentemente tagliata a fettine e bollita; aggiungere la carne macinata, lasciare su fuoco medio per circa 5 minuti, quindi unire la polpa tolta agli zucchini, tagliata a pezzetti piccolissimi.

Terminare la rosolatura dopo circa altri 5 minuti.

Far raffreddare, poi mescolarvi il parmigiano, l'uovo e un pizzico di sale fino.

Riempire con questo composto gli zucchini e disporli sulla leccarda del forno unta d'olio. Cospargerli di poco pangrattato, e distribuire qua e là piccoli fiocchetti di burro.

Infornare e cuocere per il tempo indicato.

Se si vuole sostituire alla polpa degli zucchini il riso, bisogna calcolarne 130 grammi aggiungendo anche 50 grammi di pomodori pelati.

Dopo aver fatto rosolare la carne con la cipolla, unire i pomodori e far cuocere per qualche istante. Lessare il riso in acqua salata e unirlo alla carne aggiungendo il parmigiano e l'uovo; procedere poi come già indicato.

✧ 231 Pizza Napoletana al Pomodoro

La pizza non ha bisogno di presentazione, è nota in tutto il mondo.
Questa, diversamente dalla Margherita, la classica pizza
fatta dal pizzaiolo napoletano nel forno a legna,
è grande, alta e soffice ed è la pizza fatta dai panettieri e dalle casalinghe.

Per 6 persone: per la pasta per pizza alla napoletana farina g 350,
lievito di birra g 25, olio d'oliva cl 2, 1 uovo, acqua dl 1, sale g 6 •
pomodori pelati g 300 • aglio 2 spicchi • pecorino grattugiato g 10 •
olio d'oliva cl 4 • origano q.b. • sale
***Tempo di lievitazione:** 1 ora e 50 minuti*
***Tempo di cottura:** 10 minuti nel forno a 280°C*

Fare la pasta (v. n. 3) e, dopo la prima lievitazione, spianarla con il matterello infarinato, formando una sfoglia a misura di una teglia del diametro di 30 centimetri. Mettere la pasta nella teglia (che deve essere di alluminio sottile) unta di olio, cospargerla di pecorino, di pomodori a pezzetti e di aglio tritato, salarla e farla lievitare una seconda volta. Dopo circa un'ora, quando la pizza appare ben gonfia, versare a filo l'olio e cospargere di origano. Infornare e cuocere per il tempo indicato (v. *Cottura ... al lievito di birra* alla voce "Forno" nei Consigli utili).

✧ 232 Pizza Margherita

Nel 1889 un pizzaiolo napoletano volle fare un omaggio
alla Regina d'Italia chiamando "Margherita" questa pizza da lui creata
con i colori della bandiera italiana:
il bianco della mozzarella, il rosso del pomodoro, il verde del basilico.
Chiediamo venia al vecchio pizzaiolo napoletano se, pur carpendo i suoi segreti
per la preparazione della pasta, siamo costretti a cuocerla
nei nostri forni casalinghi e non nel classico, inimitabile forno a legna!

Per 2 persone: per la pasta: farina g 170, lievito di birra g 12,
olio cl 2, acqua cl 7, sale g 2 • pomodori passati g 100 •
parmigiano grattugiato g 25 •mozzarella fiordilatte g 50 •
olio d'oliva cl 4 • aglio 1 spicchio • basilico 8 foglie • sale
Tempo di lievitazione: *2 ore*
Tempo di cottura: *5-6 minuti nel forno a 280 °C*

Con un terzo della farina indicata fare un "panetto", cioè sciogliere in due cucchiai di acqua tiepida il lievito di birra, amalgamarlo con la farina e impastare, lavorando "di polso" fino a che diventi un tutto omogeneo. Porre il panetto su di un piatto e lasciarlo lievitare in un angolo caldo della cucina per circa 40 minuti.

Fare una fontana con la restante farina e mettervi al centro il panetto quando è cresciuto del doppio. Aggiungere l'olio, il sale e circa 4 cucchiai di acqua tiepida. Con le dita sgretolare il panetto nei liquidi e amalgamarlo alla farina.

Lavorare di polso come per il pane; quando, dopo pochi minuti, si avverte l'impasto riscaldarsi e gonfiarsi sotto le mani, poggiarlo su di un piatto infarinato e lasciarlo lievitare.

Dopo circa 30 minuti, quando la pasta sarà cresciuta, dividerla in due parti.

Prendere un pezzo di pasta alla volta, appiattirlo tra i palmi e dargli una forma tondeggiante, poi poggiarlo sul tavolo infarinato e con le dita spingere la pasta dal centro verso l'esterno in modo da ottenere un disco di circa 18 centimetri di diametro. Continuando a premere, formare il cornicione classico della pizza.

Poggiare le due pizze sulla leccarda del forno molto unta di olio, cospargerle di poco parmigiano, coprire con il pomodoro passato, salare, distribuirvi l'aglio tritato e cospargere di altro parmigiano. Lasciar lievitare per circa 30 minuti.

Accendere il forno al massimo e solo quando ha raggiunto la temperatura di 280 °C completare le pizze, distribuendo su ciascuna di esse sei quadratini di mozzarella molto sottili e ben sgocciolati, quattro foglie di basilico e due cucchiai di olio d'oliva. Infornare; dopo 5 minuti, quando il bordo delle pizze sarà diventato scuro, sollevare le pizze con una paletta e servirle calde.

✧ 233 Pizza Roulée Olga

La fantasia di questo rotolo napoletano sta nell'aver unito la lavorazione
della pasta sfoglia a quella della pasta per pizza alla napoletana.

Per 6 persone: per la pasta per pizza alla napoletana: farina g 350,
lievito di birra g 25, olio cl 2, 1 uovo, acqua dl 1, sale g 6 •
per il ripieno: broccoli di rape puliti g 500, aglio 1 spicchio,
olio d'oliva cl 8, parmigiano grattugiato g 40, sale
Tempo di lievitazione: *2 ore*
Tempo di cottura: *12 minuti nel forno a 280 °C*

Lavare le cime dei broccoli e lessarle in acqua salata per pochi minuti.
Sgocciolarle e rosolarle in padella con quattro cucchiai di olio e l'aglio tritato.
Aspettare che asciughino bene sul fuoco, poi, una volta fredde, tagliuzzarle con un coltello.
Fare la pasta (v. n. 3), tenendo da parte un po' di farina per le "girate" della sfoglia. Quando la pasta è lievitata una prima volta, spianarla delicatamente a rettangolo con il matterello infarinato e fare le tre girate, come per la pasta brisée: piegare il rettangolo di pasta in tre, spianarlo e di nuovo piegarlo in tre nell'altro verso.
È un'operazione che va ripetuta tre volte, cospargendo ogni volta il tavolo di farina prima di spianare e versando un po' di olio sulla "pettola" dopo averla spianata.
Dopo le tre girate, spianare la pasta in un rettangolo di circa 35 per 40 centimetri. Coprire il rettangolo con metà del parmigiano e i broccoli tritati, e arrotolarlo su se stesso sul lato più lungo come uno strudel. Schiacciare un po' il rotolo fino a che diventi di 13 per 35 centimetri e poggiarlo sulla leccarda del forno unta di olio, spolverizzarlo del parmigiano rimasto e farlo lievitare una seconda volta in un posto ben caldo. Solo quando il rotolo appare gonfio, ungerne d'olio la parte superiore e infornarlo. Servirlo caldo o freddo, tagliato a fette sottili.

✧ *234* PIZZETTE FRITTE

Queste pizzette rustiche, sottili e di forma irregolare, sono molto appetitose;
possono inserirsi in un antipasto caldo o essere servite,
come rinforzo, a colazione o a pranzo.

Per 16 pizzette: *per la pasta per pizza alla napoletana: farina g 175,*
lievito di birra g 12, olio d'oliva cl 1, 1 tuorlo, acqua dl $^1/_2$ • sale g 3 •
per la salsa: pomodori pelati g 400, aglio 1 spicchio,
olio d'oliva cl 2, parmigiano grattugiato g 50, sale •
olio d'oliva per friggere dl 2
Tempo di lievitazione: *1 ora e mezzo*
Tempo di cottura: *15 minuti per la salsa*
30-40 secondi per friggere 2 pizzette

Preparare la pasta (v. n. 3) e, quando sarà lievitata una prima volta, dividerla in due parti e con delicatezza, usando il matterello infarinato, stendere ogni pezzo in un rettangolo molto sottile.
Con un coltello tagliare delle pizzette di 10 centimetri di diametro, senza rammaricarsi se non riescono tutte uguali, perché l'irregolarità della forma le caratterizza maggiormente. Poggiare i dischi sul tavolo infarinato per la seconda lievitazione.
Preparare la salsa con gli ingredienti indicati, e farla restringere a fuoco vivace.
Appena le pizzette si sono gonfiate un poco, friggerle a due per volta in una padella con olio molto caldo ma non fumante, perché così la pasta continuerà a crescere.

Non abbassare la fiamma, e smuovere la padella in modo che l'olio vada sopra le pizzette; rigirarle perché si dorino da ambo i lati, e infine sollevarle con un mestolo forato e adagiarle su della carta assorbente.

Disporle ancora calde una per volta sul piatto da portata, versare al centro di ognuna un cucchiaio di salsa calda, spolverizzarle di abbondante parmigiano, sistemarle una sull'altra, non accavallate ma "a specchio", e servirle.

✧ 235 PIZZELLE IMBOTTITE FRITTE

Sono gustose piccole pizze napoletane adatte a un buffet caldo.

Per 30 pizzelle: *per la pasta: farina g 300, sugna o burro g 20,*
patate g 120, lievito di birra g 20, sale g 6 •
per il ripieno: ricotta g 300, parmigiano g 30, uova 3, sale,
oppure scarola kg 1, olive nere g 80, capperi salati g 40, aglio 1 spicchio •
olio d'oliva per friggere dl 3
Tempo di lievitazione: *1 ora e mezzo*

In una ciotola unire la ricotta al parmigiano grattugiato e alle uova sbattute con un pizzico di sale; l'amalgama non deve risultare liquido.

Preparare un "panetto" sciogliendo il lievito di birra in poca acqua calda e amalgamandolo a un terzo della farina. Lavorando "di polso", rendere l'impasto liscio e omogeneo.

Porre il panetto in un piatto cosparso di farina e farlo lievitare.

Dopo circa mezz'ora, quando è cresciuto del doppio, metterlo al centro di una fontana fatta con la restante farina. Aggiungere il sale, il burro, le patate lessate, sbucciate e setacciate e quattro o cinque cucchiai di acqua tiepida, per ottenere una pasta levigata e morbida. Lavorare di polso.

Dividere poi la pasta in tre parti e spianare con il matterello infarinato tre "pettole" sottili.

Aiutandosi con un bicchiere con l'orlo infarinato, sagomare tanti dischi di 6 centimetri circa di diametro.

Distribuire su ognuno di essi dell'abbondante ripieno.

Ripiegare ogni disco su se stesso a forma di mezzaluna; pressare con le dita il bordo e tagliare la pasta in eccesso.

Disporre queste piccole "pizzelle" su un canovaccio infarinato e lasciarle lievitare.

Dopo circa 1 ora friggerle in olio abbondante e ben caldo per 1 minuto, rigirandole con prontezza.

Un altro ripieno tradizionale è costituito dalla scarola.

Lessarla al dente in acqua salata, strizzarla e rosolarla velocemente nell'olio con lo spicchio di aglio tritato.

Aggiungere le olive snocciolate e i capperi salati, lavati e tritati, e far asciugare bene sul fuoco. Preparare poi le pizzelle come sopra indicato, ma farle di grandezza maggiore; i dischi di pasta devono avere un diametro di 9 centimetri e devono friggere per 2 minuti. Ne risulteranno circa 25.

✧ 236 CALZONI AL FORNO

A Napoli chiamano "calzone" questo tipo di pizza imbottita e rettangolare.
Nelle pizzerie napoletane i calzoni vengono presentati grandi e gonfi
dopo essere stati cotti nel forno a legna.
Fatti in casa è preferibile che siano di dimensioni più piccole
e di una pasta al lievito più friabile, adatta alla cottura nel forno elettrico o a gas.

Per 12 piccoli calzoni: *per la pasta per pizze imbottite:*
farina g 300, lievito di birra g 25, olio d'oliva cl 4, 1 uovo,
zucchero g 20, acqua cl 6, sale g 4 •
per il ripieno: ricotta g 375, mozzarella fiordilatte g 225, salame rustico g 25,
parmigiano grattugiato g 20 • olio d'oliva cl 3
Tempo di lievitazione: *1 ora e 50 minuti*
Tempo di cottura: *5-6 minuti nel forno a 280 °C*

In una ciotola montare la ricotta con un cucchiaio di legno.
Unirvi il parmigiano, il fiordilatte e il salame tagliati a pezzetti e amalgamare bene il tutto.
Preparare la pasta (v. n. 4); dopo una prima lievitazione, dividerla in quattro parti e spianarle con il matterello una alla volta formando quattro rettangoli.
Da ciascun rettangolo tagliare tre strisce di 10 per 14 centimetri.
Porre al centro di ogni striscia di pasta dell'abbondante ripieno, poi ripiegarla nel senso della lunghezza.
Unire bene i lembi della pasta sui tre lati del calzone con la pressione delle dita. Tagliare la pasta eccedente e adagiare i calzoni sulla leccarda del forno unta con i 3 centilitri di olio, distanziati tra loro.
Aspettare che lievitino una seconda volta per circa 1 ora, infine infornare.
Servirli caldi.

✧ 237 PIZZA DI SCAROLA

La classica pizza di scarola meridionale si esegue con la pasta al lievito di birra
oppure con la pasta sfoglia.
Questa versione con la brisée oggi è molto diffusa
perché di facile esecuzione e ugualmente saporita.

Per 10 persone: per la pasta brisée: farina g 400,
margarina g 200, acqua cl 12, sale g 6 •
per il ripieno: scarola pulita g 700, olive nere da cucina g 120,
capperi salati g 50, uva passa e pinoli g 40, aglio 1 spicchio, olio d'oliva dl 1 •
burro g 25 • per spennellare: 1 uovo
Tempo di cottura: *40 minuti nel forno a 200 °C*

Lessare al dente la scarola in abbondante acqua salata.

Sgocciolarla e strizzarla fortemente tra le mani per eliminare l'acqua.

In una padella far rosolare nell'olio per 2 minuti, a fuoco medio, prima l'aglio tritato, poi la verdura con le olive snocciolate e tagliuzzate e i capperi lavati e tritati; quando la scarola è asciutta aggiungere l'uva passa e i pinoli.

Fare la pasta brisée (v. n. 7 o 8) e dividerla in due parti di cui una un po' più grande. Con il matterello infarinato stendere due "pettole" sottili; con la più grande foderare il fondo e il bordo di una teglia di alluminio, del diametro di circa 28 centimetri, unta di burro.

Riversare la scarola condita e fredda nella teglia e coprirla con l'altra pettola.

Saldarla a quella inferiore, ripiegando l'orlo in modo da formare un bel bordo sottile. Praticare al centro della superficie un piccolo foro affinché, durante la cottura, l'aria fuoriesca, e circondarlo con una strisciolina di pasta.

Con altre striscioline fare delle decorazioni, quindi spennellare la torta con l'uovo sbattuto e infornare (v. alla voce "Forno" nei Consigli utili).

Questa torta è facile da sformare e può essere servita sia calda sia a temperatura ambiente.

✧ 238 BRIOCHE CLASSICA

Le teglie da brioche sono rotonde e vuote al centro; solitamente quel vuoto
centrale viene riempito con salse adatte, come la besciamella calda,
o con verdure quali piselli o spinaci al burro.

Per 6 persone: *per la pasta per brioche: farina g 400, burro g 90, olio d'oliva cl 1,*
uova 3, latte cl 14, zucchero g 30, lievito di birra g 25, sale g 5 •
per il ripieno: prosciutto crudo g 80, parmigiano grattugiato g 40 • burro g 30
Tempo di lievitazione: *2 ore e un quarto circa*
Tempo di cottura: *25 minuti nel forno a 200 °C*

Fare la pasta (v. n. 16), incorporando il parmigiano e il prosciutto tagliato a pezzetti. Procedere lavorando l'impasto come descritto e osservare i tempi delle altre due lievitazioni necessarie.

Dopo la terza lievitazione avvenuta in una teglia da brioche del diametro di 24 centimetri unta di burro, quando la pasta appare ben gonfia, infornare seguendo attentamente i consigli dati per la cottura della brioche.

Per sformare inserire la lama di un coltello tra la brioche e la teglia.

✧ **239** Torta Rustica con la Frolla

Unire il salato al dolce è un uso antico che piace molto anche oggi.
Questa torta servita come entremets o per un buffet è ottima anche fredda.

Per 14 persone: *per la pasta frolla originale: farina g 400, burro o sugna g 200,*
zucchero g 200, tuorli 4, limone 1 scorza •
per il ripieno: mozzarella fiordilatte g 320, ricotta g 200,
provolone semipiccante g 100, salame rustico g 70, uova 4, sale •
burro g 30 • per spennellare: 1 chiara d'uovo
Tempo di cottura: *30 minuti nel forno a 200 °C*

Per preparare il ripieno sbattere in una ciotola le uova con il sale necessario; con una forchetta stemperarvi la ricotta e aggiungere la mozzarella, il provolone e il salame tagliati a pezzetti.

Fare la pasta secondo le indicazioni della ricetta specifica (v. n. 10), poi con due terzi di essa foderare il fondo e il bordo di una teglia dalle pareti sottili, con diametro di 24 centimetri e bordo alto 5, unta di burro.

Versare nella teglia foderata di frolla il ripieno preparato.

Suddividere il terzo di pasta rimanente in due pezzi e spianarli in rettangoli. Da questi ricavare tante strisce larghe $^1/_2$ centimetro e spesse 1 centimetro.

Mettere a copertura del ripieno le strisce, una alla volta, prima orizzontalmente e poi verticalmente, a griglia; formare tutt'intorno un bel cornicione di pasta e pressarlo a chiusura con le dita.

Spennellare la superficie della torta con la chiara d'uovo sbattuta e infornare, ricordando di calcolare il tempo di cottura necessario da quando lungo il bordo della teglia cominciano a vedersi delle bollicine.

Sformare la torta quando è tiepida.

Non conservarla in frigorifero perché la pasta si indurisce perdendo la sua caratteristica friabilità. È opportuno ricordare che la pasta frolla non è buona quando è calda; bisogna gustarla tiepida o a temperatura ambiente.

✧ **240** Torta Rustica con la Brisée

Se la lavorazione della pasta brisée risulta difficile, si può preparare questa gustosa
torta con la pasta brisée comune, più facile ma meno leggera.

Per 12 persone: per la pasta brisée: farina g 400,
margarina g 200, acqua cl 12, sale g 6 •
per il ripieno: provolone semipiccante g 100, fontina g 120,
mozzarella fiordilatte g 350, ricotta g 100, salame rustico g 50, uova 4 •
burro g 30 • per spennellare: 1 uovo
Tempo di cottura: *40 minuti nel forno a 200 °C*

Fare la pasta brisée (v. n. 7 o 8) e dividerla poi in due parti disuguali. Stendere con il matterello infarinato due sfoglie sottili e, con la più grande, foderare fino al bordo una teglia dalle pareti sottili, del diametro di 28 centimetri, unta di burro.

Fare attenzione a che non restino vuoti d'aria tra la sfoglia e la teglia.

Preparare il ripieno sbattendo in una ciotola le uova con un po' di sale e stemperandovi la ricotta. Tagliare il fiordilatte, i due formaggi e il salame a pezzetti, unirli alla ricotta amalgamata con le uova e mescolare.

Riversare il ripieno nella teglia foderata di pasta e coprire il tutto con il secondo strato di pasta brisée. Ripiegarne l'orlo in modo che formi un bel bordo sottile tutt'intorno e, con i denti di una forchetta infarinata, farlo aderire alla teglia.

Praticare al centro della superficie un piccolo foro affinché, durante la cottura, l'aria fuoriesca e circondarlo con una strisciolina sottile di pasta.

Dai ritagli della pasta si possono ricavare tante strisccioline larghe un centimetro che, attorcigliate, servono a guarnire la torta.

Spennellare infine con l'uovo sbattuto e infornare, ricordando che il tempo di cottura indicato va calcolato da quando si notano delle bollicine lungo il bordo della teglia. È facile sformare la torta, che può essere servita calda oppure, il giorno dopo, a temperatura ambiente o anche riscaldata (v. alle voci "Forno" e "Riscaldare" nei Consigli utili).

✧ 241 TORTA RUSTICA DI VERDURE CON LA SFOGLIA DI MUNZÙ

È una torta molto delicata, rivestita di una pasta sfoglia di alto livello,
ma di facile esecuzione.

Per 8 persone: per la pasta sfoglia del vecchio Munzù: farina g 220,
sugna g 160, acqua cl 8, sale g 2 •
per il ripieno: spinaci puliti g 250, carciofi puliti a cuore 5,
ricotta g 250, uova 3, parmigiano grattugiato g 40, 1 limone, sale • burro g 25 •
per spennellare la sfoglia: 1 tuorlo
Tempo di cottura: *40 minuti nel forno a 200 °C*

Lessare al dente gli spinaci in pochissima acqua salata, sgocciolarli e comprimerli tra le mani per eliminare l'acqua.

Bollire i carciofi tagliati a "cuore" con il loro gambo, dopo averli strofinati con uno spicchio di limone.

Tritare con un coltello ambedue le verdure cotte e mescolarvi il parmigiano.

In una ciotola montare la ricotta con un cucchiaio, mescolarla alle uova sbattute con un po' di sale, e unire il composto alle verdure fredde.

Preparare la pasta sfoglia (v. n. 15) e, come indica la ricetta, ricavare due sfoglie diseguali; foderare con la sfoglia più grande il fondo e il bordo di una teglia di alluminio, di 24 centimetri di diametro, unta di burro.

Versare nella teglia così preparata il composto di verdure, ricotta e uova.

Coprire con la sfoglia più piccola, farne combaciare il bordo con quello della sfoglia più grande e saldarle facendo pressione con le dita.

Ripiegare l'orlo e formare un cornicione di pasta tutt'intorno alla torta. Con i ritagli di pasta fare alcune strisce sottili, arrotolarle e creare sulla superficie del pasticcio un disegno a piacere.

Spennellare la sfoglia superiore con il tuorlo, bucherellarla e infornare solamente quando il forno ha raggiunto la temperatura di 280 °C.

Dopo circa 10 minuti, quando sul bordo della torta si notano alcune bollicine, abbassare la temperatura a 200 °C e da quel momento calcolare il tempo di cottura indicato. Sformare questa saporita torta che può anche essere servita calda o a temperatura ambiente.

✧ *242* Torta Rustica con Carciofi

Torta raffinata e di bella presenza, molto adatta a un buffet.

*Per 20 persone: per la pasta frolla originale: farina g 500,
burro g 250, zucchero g 250, tuorli 5 •
per il ripieno: parmigiano grattugiato g 100, ricotta g 400,
mozzarella fiordilatte g 500, uova 7, cuori di carciofo surgelati g 800,
burro g 70, sale • burro g 30 • per spennellare: 1 chiara d'uovo
Tempo di cottura: 40 minuti nel forno a 200 °C*

Cuocere i cuori di carciofo, ancora surgelati e interi, in una pentola con coperchio che li contenga in un solo strato, con una tazzina d'acqua, il burro e il sale necessario. Rigirarli a metà cottura, uno per volta. Far asciugare completamente l'acqua e, una volta freddi, tagliarli in quattro spicchi.

In una ciotola sbattere le uova con il sale, stemperarvi la ricotta servendosi di una forchetta e mescolarvi il parmigiano e il fiordilatte tagliato a pezzetti. Da ultimo aggiungere i carciofi, facendo attenzione a non frantumarli.

Fare la pasta frolla (v. n. 10) con le dosi sopra indicate.

Eseguire questa imponente pizza rustica seguendo lo stesso procedimento indicato per la "Torta rustica con la frolla" (v. n. 239) ma usando una teglia di alluminio sottile di 28 centimetri di diametro e lasciando in forno più tempo date le dimensioni e il ripieno diversi.

Sformarla quando è tiepida e servirla così o a temperatura ambiente.

✧ *243* Quiche à la Lorraine

Per 6 persone: per la pasta brisée: farina g 300, burro g 100,
margarina g 50, acqua cl 9 • sale g 4 •
per la besciamella: latte dl 3, farina g 10, burro g 20, sale •
per il ripieno: gruviera g 80, pancetta coppata g 120, uova 3 • burro g 25
Tempo di cottura: 25 minuti nel forno a 200 °C

Preparare la pasta (v. n. 7) con le dosi sopra indicate; è preferibile usare anche del burro, perché questa pizza, che contiene poco ripieno, possa risultare più pastosa. Dopo le tre "girate", cioè dopo aver piegato la sfoglia in tre per la terza volta, stendere la pasta in un'unica "pettola". Ungere di burro una teglia sottile del diametro di 24 centimetri e alta 5 e foderarla completamente con la pasta.

Ripiegarne il bordo e farlo aderire alla teglia schiacciandolo con i denti di una forchetta infarinata; esso deve risultare alto e diritto, per dare un bell'aspetto alla quiche.

Affettare metà del gruviera in pezzetti rettangolari e sottili e distribuirli lungo tutto il bordo della teglia, incastrandoli un po' nella pasta sotto il cornicione per far sì che durante la cottura esso non si abbassi.

Disporre sul fondo della teglia prima la pancetta tagliata a strisce sottili, poi l'altra metà di gruviera, affettato in strisce più larghe delle precedenti, ma sempre sottili.

Preparare la besciamella (v. n. 28) senza farla restringere sul fuoco.

Quando è fredda, unirvi i tuorli montati e le chiare lavorate a neve ferma.

Amalgamare delicatamente e riversare il composto sulla pancetta e il formaggio già disposti nella teglia.

Infornare, seguendo attentamente i consigli per la cottura in forno di preparazioni normali.

Sformarla calda e servirla subito per evitare che il composto di chiare d'uovo raffreddandosi si smonti.

A cottura ultimata la quiche avrà assunto un bel colore dorato.

✧ *244* Tortano Meridionale

In Campania molti usano arricchire l'antipasto pasquale
con questo tradizionale tortano, *ricco di uova sode e salumi.*

*Per 10 persone: per la pasta: farina g 400, sugna g 140, lievito di birra g 25 •
cicoli o pancetta a cubetti g 150 • provolone semipiccante g 80 •
salame rustico g 90 • uova sode 4 • pepe q.b. • sale g 6 • burro g 30*
Tempo di lievitazione: *3 ore circa*
Tempo di cottura: *35 minuti nel forno a 200 °C*

Sciogliere il lievito di birra in poca acqua tiepida; unirlo a 100 grammi di farina e lavorando "di polso" l'impasto formare un "panetto"; deporlo poi su un piatto infarinato e lasciarlo lievitare per circa 40 minuti in un angolo caldo della cucina.

Disporre a fontana la restante farina e mettervi al centro la sugna, i *cicoli*, un poco di pepe, il sale e circa 1 decilitro di acqua tiepida.

Con una forchetta amalgamare gli ingredienti e aggiungere il panetto lievitato, sgretolandolo con le dita.

Raccogliere poco per volta la farina dall'interno della fontana e, lavorando di polso per qualche minuto, rendere l'impasto liscio e morbido.

Dividere l'impasto in due parti, poggiarle sul marmo infarinato e farle lievitare al caldo.

Dopo circa 1 ora, quando il loro volume si sarà raddoppiato, spianare con le dita i due pezzi di pasta e ricavare due rettangoli stretti e lunghi, idonei a essere collocati in una teglia a forma di ciambella.

Poggiare sul primo pezzo il salame e il provolone tagliati a pezzetti.

Coprire con l'altro pezzo spianato e fare aderire con le dita i bordi tra loro. Torcere un po' il *tortano* e adagiarlo in una teglia da brioche, del diametro di 24 centimetri, unta di burro, con buco al centro.

Spennellare tutta la superficie con acqua e sugna; incastrarvi le quattro uova sode, verticalmente e a uguale distanza tra loro. Coprire ciascun uovo con due strisciolline di pasta disposte a croce e lasciar lievitare il tutto in luogo caldo.

Dopo circa 1 ora e mezzo, quando il *tortano* si sarà gonfiato bene, passare la teglia in forno. Servire a temperatura ambiente (v. *Cottura ... al lievito di birra* alla voce "Forno" nei Consigli utili).

✧ 245 SFORMATO DI SPINACI

*Molto delicato questo sformato, adatto per una cena leggera.
Lo si può anche servire come primo piatto, accompagnato da un buon brodo caldo.*

*Per 5 persone: spinaci puliti g 400 • burro g 50 •
per la besciamella: latte dl 2, farina g 10, burro g 20, sale •
uova 4 • mandorle sgusciate g 20 • sale •
noce moscata grattugiata g 2 • crostini di pane abbrustoliti 10*
Tempo di cottura: *1 ora a bagnomaria*

Lessare gli spinaci in poca acqua salata. Sgocciolarli e strizzarli fortemente tra le mani. Passarli al tritaverdure e rosolarli in una padella con il burro su fuoco moderato, facendoli asciugare bene.

Fare la besciamella (v. n. 28) con le proporzioni sopra indicate. Friggere in poco olio le mandorle e tagliuzzarle.

Unire alla besciamella fredda i tuorli, le mandorle, la noce moscata, gli spinaci e in ultimo le chiare d'uovo già montate a neve ferma.

Ungere d'olio e cospargere di pangrattato una teglia dalle pareti sottili del diametro di 16 centimetri e bordo alto 8. Versare in essa il composto bene amalgamato, coprire e cuocere a bagnomaria sul fornello.

A cottura ultimata, sformare, mettere su un piatto tondo da portata e servire con piccoli crostini di pane abbrustoliti.

✧ 246 SOUFFLÉ DI SPINACI

Per 3 persone: spinaci g 250 • burro g 35 • uova 3 •
parmigiano grattugiato g 10 • sale •
per la besciamella: latte cl 6, farina g 5, burro g 5, sale
Tempo di cottura: *20 minuti nel forno a 180 °C*

Preparare la besciamella (v. n. 28). Pulire, lavare e lessare gli spinaci in poca acqua salata. Sgocciolarli, strizzarli fortemente tra le mani per eliminare ogni residuo di acqua, metterli a rosolare nel burro a fuoco moderato. Poi tritarli molto finemente e unirli alla besciamella fredda, aggiungendo il parmigiano, i tuorli e, in ultimo, le chiare montate precedentemente a neve ferma.

Ungere di olio e cospargere di farina una teglia da soufflé a pareti alte e lisce, di 12 centimetri di diametro, e versarvi il composto che deve riempirla solo per due terzi. Infornare e cuocere per il tempo indicato, a temperatura costante.

A cottura ultimata, servire subito nella teglia stessa (v. *Cottura ... alle chiare d'uovo* alla voce "Forno" nei Consigli utili).

✧ 247 SOUFFLÉ DI PATATE

Per 4 persone: patate vecchie g 800 • uova 4 •
gruviera grattugiato g 100 • sale • burro g 25
Tempo di cottura: *40 minuti nel forno a 180 °C*

Lessare le patate con la buccia in acqua salata.
Dopo mezz'ora ritirarle dal fuoco, spellarle e setacciarle.
Ancora calde, unirvi i tuorli d'uovo, il formaggio e impastare con le mani.

Assaggiare per giudicare se è necessario ancora un po' di sale.

A parte montare le chiare a neve ferma e unirle al composto freddo, mescolando con un cucchiaio di legno dal basso verso l'alto perché le chiare non smontino.

Ungere di burro una teglia dalle pareti alte e lisce di 16 centimetri di diametro e versarvi il composto. Infornare quando il forno ha raggiunto la temperatura richiesta e cuocere per il tempo indicato.

Non aprire il forno durante la cottura.

Servire il soufflé appena tolto dal forno, nella teglia stessa.

✧ 248 COLBACCO RUSSO CON CARNE

Questo insolito pasticcio è costituito da una pasta per brioche
fatta di ingredienti che legano tra loro molto bene.

Per 8-10 persone: *per la pasta per brioche: farina g 400, burro g 90,*
olio d'oliva cl 1, uova 3, latte dl 1, lievito di birra g 25, sale g 5 •
per il ripieno: riso fino g 225, burro g 50, brodo di manzo dl 6,
polpa di vitello g 450, olio q.b., uova sode 3, sale g 20 •
burro g 20 • per spennellare: 1 uovo
Tempo di lievitazione: *1 ora e mezzo per la pasta*
Tempo di cottura: *10 minuti per il risotto*
35 minuti nel forno a 180 °C per il pasticcio

Fare la pasta (v. n. 16) e metterla a lievitare al caldo.

Far rosolare per qualche minuto il riso nel burro, salarlo un poco, poi bagnarlo con il brodo caldo e cuocerlo a risotto. A cottura ultimata esso deve risultare asciutto, con i chicchi staccati.

Tagliare a pezzettini rettangolari e sottili un pezzo di polpa di carne tenera, quale il "filetto" o le "costolette"; privarli di eventuali nervi e, dopo averli pesati, porli a macerare con 20 grammi di sale e poche gocce di olio, per 1 ora circa.

Stendere sulla leccarda del forno un foglio di carta oleata unto di burro.

Prendere un terzo della pasta lievitata per la seconda volta, conferirle la forma di un disco sottile, del diametro di 16 centimetri, e posarla sulla carta oleata.

Dividere in tre parti il riso e i pezzetti di carne cruda sgocciolati.

Distribuire sul disco di pasta una prima porzione di riso, sbriciolarvi sopra un tuorlo sodo e poi un terzo dei pezzetti di carne. Fare un secondo strato di ripieno, distribuendo nuovamente riso, tuorlo sodo e carne; procedere così per il terzo strato con il rimanente riso, il terzo tuorlo e l'ultima parte di carne cruda. Coprire questi tre strati con i due terzi della pasta restante. Con le dita stenderla verso il basso lungo le pareti del pasticcio fino alla base, cercando di non alterarne la forma cilindrica, affinché anche dopo la lievitazione esso mantenga la forma di un alto colbacco.

Levigare la pasta con un coltello e ripiegarla in sotto in modo che l'imbottitura non fuoriesca. Guarnire la sommità con qualche ritaglio di pasta e spennellare con un tuorlo sbattuto.

Far lievitare il colbacco farcito per circa 30 minuti. Quando si sarà gonfiato, metterlo nel forno alla temperatura richiesta. Servirlo caldo (v. *Cottura ... al lievito di birra* alla voce "Forno" dei Consigli utili).

✧ *249* Pagnotte Brusche

Un tempo questi stuzzicanti beignets rappresentavano un tradizionale entremets. Oggi possono guarnire un tè o arricchire un antipasto.

Per 25 pagnotte brusche: per la pasta per beignets: farina g 100, uova intere 2, 1 tuorlo, burro g 75, acqua l $^1/_4$, cremore di tartaro g 1, bicarbonato g $^1/_2$, sale g 2 • prosciutto crudo g 60 • per la besciamella: latte dl 2, farina g 10, burro g 15, sale • parmigiano grattugiato g 20
Tempo di cottura: *30 minuti nel forno a 170 °C*

Preparare la besciamella (v. n. 28) con le proporzioni sopra indicate e metterla in frigorifero; una volta fredda amalgamarvi il parmigiano.

Preparare la pasta (v. n. 18) e unirvi il cremore e il bicarbonato dopo averli mescolati, quindi aggiungere il prosciutto tagliato a pezzettini sottili.

Con un cucchiaio prendere l'impasto un po' per volta e lasciarlo cadere sulla leccarda del forno bagnata. Devono risultare tante palline grandi quanto una noce, distanziate tra loro in modo che, gonfiandosi, non si tocchino. Infornare sul piano alto del forno soltanto 10 minuti dopo averlo acceso a 170 °C (se è elettrico), 5 minuti (se è a gas). Quando le pagnotte avranno assunto un colore dorato, spegnere il forno e lasciarvele raffreddare dentro.

Con le forbici praticare un taglio orizzontale presso la sommità della pagnotta, sollevare il lembo di pasta e inserire la besciamella mescolata al parmigiano e tenuta in frigorifero.

Disporre le pagnotte brusche a piramide sul piatto da portata tondo ricoperto da un tovagliolo.

Ricordare che esse devono essere preparate in giornata e riempite poco prima di essere servite.

CONTORNI

✧ *250* ASPARAGI AL BURRO BRUNITO

Per 6 persone: asparagi grossi kg 1,600 • burro g 100 •
parmigiano grattugiato g 50 • sale
Tempo di cottura: *10 minuti*

Lavare gli asparagi, legarli stretti in due o tre fascetti e tagliarne un poco il gambo, sia per livellarli sia perché non superino l'altezza della pentola in cui vanno cotti. Immergerli nell'acqua salata in ebollizione in una pentola stretta e alta; gli asparagi devono stare diritti con le punte rivolte verso l'alto, in modo che, essendo queste più tenere, cuociano a vapore.

Una volta cotti, sollevarli con un mestolo forato, sgocciolarli, slegarli e sistemarli in un piatto da portata ovale.

Versare sulle punte il burro brunito e caldo e cospargere di parmigiano.

✧ *251* CARCIOFI ALLA GIUDÌA

Per questa ricetta sono indicati dei carciofi grandi e senza spine.

Per 4 persone: carciofi 8 • olio d'oliva cl 6 • olive nere g 80 •
capperi salati g 40 • aglio 1 spicchio • prezzemolo 1 mazzetto •
pangrattato g 25 • 1 limone • sale g 8
Tempo di cottura: *30 minuti circa*

Per pulire "a cuore" i carciofi, levare a ciascuno le foglie esterne e dure fino a che il fondo appare chiaro e tenero; poggiarli su un tagliere ed eliminare le punte delle foglie per una lunghezza di circa un terzo del carciofo; con un coltellino appuntito levare delicatamente la peluria interna; raschiare il gambo, staccarlo dal cuore e ridurlo a 4 centimetri di lunghezza; con le mani divaricare le foglie per poter inserire il ripieno; infine strofinarli con il limone e sciacquarli velocemente, perché bagnati anneriscono. Ungere di olio un tegame e sistemarvi i carciofi in un solo strato, diritti, con il fondo a contatto con il recipiente, ben serrati gli uni agli altri, alternandoli con i gambi.

In una ciotola mescolare il pangrattato, l'aglio e il prezzemolo tritati, i capperi lavati e tritati e le olive snocciolate e tagliate a pezzetti.

Distribuire questo ripieno nel cuore di ogni carciofo, versarvi sopra l'olio, un bicchiere di acqua e cospargere il tutto di sale. Coprire il tegame e porlo su fuoco moderato.

Quando i carciofi sono cotti, se la loro glassa è ancora acquosa, tenere il tegame sul fuoco ancora pochi minuti senza coperchio.

Se i carciofi, trascorso il tempo indicato, non sono del tutto cotti, aggiungere due o tre cucchiai di acqua bollente e continuare la cottura fino a che si sia asciugata del tutto. Servirli in un piatto da portata per un contorno importante o come entremets.

✧ 252 Carciofi Ripieni

Per 6 persone: carciofi 12 • mozzarella fiordilatte g 140 •
gruviera g 120 • burro g 60 •
per la besciamella (g 200): farina g 10, latte dl 2, burro g 15, sale •
1 limone
Tempo di cottura: *20 minuti nel forno a 180 °C*

Pulire i carciofi "a cuore" come indica la ricetta "Carciofi alla giudìa" (v. n. 251); staccarne i gambi e conservarli a parte.

Strofinare ogni carciofo con il limone e risciacquarlo.

Farli bollire per 5 minuti in una pentola con pochissima acqua fredda salata; infine sgocciolarli. Ungere di burro una teglia e collocarveli in un unico strato, bene accostati gli uni agli altri.

Preparare la besciamella (v. n. 28) e mescolarne una metà al fiordilatte e al gruviera tagliati a pezzettini. Riempire ciascun cuore di carciofo con questo composto. Poggiarvi sopra alcuni fiocchetti di burro e i gambi raschiati e tagliati a fettine sottili. Cospargere il tutto con l'altra metà di besciamella.

Infornare alla temperatura richiesta (v. alla voce "Forno" nei Consigli utili).

✧ 253 Carciofi alla Romana

Per 6 persone: carciofi grandi 6 • prezzemolo 1 mazzetto • aglio 1 spicchio •
vino bianco dl 2 • olio d'oliva cl 5 • 1 limone • sale
Tempo di cottura: *20 minuti*

Scegliere carciofi grossi, teneri e senza spine. Pulirli "a cuore" come indica la ricetta "Carciofi alla giudìa" (v. n. 251), ma senza staccarne il gambo, che va solo ridotto a 4 centimetri di lunghezza. Strofinare ogni cuore di carciofo con il limone, sciacquarlo e riempirlo di prezzemolo e aglio tritati.

In un tegame rotondo e alto sistemare i carciofi in un unico strato, ben serrati l'uno all'altro, con il gambo rivolto verso l'alto. Aggiungere il vino, 2-3 cucchiai d'acqua, il sale e l'olio. Coprire e far cuocere a fuoco moderato finché la forchetta, infilata nel fondo del carciofo, ne indichi la giusta cottura.

Infine sistemare i carciofi sul piatto da portata e versarvi sopra il fondo di cottura, che deve risultare leggermente brodoso. Questi carciofi accompagnano bene pizze rustiche e fritture.

✧ 254 Carote Agrodolci

Per 8 persone: carote g 800 • cipolline 4 • prezzemolo $^1/_2$ mazzetto • burro g 40 •
per la besciamella: farina g 10, latte dl 1 $^1/_2$, burro g 15, sale •
zucchero $^1/_2$ cucchiaino • sale
Tempo di cottura: *50 minuti circa*

Preparare la besciamella (v. n. 28).

Pulire le carote e tagliarle a bastoncini, eliminandone l'interno stopposo. Farle rosolare con le cipolline intere nel burro in un tegame, a fuoco moderato. Rigirarle per pochi minuti, poi salarle, coprire e continuarne la cottura per circa 10 minuti. Infine aggiungere lo zucchero.

Quando le carote sono cotte, unirle alla besciamella e dare al tutto un solo bollore. Servire le carote calde e cremose cosparse di prezzemolo tritato.

✧ 255 Cavolfiore con la Besciamella

Per 6 persone: cavolfiore g 450 • burro g 40 •
per la besciamella: latte dl 2, farina g 15, burro g 20, sale •
parmigiano grattugiato g 40 • sale
Tempo di cottura: *20 minuti nel forno a 180 °C*
15 minuti per bollire

Incidere il torsolo del cavolfiore in due o tre punti, lavarlo e cuocerlo intero al dente in abbondante acqua salata.

Divenuto freddo, dividerlo in piccoli cespi, senza alterare l'aspetto dei fiori dei quali è composto. Con gli ingredienti indicati fare una besciamella liquida (v. n. 28) e unirvi 20 grammi di parmigiano grattugiato.

In una ciotola condire i pezzi di cavolfiore con qualche fiocco di burro e la metà della besciamella.

Ungere di olio una teglia da tavola di media grandezza, sistemarvi dentro il cavolfiore condito, distribuire la rimanente besciamella e gli altri 20 grammi di burro a pezzetti e spolverizzare il tutto con altro parmigiano.

Infornare e far cuocere a fuoco moderato per il tempo indicato.

✧ 256 CAVOLFIORE AU GRATIN

Per 5 persone: cavolfiore g 600 • olio d'oliva cl 7 • olive nere g 70 •
capperi salati g 35 • uva passa g 20 • aglio 1 spicchio •
pangrattato g 20 • sale
Tempo di cottura: 15-20 minuti per bollire
15 minuti nel forno a 180 °C

Lessare intero il cavolfiore in acqua salata per il tempo indicato, secondo la qualità. Una volta cotto e freddo, dividerlo in piccoli cespi, possibilmente tutti di eguale grandezza.

Ungere d'olio una piccola teglia da tavola, sistemarvi i cespi e cospargerli di olio, aglio tritato, olive snocciolate e tagliate a pezzetti, capperi lavati e tritati e uva passa. Spolverizzare di pangrattato.

Infornare, cuocere per il tempo indicato e servire nella teglia stessa, come contorno di un piatto di carne.

✧ 257 CAVOLINI DI BRUXELLES AL BURRO

Per il loro sapore molto particolare,
è bene servirli sempre insieme a un altro contorno.

Per 4 persone: cavolini di Bruxelles g 450 • burro g 40 • sale
Tempo di cottura: 5 minuti per bollire
12 minuti per rosolare

Levare ai cavolini le foglie esterne dure, se ve ne sono, e tagliare un po' il torsolo di ciascuno.

Lavarli e lessarli in abbondante acqua salata e sgocciolarli.

Distribuire il burro a pezzetti in una padella larga e sistemarvi i cavolini in un unico strato.

Farli rosolare su fuoco moderato, senza coprirli, facendo attenzione a rigirarli affinché non si brucino.

✧ 258 CICORIA DI CAMPAGNA AL POMODORO

Questi piccoli cespi di verdura dalle foglie ispide
abbondano in Puglia nei mesi invernali e sono caratteristici di quella terra.

Per 6 persone: cicoria già pulita kg 1 • olio d'oliva cl 4 • 1 cipolla •
$^1/_2$ carota • pancetta g 80 • pomodori pelati g 220 •
aglio $^1/_2$ spicchio • sale
Tempo di cottura: *5 minuti per bollire*
15 minuti per rosolare
5 minuti per cuocere

Lavare la cicoria e lessarla in acqua salata abbondante, perché è piuttosto amara.
Tagliare la pancetta a cubetti e non a pezzetti sottili; ciò per evitare che si liquefaccia del tutto e renda indigesto il sugo.
Far rosolare nell'olio la cipolla affettata e precedentemente bollita in poca acqua.
Aggiungervi la carota tritata e la pancetta.
Far sciogliere un po' la pancetta su fuoco moderato per 2-3 minuti; unirvi i pomodori con l'aglio tritato, salare e far bollire ancora per qualche minuto.
Porre infine in questa salsa la cicoria ben sgocciolata, coprire e far cuocere a fuoco basso per il tempo indicato.
Se necessario, aggiungere un paio di cucchiai d'acqua, ma considerare che la verdura, a fine cottura, non deve risultare brodosa. Servirla sia calda sia a temperatura ambiente come contorno di piatti di carne.

✧ 259 CIPOLLINE IN AGRODOLCE

Servite calde, sono un contorno raffinato per un piatto di carne bianca.
Fredde, si collocano ottimamente tra le pietanze di un buffet.

Per 6 persone: cipolline novelle piccole kg 1 • burro g 50 • olio d'oliva cl 5 •
vino bianco cl 3 • aceto bianco cl 2 • zucchero g 15 • sale
Tempo di cottura: *1 minuto per bollire*
10 minuti per rosolare
30 minuti per cuocere

Spellare le cipolline e farle bollire in poca acqua salata per 1 minuto.
Mettere il burro a pezzetti e l'olio in una pentola a fondo largo, disporvi le cipolline in un solo strato e farle rosolare prima da un lato, poi dall'altro per un totale di 10 minuti. Spruzzare il vino, poi l'aceto e aspettare che evaporino.
Cospargere infine di zucchero, coprire la pentola e far cuocere le cipolline a fuoco molto moderato per circa 30 minuti.

A metà cottura rigirarle una per volta, delicatamente. A fine cottura, se non appaiono un po' caramellate, farle cuocere ancora per pochi minuti, scoperte, facendo attenzione a che non brucino.

✧ 260 FINOCCHI AU GRATIN

Serviti caldi e fumanti sono un valido contorno ma anche un gradito entremets.

Per 9 persone: finocchi grandi 3 • burro g 75 • parmigiano grattugiato g 60 •
per la besciamella: latte dl 3 ¹/₂, burro g 15, farina g 10, sale
Tempo di cottura: *2 minuti per bollire*
35 minuti nel forno a 180 °C

Preparare la besciamella (v. n. 28) con le proporzioni indicate e farla raffreddare in frigorifero.
Tagliare a fette sottili la parte tenera del torsolo dei finocchi e staccarne tutte le foglie.
Lavare i finocchi e metterli in acqua salata in ebollizione per i minuti indicati.
Una volta cotti, tagliarli a liste uguali, condirli con un poco del burro e del parmigiano indicati e mescolarvi quasi tutta la besciamella fredda e indurita.
Ungere di burro una teglia da tavola e disporvi i finocchi in un paio di strati.
Distribuirvi sopra dei fiocchetti di besciamella e di burro e spolverizzare con il parmigiano rimasto. Infornare, e cuocere per il tempo indicato, facendo un po' dorare la superficie di questa bella e saporita preparazione.

✧ 261 FUNGHI A CAPPELLO

Se i funghi sono di bosco è preferibile
escludere dagli ingredienti elencati in questa ricetta il vino rosso,
affinché il loro profumo possa restare inalterato.

Per 4 persone: funghi larghi a cappello coltivati g 500 • olio d'oliva cl 6 •
aglio 1 spicchio • vino rosso cl 7 • pangrattato g 30 • sale
Tempo di cottura: *30 minuti nel forno a 180 °C*

Lavare bene e sgocciolare i funghi. Privarli della parte dura del gambo e tagliarli in 2-3 pezzi, per il lungo, regolandosi affinché risultino tutti uguali, nonostante le diverse dimensioni dei funghi.
Mettere in una ciotola l'olio, il vino, il sale e l'aglio tritato e mescolare. Immergere i funghi in questa salsetta, rigirarli per condirli bene, poi disporli in una teglia da ta-

vola unta d'olio che li contenga in un solo strato, ben serrati. Cospargere di pan-grattato e infornare alla temperatura indicata.
Servirli come un secondo contorno.

✧ 262 INSALATA DI ARANCE

Sembrerebbe insolita, invece è un'antica ricetta.

Per 4 persone: *arance grandi 2 $^1/_2$ • aceto cl 2 • olio d'oliva cl 1 • sale g 8*

Sbucciare le arance, che devono essere di buona qualità, e tagliarle a fette rotonde. Dividere ogni fetta in quattro parti.
Salare, condire con olio e aceto, mescolare delicatamente e servire come accompa-gnamento di una pizza rustica.

✧ 263 INSALATA DI RISO

Le insalate di riso sono di facile esecuzione
e i loro ingredienti possono variare secondo i gusti.
Durante la stagione estiva, oltre che come contorno
di una pietanza di base, vengono servite come primo piatto.

Per 8 persone: *riso fino g 250 • cipolle medie 2 • olive nere g 150 •*
peperoni agrodolci in scatola g 150 • pomodori per insalata g 120 •
olio d'oliva cl 4 • 1 limone • foglie di lattuga piccoline 8 • sale
Tempo di cottura: *9 minuti per il riso*
12 minuti per le cipolle

Cuocere il riso in acqua salata e molto al dente.
Tagliare le cipolle a fette e cuocerle in pochissima acqua salata per il tempo indica-to; sgocciolarle e tagliarle a dadi. Tagliare a cubetti i pomodori, condirli con mezzo cucchiaio d'olio e poco sale e sgocciolarli. Tagliare pure a cubetti i peperoni e sgoc-ciolarli.
Condire il riso freddo con tre cucchiai d'olio, il succo del limone e un po' di sale; mescolare con due forchette e provare il sale.
Condire le piccole foglie di lattuga con sale e limone, senza olio.
Snocciolare e tagliare a pezzetti le olive. Mescolare al riso le cipolle, i pomodori, i peperoni, le olive e amalgamare il tutto con due forchette, poi disporlo a cupola nel piatto da portata.
Guarnire con le foglie di lattuga disposte sul bordo del piatto.

✧ *264* INSALATA RUSSA

Per 12 persone: patate medie 3 • carote rosse g 300 • 1 carota gialla •
piselli in scatola g 270 • fagiolini in scatola g 170 • sedano 2 cuori •
olive verdi g 80 • cetriolini sott'aceto g 50 • capperi salati g 25 •
per la maionese: tuorli 4, olio d'oliva dl 4, succo di limone cl 4, sale g 3 •
aglio ¹/₄ di spicchio • sale •
per guarnire: carciofini sott'olio 6, peperoni sott'aceto g 25,
capperi salati g 25, 1 limone, foglie di lattuga q.b. •
olio d'oliva cl 3 • aceto cl 2
Tempo di conservazione: 2 giorni in frigorifero

Preparare la maionese (v. n. 22) con le proporzioni sopra indicate.
Cuocere al dente, in acqua salata e separatamente, le patate con la buccia, le carote, i piselli e i fagiolini. Scolarli e lasciarli raffreddare; quindi tagliarli a dadini piccoli e uguali tra loro.
Snocciolare e tagliare a pezzetti le olive, affettare sottilmente i cetriolini, lavare e tritare i capperi, tagliare a dadini il sedano crudo.
Unire questi ingredienti alle verdure cotte e condire con l'olio, l'aceto e un po' di aglio tritato. Assaggiare per giudicare il sale e infine aggiungere due cucchiai di maionese e mescolare.
Mettere l'insalata in un piatto da portata ovale, darle con le mani la forma di un polpettone e ricoprirlo interamente di maionese. Guarnirne la superficie con sei carciofini sott'olio posti distanziati tra loro e i lati con listarelle di peperoni all'aceto alternate a gruppetti di capperi; decorare il bordo del piatto con foglie di lattuga fresche o fettine di limone tagliate a mezzaluna.
È bene tenere in frigorifero almeno per qualche ora l'insalata così preparata, affinché tutti gli ingredienti risultino ben amalgamati.
Nel caso occorresse conservare l'insalata in frigorifero per qualche giorno, è preferibile ricoprirla di maionese al momento di servirla.

✧ *265* LATTUGA STUFATA

Generalmente la lattuga si mangia cruda, in insalata.
È quindi insolito e originale un contorno caldo
preparato con una verdura così delicata.

Per 8 persone: lattughe 4 • olio d'oliva dl 1 • carote 2 • 1 cipolla media •
brodo di carne dl 3 • sale
Tempo di cottura: 2 minuti per bollire
10 minuti per rosolare
25 minuti nel forno a 160 °C

Privare le lattughe delle foglie esterne. Lavarle e tenerle intere in acqua per circa 30 minuti, poi bollirle in acqua salata. Sgocciolarle e comprimerle delicatamente con le mani per eliminare qualsiasi residuo d'acqua.

Dividere ogni lattuga in due parti, nel senso della lunghezza, ottenendo così otto fascetti. Arrotolare ogni fascetto su se stesso formando un involtino.

In una pentola con l'olio far rosolare la cipolla affettata e le carote tritate. Unirvi i rotolini di lattuga, rigirandoli sui due lati per qualche minuto a fuoco moderato, infine bagnare con poco brodo bollente. Sistemarli con il loro sugo in una teglia di giusta grandezza e infornare.

Durante la cottura, continuare a bagnare la verdura con il rimanente brodo caldo, poco per volta.

A fine cottura gli involtini devono risultare asciutti. Serviti caldi accompagneranno bene piatti di carne cotti al forno e poi conditi.

✧ 266 MELANZANE ALL'OLIO

È un semplice contorno molto fresco e genuino.

Per 4-6 persone: *melanzane g 750 • olio d'oliva cl 3 • aceto cl 2 •*
aglio 1/2 spicchio • menta 5 foglie • sale
Tempo di cottura: *12 minuti nel forno a 200 °C*

Lavare le melanzane e privarle del picciolo.

Farle cuocere per 12 minuti nel forno già caldo, rigirandole sovente.

Una volta cotte, togliere loro la pelle e tagliarle a liste strette e lunghe.

Porle nel piatto da portata e versarvi sopra l'olio e l'aceto. Salare e distribuire l'aglio tritato e le foglie di menta.

Conservare qualche ora in frigorifero prima di servire.

✧ 267 PATATE A FIAMMIFERO

Per 6 persone: *patate g 750 • olio d'oliva dl 2 • sale*
Tempo di cottura: *6 minuti*

Sbucciare le patate e tagliarle a fette spesse; poi da ogni fetta ricavare tanti bastoncini di uguale misura; lavarli e sgocciolarli.

Friggere i bastoncini in olio fumante e a fuoco costante, lasciandoli cadere in padella distanziati tra loro.

Per i primi 3 minuti di frittura non smuoverli; poi girarli continuamente mantenendo il fuoco costantemente vivace.

Divenuti color nocciola, sollevarli con un mestolo forato, adagiarli su della carta assorbente e cospargerli di sale.

Servire le patate a fiammifero calde e croccanti, come contorno di carni arrosto o glassate.

✧ 268 PATATE A OSTIA

Con questo taglio le patate risultano deliziosamente croccanti.

Per 4 persone: *patate vecchie g 450 • olio d'oliva dl 2 ¹/₄ • sale*
Tempo di cottura: *4-5 minuti*

Sbucciare e tagliare le patate a fette rotonde e molto sottili. Metterle in acqua, sgocciolarle e stenderle su un canovaccio.

Friggerle in olio abbondante e fumante, senza mai abbassare la fiamma, facendo cadere in padella una fetta alla volta e distanziate fino a costituire un unico strato.

Per 2 minuti non smuoverle, poi girarle continuamente con un mestolo.

Appena appaiono colorite sollevarle e man mano poggiarle su della carta assorbente, cospargendole di poco sale. Servirle calde vicino a delle carni affettate.

✧ 269 PATATE AL FORNO

Possono sostituire le patate lesse; la cottura in forno le rende più gustose.

Per 6 persone: *patate medie g 600 • burro g 60*
Tempo di cottura: *25 minuti nel forno a 180 °C*

Lavare bene le patate e asciugarle senza sbucciarle. Praticare quattro fori piccoli ma profondi in ogni patata, con un sottile coltellino a punta.

Infilare in ciascun foro un po' di burro.

Disporre le patate sulla leccarda del forno, senza ungerla, e infornare.

Non far cuocere oltre il tempo indicato, altrimenti le patate si asciugano troppo.

Tolte dal forno, spellarle e servirle calde e intere.

✧ 270 PATATE A NIDO D'APE

Saporiti e di bell'aspetto, questi "nidi" costituiscono un contorno gustoso e decorativo, per un buffet o per una cena raffinata.

Per 8 nidi: patate g 500 • burro g 100 • uova 2 •
parmigiano grattugiato g 10 • mozzarella fiordilatte g 120 •
per i piselli al burro: piselli piccoli g 80, burro g 15, pancetta g 15, 1/4 cipollina • sale
Tempo di cottura: *5 minuti per l'impasto*
6 minuti nel forno a 180 °C

Lessare le patate con la buccia in acqua salata per 25 minuti. Spellarle e setacciarle. Far liquefare il burro in una pentola dal fondo spesso, a fuoco lento; aggiungere le patate setacciate, amalgamarle con il condimento e cuocere per 5 minuti su fuoco moderato, mescolando continuamente con un mestolo di legno.

Lontano dal fornello, versare nella pentola le uova sbattute con un pizzico di sale. Amalgamare bene e unire il parmigiano.

Con le mani bagnate ricavare dall'impasto tante palle di media grandezza.

Praticare con le dita un incavo al centro di ciascuna e riempirlo con pezzetti di mozzarella e pisellini ben asciutti, cotti secondo la ricetta "Piselli al burro" (v. n. 274).

Ungere di burro la leccarda del forno, disporvi sopra i nidi ripieni e infornare. Appena si notano segni di cottura, abbassare la temperatura del forno a 180 °C e cuocere per il tempo indicato.

✧ 271 Patatine à la Maître d'Hôtel

Questo contorno è molto indicato per carni al forno, in quanto le patate, cucinate con poco grasso, possono assorbire il sugo della carne.

Per 4-6 persone: *patate kg 1 • burro g 60 • prezzemolo 1/2 mazzetto • sale*
Tempo di cottura: *30 minuti*

Preferire le patate gialle perché sono le più saporite. Sbucciarle, tagliarle a dadini uguali tra loro e lavarle bene. In un tegame largo con coperchio, disporre i pezzetti di patate accostati l'uno all'altro in un unico strato. Unirvi il sale necessario, il burro a fiocchetti, il prezzemolo tritato finemente e mezzo bicchiere d'acqua. Fare cuocere a fuoco lento, muovendo il tegame di tanto in tanto, così da smuovere le patate. A fine cottura l'acqua deve risultare completamente asciugata.

✧ 272 Patatine Rosolate Elisabetta

I cubetti piccolini, l'olio non abbondante, la temperatura adatta a rosolare e non a friggere... se si rispettano questi accorgimenti un contorno banale può diventare particolare e appetitoso.

Per 4 persone: patate vecchie g 750 • olio d'oliva cl 5 • aglio 1 spicchio • origano q.b. • sale g 3
Tempo di cottura: 25 minuti

Sbucciare le patate e tagliarle a cubetti molto piccoli, uguali tra loro; lavarli e disporli su un canovaccio a sgocciolare.

Riscaldare l'olio in una larga padella di ferro, sistemarvi in un solo strato i cubetti di patate e farli rosolare per qualche minuto a fuoco moderato senza smuoverli; poi continuare la rosolatura per il tempo indicato rimestandoli sovente con una paletta di legno.

A metà cottura, salarli e aggiungere lo spicchio d'aglio tagliato in due pezzi.

Quando le patate saranno divenute croccanti e di colore nocciola scuro, cospargerle di pochissimo origano mescolando ancora per qualche minuto sul fuoco. Infine sollevare i cubetti di patate con un mestolo forato e porli su della carta assorbente. Servirle calde come accompagnamento di una pietanza di carne.

✧ 273 PEPERONI AU GRATIN

Per 4 persone: peperoni grandi g 600 • olio d'oliva cl 6 • olive nere g 60 • capperi salati g 25 • aglio 1 spicchio • pangrattato g 20 • sale
Tempo di cottura: 30 minuti nel forno a 200 °C per arrostire
15 minuti nel forno a 180 °C per gratinare

Si possono adoperare i peperoni in scatola purché siano al naturale.

I freschi arrostirli nel forno, rigirarli da tutti i lati durante la cottura e infine spellarli ancora caldi. Tagliarli in grosse liste lunghe e sistemarli in una piccola teglia da tavola unta d'olio. Versarvi sopra l'olio e distribuire l'aglio tritato, le olive snocciolate a pezzetti, i capperi lavati e tritati e il sale necessario; infine coprire con il pangrattato. Infornare e servire nella teglia stessa come contorno di un roast-beef, o freddi per un buffet.

✧ 274 PISELLI AL BURRO

I piselli surgelati richiedono un tempo di cottura inferiore a quello necessario per i piselli freschi; se ben cucinati il loro sapore è altrettanto delizioso.

Per 6 persone: piselli sgranati g 300 • burro g 40 • pancetta g 30 • 1 cipollina • sale
Tempo di cottura: 1 ora e 40 per i piselli freschi
40 minuti per i piselli surgelati

Mettere in un pentolino con coperchio la cipollina affettata sottilmente e distribuirvi sopra il burro a pezzetti.

Porre sul tutto i piselli ancora surgelati, insieme con 2 decilitri di acqua. Se i piselli sono freschi procedere come sopra, però aggiungendo 3 decilitri e mezzo di acqua. Coprire e far cuocere su fuoco molto moderato senza mescolare.

Quindici minuti prima della fine della cottura aggiungere la pancetta tagliata a cubetti. A cottura ultimata salare, mescolare e lasciare il tegame, scoperto, ancora per qualche minuto su fuoco vivace, finché l'acqua non si sia del tutto asciugata.

È consuetudine servire questi piselli con dell'agnello al forno o uno spezzatino delicato.

✧ 275 POMODORI RIPIENI DI RISO

Per 12 persone: pomodori 12 (da g 120 ciascuno) • riso fino g 400 •
olio d'oliva cl 14 • basilico 1 mazzetto • sale
Tempo di cottura: *50 minuti nel forno a 160 °C*

Tagliare la sommità di ogni pomodoro e tenerla da parte onde usarla in seguito come coperchio.

Vuotare i pomodori di un po' della loro polpa.

In una ciotola mettere il riso crudo e condirlo con la metà dell'olio indicato, poco sale, la polpa estratta dai pomodori (senza liquido) tagliata a pezzetti e le foglioline di basilico. Riempire con questo composto ciascun pomodoro fino a poco più della sua metà; il riso, dopo cotto, aumenterà di volume e arriverà fino all'orlo del suo rosso involucro.

Coprire bene ogni pomodoro con i "coperchietti" tenuti da parte perché il riso, scoperto, si indurirebbe. Condire con l'olio rimanente e il sale necessario e infornare. La cottura deve essere lunga e lenta.

Servire caldi a temperatura ambiente, come contorno o entremets o anche come primo piatto.

✧ 276 PURÈ DI PATATE

Per 4-5 persone: patate vecchie g 500 • burro g 80 • latte cl 15 •
parmigiano grattugiato g 20 • sale
Tempo di cottura: *8 minuti*

Cuocere in acqua salata le patate con la buccia per 25 minuti; spellarle e setacciarle.

Far liquefare la quantità di burro indicata in una pentola dal fondo pesante, poi, lontano dal fuoco, aggiungervi le patate setacciate e mescolare fino a quando il tutto sia perfettamente amalgamato. Versarvi quasi tutto il latte e mescolare ancora. Portare la pentola sul fornello a fiamma moderata e rigirare costantemente con un cucchiaio di legno per il tempo indicato; il purè è pronto quando appare gonfio e compatto. Al momento di servirlo, versare le ultime gocce di latte tenuto a parte, e aggiungere il parmigiano. Amalgamare sul fuoco e portare in tavola. Il purè accompagna bene delle carni condite e saporite.

✧ *277* RISO PILAW

Un classico contorno di tono importante.
La prima versione è indicata per accompagnare carni glassate in quanto il riso,
poco elaborato, può assorbire altri sughi.
La seconda versione, di sapore più deciso, è adatta a essere servita
con carni poco glassate.

I versione:

Per 10 persone: riso superfino g 300 • burro g 75 • $^1/_2$ cipollina •
brodo di pollo dl 8
Tempo di cottura: 18 minuti nel forno a 180 °C

Cuocere in 45 grammi di burro la cipollina affettata dopo averla bollita. Aggiungere il riso e farlo rosolare per pochi minuti (v. alla voce "Cipolla" nei Consigli utili). Riscaldare il forno.
Porre sul fornello un tegame largo da forno con il brodo indicato e, appena esso bolle, infornare. Quando l'ebollizione riprende versarvi il riso con il suo condimento e farlo cuocere per il tempo indicato. A cottura ultimata il riso deve risultare asciutto e al dente.
Versarlo subito in un piatto da cucina per fermarne la cottura.
Aggiungere i 30 grammi di burro rimasti e mescolare con due forchette.
Sistemare poi il riso pilaw nel centro di un piatto da portata rotondo, dandogli la classica forma a cupola.

II versione:

Per 12 persone: riso superfino g 300 • burro g 45 • $^1/_2$ cipollina •
brodo di pollo dl 8 • peperone cotto al burro g 40 • prosciutto cotto g 40 •
per i piselli al burro: piselli g 75, burro g 20, $^1/_4$ cipollina • sale
Tempo di cottura: 18 minuti nel forno a 200 °C

Far rosolare il peperone in una padella con poco burro e sale, poi tagliarlo a cubetti. Cuocere i piselli come indicato nella ricetta "Piselli al burro" (v. n. 274), e il riso come è indicato nella I versione. Dopo aver ritirato il riso dal forno e averlo versato sul piatto da cucina, aggiungervi i piselli ancora caldi e il peperone e il prosciutto tagliati a cubetti.

Mescolare velocemente il riso con due forchette e poi sistemarlo su un piatto da portata rotondo dandogli la classica forma a cupola.

✧ *278* SCAROLE A INVOLTINO OLGA

*Un contorno molto originale per il particolare sapore
dato dall'unione di tre tipi di verdure.*

*Per 16 involtini: scarola liscia 4 cespi • broccoli di rapa 3 cespi •
scaroline lunghe 16 cespi • olio d'oliva cl 15 • aglio 2 spicchi •
olive nere da cucina g 100 • capperi salati g 50 • uva passa e pinoli g 40 •
parmigiano grattugiato g 80 • finocchietto q.b. • pangrattato q.b. • sale
Tempo di cottura: 5 minuti per bollire i broccoli
2 minuti per bollire le scarole
10 minuti nel forno a 160 °C*

Pulire i broccoli scartando le foglie dure. Lavare le scarole e le scaroline tenendole intere in acqua per circa 30 minuti. Lessare al dente le tre verdure, ciascuna nella propria acqua salata.

Sgocciolarle e strizzarle delicatamente tra le mani senza romperle.

Far rosolare nell'olio l'aglio tritato e unirvi le olive a pezzetti e i capperi lavati e tritati; lasciare questo intingolo sul fuoco solo per qualche attimo.

Tagliare ogni cespo di scarola in quattro parti, nel senso della lunghezza, in modo da ottenere da ognuno quattro fascetti.

Distendere sul piano di lavoro i sedici fascetti ricavati, poggiare su ciascuno di essi un cespo di scarolina piegato in due e qualche foglia di broccolo anch'essa ripiegata. Distribuire su ciascun fascetto metà dell'intingolo rosolato, e aggiungervi metà dei pinoli, dell'uva passa e del parmigiano.

Arrotolare ciascun quarto di scarola su se stesso, racchiudendovi bene il ripieno; ripiegare poi in sotto le estremità di ogni involtino, come per chiudere un pacchetto.

Ungere d'olio una teglia da tavola grande e rettangolare.

Sistemarvi gli involtini ben accostati gli uni agli altri e distribuire su di essi l'altra metà di intingolo rosolato e di uva passa e pinoli, un po' di finocchietto e il rimanente parmigiano.

Spolverizzare sul tutto del pangrattato.

Infornare, osservando bene il tempo e le indicazioni per la cottura perché la verdura in forno brucia facilmente.

Gli involtini, alla fine, non debbono risultare brodosi.

✧ **279** Scarole e Broccoli Rosolati

L'unione di queste due verdure è insolita ma indovinata: i broccoli vengono
ingentiliti dalla presenza della scarola, che peraltro assimila parte del loro sapore.
Un contorno rustico che lega bene con salsicce o carne di maiale.

Per 12 persone: *scarola liscia 2 fasci • 1 scarola riccia • broccoli di rape 4 •*
olive nere g 50 • capperi salati g 30 • pinoli g 25 • uva passa g 20 •
aglio 1 spicchio • pecorino grattugiato g 20 • olio d'oliva cl 12 • sale
Tempo di cottura: *3-4 minuti per bollire*
6-7 minuti nel forno a 180 °C

Pulire, lavare e cuocere, separatamente, ogni verdura in acqua salata in ebollizione.
Far rosolare nell'olio l'aglio tritato, unirvi le olive snocciolate e tagliate a pezzetti, i
capperi lavati e tritati, i pinoli e l'uva passa. Aggiungere le verdure sgocciolate e la-
sciarle per pochi attimi su fuoco vivace.
Ungere d'olio una teglia e adagiarvi le scarole e i broccoli con il loro intingolo.
Spolverizzare di formaggio e infornare.
Fare attenzione, durante la cottura, a che la verdura non bruci.

✧ **280** Zucchini a Fiammifero

Sempre presenti nella tradizionale "frittura all'italiana",
gli zucchini fritti sono adatti ad accompagnare piatti di carne arrosto.

Per 6 persone: *zucchini g 600 • farina g 150 • olio d'oliva per friggere dl 3 • sale*
Tempo di cottura: *3 minuti*

Lavare gli zucchini e tagliarli in tanti bastoncini poco più grandi di un fiammifero
da cucina. Infarinarli e friggerli in olio bollente e a fiamma vivace, in una padella di
media grandezza, riempiendola di un solo strato per volta.
Quando saranno divenuti color nocciola, sollevarli dall'olio con un mestolo forato
e deporli su della carta assorbente.
Spolverizzarli di sale e servirli caldi.

✧ **281** Zucchini alla Scapece

Al tempo dei Latini questa ricetta fu inventata da un tal Capece.
Dopo la sua morte divenne "Ex Capece", da cui lo "scapece" odierno.

Per 4 persone: *zucchini piccoli g 800 • aceto cl 4 •*
menta 6 foglioline • aglio 2 spicchi • olio d'oliva per friggere dl 2 • sale
Tempo di cottura: *6 minuti*

Lavare bene gli zucchini, togliere le due estremità e tagliarli a fettine sottili e rotonde. Versare l'olio in una padella e, a temperatura costantemente alta, friggerli in un
solo strato per volta.

Divenuti di colore scuro, toglierli dalla padella con un mestolo forato e porli su
della carta assorbente, a raffreddare.

Disporre infine gli zucchini sul piatto da portata, salare, versare l'aceto e distribuire sopra le foglioline di menta e l'aglio a fettine sottili.

Servire qualche ora dopo la preparazione per accompagnare un piatto di carne o
di pesce.

CAPITOLO V

DOLCI

✧

CREME

✧

SEMIFREDDI

✧

SORBETTI

✧

GELATI

DOLCI

✧ 282 CARAMELLE D'ORZO

*Una volta, con le caramelle d'orzo si curava, con amore e allegria,
il mal di gola dei bambini.*

Orzo in polvere non tostato g 100 • zucchero g 250
Tempo di cottura: *30 minuti per bollire l'orzo
20 minuti per il giulebbe*

Far bollire l'orzo a fuoco vivace, in una pentola con circa $^3/_4$ di litro di acqua.
Quando l'acqua si sarà colorata e addensata, filtrarla in un colino da tè a rete fitta.
Portare a ebollizione $^1/_4$ di quest'acqua con altrettanto zucchero, a fuoco lento,
mescolando. Al primo bollore l'acqua zuccherata produrrà della schiuma: se necessario, allontanare il tegame dal fornello per un attimo; rimettervelo e far bollire
lentamente, sempre mescolando.
Quando il giulebbe avrà assunto un colore scuro, ungere d'olio un piano di marmo e versarvelo sopra: esso si spanderà a cerchio, uniformemente.
Con un coltello unto d'olio tracciare delle linee profonde e parallele, verticali e poi
orizzontali, in modo che, quando il caramello si raffredderà, sarà facile staccare
con le mani i quadrati di orzo.

✧ 283 AMARETTI

*La preparazione di questi ottimi amaretti è facile; le mandorle amare
oggi possono essere sostituite con qualche goccia della loro essenza,
che è possibile trovare in commercio.*

Per 45 amaretti: *mandorle sgusciate dolci g 200 • mandorle sgusciate amare g 50 •
zucchero g 200 • farina g 40 • chiare d'uovo 2 • burro g 25*
Tempo di cottura: *20 minuti nel forno a 130 °C*

Se non risulta facile procurarsi le mandorle amare, usarne l'essenza e aumentare a 250 grammi le mandorle dolci.

Tritare finemente le mandorle dopo averle spellate.

Montare a neve ferma le chiare e unirvi a poco a poco lo zucchero e il composto tritato; spolverizzare di farina e mescolare bene.

Ungere di burro un foglio di carta oleata, tagliato della misura della leccarda e poggiarlo su di essa.

Mettervi sopra tante palline dell'impasto, ognuna grande quanto una noce, aiutandosi con un cucchiaio.

Infornare e a cottura ultimata fare raffreddare nel forno.

✧ 284 TARALLI ALL'OLIO

Questi tarallini non risultano croccanti
come quelli che si vendono oggi nelle panetterie,
ma sono semplici da fare e hanno un buon sapore di pane.

Per 20 taralli: *farina g 180 • olio d'oliva cl 4 • zucchero g 50 •*
cremore di tartaro g 4 • bicarbonato di sodio g 2 • sale g 4
Tempo di cottura: *20 minuti nel forno a 180 °C*

Disporre la farina a fontana e mettervi al centro 6 centilitri di acqua, l'olio, lo zucchero e il sale; fare un impasto duro, lavorando un po' "di polso" e aggiungendo durante la lavorazione il cremore e il bicarbonato precedentemente mescolati tra loro.

Suddividere l'impasto in 20 pezzetti e da ciascuno di essi ricavare dei lunghi e sottili salamini, rotolandoli sotto le dita sul tavolo infarinato affinché diventino lisci e compatti.

Non devono essere più spessi di 1 centimetro e, chiusi a ciambella, devono avere un diametro di circa 8 centimetri.

Ungerne la superficie con poco olio e disporli sulla leccarda del forno, unta di olio e cosparsa di farina.

Infornare alla temperatura indicata.

Controllare che la parte a contatto con la leccarda non bruci e spegnere il forno quando comincia a brunirsi.

✧ 285 MADDALENE

Un tempo la Maddalena era il biscotto che accompagnava lo zabaione mattutino
per una prima colazione ricca e nutriente.

Per 18 Maddalene: *farina g 90 • zucchero g 100 • burro g 90 •*
uova 3 • lievito in polvere g 1 ¹/₂
Tempo di cottura: *15 minuti nel forno a 180 °C*

Con un frullino montare bene i tuorli con lo zucchero, poi unirvi la farina, mescolare e versare il burro fuso e raffreddato; aggiungere il lievito amalgamato a un po' di farina e in ultimo le chiare d'uovo montate a neve ferma.

Ungere di olio e cospargere di farina 18 formette, riempirle per metà dell'impasto e infornare. Le forme per Maddalene sono ovali e misurano 3 centimetri per 5.

Trascorso il tempo di cottura indicato ritirare dal forno le Maddalene e lasciarle raffreddare.

Per sformarle, eliminare con un coltellino l'impasto fuoruscito lungo il bordo delle formette.

Le Maddalene non devono risultare soffici; è per questo che il burro deve essere fuso e non montato, e la dose di lievito modesta.

✧ 286 BISCOTTI TIPO SAVOIARDI

Il cremore e il bicarbonato danno a questi biscotti una fragranza
e una morbidezza che meritano di essere apprezzate.

Per 22 biscotti: *farina g 180 • uova 2 • zucchero g 100 • olio cl 2 •*
limone 1 scorza • cremore di tartaro g 6 • bicarbonato di sodio g 3
Tempo di cottura: *30 minuti nel forno a 170 °C*

In una ciotola sbattere con una forchetta le uova con lo zucchero.

Versarvi a filo l'olio e aggiungere la scorza di limone grattugiata e il cremore unito al bicarbonato.

In ultimo, mescolando con un cucchiaio di legno, far cadere a pioggia la farina.

L'impasto deve risultare compatto al punto da poterlo prendere con un cucchiaio e farlo ricadere a palline distanziate sulla leccarda da forno, unta d'olio e cosparsa di farina; è quindi importante regolare la dose di farina durante la lavorazione.

Infornare e far cuocere per il tempo indicato le palline di pasta che in forno cresceranno di volume (v. *Cottura ... al cremore* alla voce "Forno" dei Consigli utili).

I biscotti sono pronti quando acquistano un colore rosato.

✧ 287 BUDINO DI RISO

È un budino sostanzioso, gradevole e genuino.
Servito con una salsa di cioccolato diventa un ottimo e completo dessert.

Per 10 persone: riso fino g 125 • latte l 1/2 • burro g 80 • zucchero g 100 •
cioccolato fondente g 100 • uova 4 •
per la salsa di cioccolato: tuorli 2, zucchero g 80, fecola di patate g 15,
cacao amaro g 35, latte fresco intero dl 4, vaniglia g 1
Tempo di cottura: *12 minuti per il riso*
1 ora a bagnomaria nel forno a 200 °C
Tempo di conservazione: *3 giorni in frigorifero*

Preparare la "Salsa di cioccolato" (v. n. 330).
Porre sul fuoco due pentolini: uno con poca acqua salata, l'altro con 4 decilitri e mezzo di latte.
Quando l'acqua entra in ebollizione, versarvi il riso; dopo un solo bollore, scolarlo e versarlo nel pentolino contenente il latte che bolle a parte; far cuocere ancora per circa 10 minuti il riso che, tolto dal fuoco, deve risultare denso come un risotto. Unirvi 60 grammi di burro e mescolare.
Montare in una ciotola i tuorli con lo zucchero, poi unirvi il riso freddo, il cioccolato sciolto in 3 centilitri di latte caldo e da ultimo le chiare montate a neve ferma.
Ungere di burro e cospargere di zucchero una teglia del diametro di circa 16 centimetri e bordo alto 8 centimetri, versarvi il composto e farlo cuocere a bagnomaria in forno (v. alla voce "Bagnomaria" nei Consigli utili).
Far raffreddare il budino, quindi sformarlo, metterlo su un piatto da portata e versarvi sopra metà della salsa di cioccolato calda; l'altra metà verrà servita nella salsiera.

✧ **288** CHIACCHIERE

In tutte le regioni italiane, durante il periodo di Carnevale,
si vedono esposte nelle vetrine delle pasticcerie queste sottili frittelle.
Fatte in casa, le chiacchiere, bionde e croccanti, acquistano una friabilità
e una freschezza inimitabili.

Per un piatto da portata colmo: *farina g 240 • burro o sugna g 20 •*
zucchero g 20 • uova 2 • sale • whisky o altra acquavite cl 3 • olio d'oliva
per friggere dl 2 1/2 • zucchero a velo g 150
Tempo di cottura: *mezzo minuto*

Disporre la farina a fontana e mettervi nel centro lo zucchero, le uova, il burro, l'acquavite e poco sale.
Impastare senza aggiungere acqua: è l'alcool che ammorbidisce l'impasto prima di evaporare. Lavorare per qualche minuto "di polso", con forza, fino a ottenere una pasta liscia e consistente. Se il movimento della lavorazione è giusto, in poco tempo l'impasto diventerà elastico.

Dividerlo allora in quattro parti e spianare con il matterello infarinato quattro "pettole" molto sottili.

Con una rotella, o con un coltellino a punta, tagliare tanti rettangoli larghi circa 2 centimetri e non più lunghi del diametro della padella in cui vanno fritti.

Mettere sul fuoco una padella di media grandezza e friggere con prontezza nell'olio fumante quattro frittelle alla volta, rigirandole dopo solo 15 secondi.

Appena pronte, sollevarle e poggiarle su della carta assorbente.

Allontanare la padella dal fuoco per avere il tempo di adagiare le quattro frittelle sul piatto da portata, ricoperto da un tovagliolo, e di spolverizzarle di zucchero a velo da entrambe le parti.

Riportare la padella sul fuoco, aspettare che l'olio ridiventi caldo e ripetere l'operazione fino a esaurimento della pasta.

Per essere gustate croccanti le chiacchiere vanno servite in giornata.

✧ *289* CROCCANTE

Per un piattino: mandorle spellate g 180 • zucchero g 180 • cannella g 2
Tempo di cottura: 10 minuti

Immergere le mandorle per qualche secondo in acqua in ebollizione, poi spellarle, e tagliuzzarle grossolanamente.

Unirvi lo zucchero e la cannella in polvere e metterle in una padella di ferro, a fuoco molto moderato, rimestando continuamente.

A cottura ultimata, quando lo zucchero sciolto avrà assunto un colore biondo scuro, spegnere il fuoco, versare il croccante sul marmo asciutto e, aiutandosi con un coltello, assestarlo in uno strato di 1 centimetro e mezzo.

Tagliarlo a rombi con la lama di un coltello unta d'olio quando è ancora tiepido.

✧ *290* MANDORLE PRALINÉES

La "praline", ovvero la mandorla tostata e ricoperta di zucchero,
è nata nella seconda metà dell'Ottocento in Francia.

Mandorle sgusciate g 200 • zucchero g 200 • cannella g 1
Tempo di cottura: 6-7 minuti

Cuocere in 4 centilitri di acqua, a fuoco moderato, le mandorle non spellate con lo zucchero e la cannella, rimestando continuamente con un cucchiaio di legno.

Quando esse cominciano a scoppiettare, scostare il tegame dal fuoco, continuando a mescolare.

A questo punto lo zucchero non aderirà più alle mandorle, quindi toglierne un poco, rimettere sul fuoco e mescolare fino a che lo zucchero rimanente aderisca di nuovo a esse, facendo attenzione a non farlo caramellare né brunire.

Servire le mandorle così zuccherate in una coppetta rivestita da un tovagliolino.

✧ 291 BONBONS DI CIOCCOLATO BIANCHI E NERI

Di facile esecuzione, questi bonbons sono più apprezzati dei cioccolatini, perché hanno il fascino dei dolci fatti in casa.

Per 45 bonbons: *cioccolato fondente g 120 • mandorle sgusciate g 100 • zucchero a velo g 120 • cognac cl 1 ¹/₂ • concentrato di caffè cl 1 • latte cl 1 • per guarnire: cioccolato bianco g 50, cioccolato fondente g 40*

Tenere per pochi istanti le mandorle in acqua bollente; spellarle e tritarle aggiungendo un po' di zucchero a velo.

Tritare anche i 120 grammi di cioccolato fondente.

Mettere gli ingredienti tritati in una ciotolina, unirli al rimanente zucchero e mescolare bene con un cucchiaio di legno.

Preparare il concentrato riempiendo una macchinetta di caffè da 6 tazze e versandovi 7 centilitri di acqua; dei 2 centilitri di concentrato che risulteranno usarne solo 1: versarlo a filo insieme al cognac nella ciotolina e, se necessario, aggiungere qualche goccia di latte.

Amalgamare bene il composto (che non deve risultare molle).

Con le mani leggermente inumidite di caffè, formare tante palline grandi come una nocciola.

Grattugiare separatamente il cioccolato bianco e i 40 grammi di cioccolato fondente, poi rotolare nelle scagliette bianche una metà delle palline e in quelle nere l'altra metà.

Avvolgere ogni bonbon in carta da cioccolatini e sistemarli tutti in una coppetta.

✧ 292 BONBONS DI CASTAGNE

Una vera leccornia del secolo scorso.

Per 60 bonbons: *castagne lessate e spellate kg 1 • zucchero g 300 • mandorle sgusciate g 100 • cioccolato fondente g 150 • cedro g 100 • cognac cl 5*
Tempo di cottura: *30 minuti per bollire le castagne*
10 minuti per l'impasto

Tenere le mandorle per pochi istanti in acqua bollente, poi spellarle, abbrustolirle in forno e tritarle.

Tagliare a pezzetti il cedro e la metà del cioccolato; grattugiare l'altra metà in modo che risulti a scagliette.

Cuocere in acqua con poco sale le castagne sbucciate; spellarle, setacciarle e infine pesarle.

Versare una tazzina d'acqua e lo zucchero in una pentola con fondo spesso; al bollore aggiungere le castagne setacciate e mescolare continuamente con forza, a fuoco lento.

Dopo circa 10 minuti, quando la crema di castagne si staccherà dalle pareti della pentola, allontanare il recipiente dal fuoco, versarvi il cognac, il cioccolato a pezzetti, il cedro e le mandorle, e mescolare bene.

Quando l'impasto si sarà intiepidito, formare delle palline più piccole di una noce e rotolarle nel cioccolato grattugiato finché ne siano ben ricoperte.

Avvolgere ogni bonbon in carta da cioccolatino e servirli in un piattino tondo, ricoperto da un tovagliolino.

✧ *293* Bocconotti di Marmellata

Sono piccole crostate farcite di marmellata, pasticcini
che un tempo si facevano in casa.

Per 22 bocconotti: *per la pasta frolla originale: farina g 500,*
burro o sugna g 250, zucchero g 250, tuorli 5 •
marmellata g 75 • burro g 40 • zucchero a velo g 20
Tempo di cottura: *10 minuti nel forno a 180 °C*

Procurarsi le apposite formette piccole e lisce da crostatine e ungerle di burro.

Versare in un piatto la marmellata, che non deve essere liquida.

Preparare la pasta frolla (v. n. 10) e con $^2/_3$ di essa spianare, una alla volta, delle piccole "pettole" dello spessore di 1 centimetro e rivestire completamente le formette.

Riempire di marmellata le formette fino a metà altezza dal bordo.

Spianare la pasta avanzata in una pettola rettangolare e, con un coltello infarinato, ricavarne tante listarelle larghe $^1/_2$ centimetro.

Chiudere ogni formetta con quattro listarelle messe orizzontalmente e verticalmente, incrociate fra loro, e comprimerne le estremità sulla pasta del bordo per farvele aderire.

Spennellare con un po' di chiara d'uovo e infornare.

Il tempo indicato va calcolato da quando la pasta mostra segni di frittura.

Sistemare i bocconotti a piramide in un piatto da portata e al momento di servirli cospargerli di zucchero a velo.

✧ 294 MELE AL FORNO

Sono davvero squisite queste mele cotte con il vino.

Per 4 persone: *mele renette 4 • zucchero g 60 • vino bianco dl 3 • burro g 50*
Tempo di cottura: *20 minuti nel forno a 200 °C*

Lavare le mele e, senza sbucciarle, tagliarle in due parti.
Con un coltellino affilato togliere con cura il torsolo e riempire il vuoto con un po'
di burro. Disporre le mele in una teglia unta di burro e unirvi il vino e lo zucchero.
Infornare.
A cottura ultimata adagiare le mele sul piatto da portata, far restringere sul fuoco il
sugo rimasto e versarvelo sopra.
Le mele al forno si servono a temperatura ambiente; se ne mangia solo la polpa con
un cucchiaino, perché la buccia, che rimane dura, durante la cottura ha solo la funzione di cartoccio.

✧ 295 CHOUX À LA CRÈME

Questi choux dell'Ottocento sono di grande effetto e molto raffinati.

Per circa 100 choux: *per la pasta per choux: farina g 150, uova 3,*
tuorli 2, sugna o burro g 110, acqua dl 3 ³/₄, cremore di tartaro g 1 ¹/₂,
bicarbonato g 1, sale g 3 • zucchero g 25 •
per la crema per farcire alla vaniglia: latte l ¹/₂, zucchero g 120,
tuorli 4, 1 limone, amido di frumento in polvere g 70, vaniglia pura g 1 •
per il fondente al cioccolato: acqua cl 15, cioccolato fondente g 200, zucchero g 40
Tempo di cottura: *25 minuti nel forno a 160 °C*

Preparare la crema per farcire (v. n. 337) e metterla nel frigorifero.
Fare la pasta (v. n. 18) e, dopo avervi amalgamato il cremore e il bicarbonato, unirvi lo zucchero e un pizzico di sale e mescolare bene.
Prendere l'impasto volta per volta con un cucchiaino e far cadere sulla leccarda bagnata tante palline non più grandi di una nocciola, ben distanziate tra loro perché
in forno cresceranno del doppio.
Infornare su un piano alto del forno soltanto pochi minuti dopo averlo acceso perché gli choux richiedono un calore moderato.
Allorché le palline avranno assunto un colore biondo, spegnere il forno e lasciarle
raffreddare.
Con la punta delle forbici praticare un taglio orizzontale presso la sommità dello
choux, sollevare il lembo di pasta e riempire con la crema.
Fare il fondente al cioccolato (v. n. 329), regolandosi perché non diventi troppo

duro, e intingervi gli choux capovolti, in modo che ne venga bagnata solo la sommità. Poggiarli man mano sul piatto da portata e aspettare che il fondente che li ricopre diventi freddo e duro, poi sistemarvi sopra gli altri, a piramide; riscaldare il fondente nel tegame ogni volta che si ripete l'operazione.

Gli choux non si conservano in frigorifero; è bene farcirli con la crema poco prima di servirli.

✧ 296 ÉCLAIRS AL CAFFÈ

*Gli éclairs possono essere farciti con creme di gusto diverso e
guarniti con il fondente indicato alla crema scelta.
Gli éclairs al caffè sono i più classici.*

Per 6 persone*: per la pasta per beignets: farina g 100, 1 tuorlo, uova 2,
burro g 75, zucchero g 15, acqua l $1/_4$, cremore di tartaro g 1,
bicarbonato di sodio g $1/_2$ • sale g 2 •
per la crema per farcire al caffè: latte dl 2, caffè concentrato cl 3,
zucchero g 80, amido di frumento in polvere g 32, limone $1/_4$, tuorli 3 •
per il fondente al caffè: caffè dl 2, zucchero g 180*
Tempo di cottura*: 30 minuti nel forno a 170 °C*

Per preparare la crema al caffè fare 3 centilitri di concentrato (v. n. 327); sciogliere l'amido nel latte freddo e versare il tutto in un pentolino; aggiungere lo zucchero, i tuorli, il concentrato e un pezzetto di scorza di limone.

Porre su fuoco moderato e mescolare fino al bollore.

Conservare in frigorifero.

Fare la pasta per beignets (v. n. 18) con le proporzioni sopra indicate; dopo aver unito all'impasto il cremore e il bicarbonato, aggiungere lo zucchero e amalgamare bene. Mettere un po' di impasto alla volta in una siringa a becco tondo e liscio e formare sulla leccarda del forno, bagnata di acqua, tanti cilindri lunghi 7 centimetri e con diametro di 3.

Accendere il forno alla temperatura richiesta, dopo pochi minuti introdurre gli éclairs su un piano alto e farli cuocere a una temperatura molto costante.

A cottura ultimata lasciarli raffreddare nel forno.

Quando sono freddi praticare con le forbici un taglio orizzontale su un lato di ogni éclair e riempirli di crema fredda.

Preparare il "Fondente nature al caffè" (v. n. 328) e versarlo ancora caldo sugli éclairs.

Guarnirli con un chicco di caffè, aspettare che il fondente si sia indurito, poi metterli sul piatto da portata.

Gli éclairs non devono essere messi in frigorifero, quindi è opportuno prepararli poco prima di servirli.

✧ *297* Crêpes alla Marmellata

Per 16 crêpes: per l'impasto: farina g 100, burro g 50, zucchero g 30, uova 3,
latte dl 3 ¹/₂, sale • burro per friggere g 70 • olio d'oliva per friggere cl 5 •
panna montata g 300 • marmellata di castagne g 400
***Tempo di cottura:** 2 minuti per crêpe*

In una ciotola sbattere bene con una forchetta le uova con il sale necessario; versare a pioggia la farina già mescolata allo zucchero continuando a lavorare le uova. Infine aggiungere il latte, versandolo a filo lentamente e mescolando nello stesso tempo. Lasciar riposare l'impasto per circa 10 minuti per dare tempo alla farina di amalgamarsi con i liquidi.

Al momento di friggere le frittatine, far brunire leggermente il burro e versarlo nell'impasto. Ungere con un po' di olio e burro una piccola padella antiaderente di 12 centimetri di diametro, sbattere l'impasto e versarne nel grasso fumante tre cucchiai per ogni crêpe.

Far stendere il composto su tutto il fondo della padella, uniformemente, e non smuoverlo. Dopo un minuto, agitare un po' la padella e poi capovolgerla su un coperchio piano, in modo che la crêpe vi si adagi perfettamente; quindi farla scivolare di nuovo nella padella per terminare la cottura.

Poggiare man mano le frittatine su un piatto caldo, l'una sull'altra; spalmarle di marmellata e arrotolarle.

Disporre le crêpes in un piatto ovale e servirle accompagnate dalla panna montata. Se vengono servite in un buffet disporle aperte, una sull'altra, su un piatto da portata affiancato dalle salsiere con la marmellata e la panna in modo che l'ospite le riempia e le arrotoli da sé.

✧ *298* Crêpes Suzette Flambées

Nel 1895, Edoardo, principe di Galles,
si recò in compagnia di una signora al Café de Paris di Montecarlo.
Il maître servì alla coppia alcune crespelle morbide,
cotte nel liquore e nel succo d'arancia. Al principe piacquero molto e il maître,
in omaggio alla dama che accompagnava l'erede al trono di Inghilterra,
le battezzò "crêpes Suzette".

***Per 16 crêpes:** per l'impasto: farina g 100, burro g 50,*
zucchero g 30, uova 3, latte dl 3 ¹/₂ •
per lo sciroppo: burro g 60, zucchero g 65, succo d'arancia dl 1,
arancia 1 scorza • burro per friggere g 70 • olio d'oliva per friggere cl 5 •
cognac cl 5 • Grand Marnier cl 10

Tempo di cottura: 2 minuti per crêpe

Fare le crêpes come indica la ricetta "Crêpes alla marmellata" (v. n. 297), friggerle nello stesso modo, arrotolarle senza alcun ripieno e allinearle in una teglia ovale da tavola.

Per preparare lo sciroppo fare sciogliere il burro in una padellina, versarvi lo zucchero e mescolare, su fuoco moderato, per un paio di minuti, fino a che l'amalgama risulti brunito.

Non farlo caramellare oltre e allontanare subito la padella dal fornello; versarvi immediatamente il succo d'arancia, unirvi la scorza di arancia grattugiata molto finemente e rimettere sul fuoco per quei pochi attimi necessari affinché il liquido si restringa.

Versare lo sciroppo sulle crêpes sistemate nella teglia e dare un solo bollore, su fuoco moderato.

Al momento di servire le crêpes versarvi sopra il cognac e il Grand Marnier, accendere un fiammifero e... dar fuoco.

✧ 299 MOSTACCIUOLO O PAIN D'ÉPICE

*A Napoli i mostacciuoli vengono preparati nel periodo natalizio
e hanno la forma di rombi non troppo grandi.
Quella che segue è un'antica ricetta francese
che presenta questo dolce sotto forma di una torta secca detta "pain d'épice".*

Per 12 persone: *farina g 200 • burro g 100 • zucchero g 135 •
miele g 90 • uova 4 • cannella in polvere g 3 • lievito in polvere g 12 •
limone 1 scorza • latte cl 5*
Tempo di cottura: *40-45 minuti nel forno a 160 °C*

Togliere il burro dal frigorifero 6-7 ore prima di usarlo e montarlo bene servendosi di un cucchiaio. Con un frullino, lavorare i tuorli con lo zucchero fino a renderli spumosi. Aggiungere il burro già lavorato, la farina, spolverizzandola un po' alla volta, il miele, la cannella e la scorza del limone grattugiata; unire al composto il lievito sciolto in un po' di latte e le chiare d'uovo montate a neve ferma, e mescolare delicatamente con un cucchiaio di legno.

Imburrare un foglio di carta oleata e poggiarlo sul fondo di una teglia dalle pareti sottili del diametro di 24 centimetri, rivestendone anche l'interno del bordo; il lato unto del foglio deve essere a contatto con la preparazione.

Versare nella teglia il composto, infornare alla temperatura indicata e non aprire lo sportello del forno durante la cottura (v. *Cottura ... al lievito in polvere* alla voce "Forno" dei Consigli utili).

Questo dolce è molto adatto per la prima colazione o per un tè.

❖ *300* Roccocò

*Il roccocò è così chiamato per la sua forma a cerchio
che ricorda le decorazioni a ghirlanda di moda in Francia nel XVIII secolo.
Esso fa parte di quei dolci a base di mandorle che, per tradizione,
vengono consumati in Campania durante le feste natalizie.*

Per 22 roccocò: *farina g 500 • zucchero g 500 • mandorle sgusciate g 450 •
cedro g 100 • scorzette candite di arancia g 100 • arancia 1 scorza •
limone 1 scorza • cannella e noce moscata g 8 • carbonato d'ammonio g 5
(o cremore di tartaro g 8 e bicarbonato di sodio g 4) • 1 uovo • burro g 25*
Tempo di cottura: *25 minuti nel forno a 160 °C*

Tenere per pochi minuti in acqua bollente le mandorle sgusciate; poi spellarle, lasciarle asciugare in forno tiepido e tritarle.

Tagliare a pezzetti il cedro e l'arancia candita; grattugiare la scorza dell'arancia fresca e del limone; sciogliere in poche gocce di limone il carbonato d'ammonio.

Disporre la farina a fontana e mettervi nel centro 18 centilitri di acqua (versandola a poco a poco) e tutti gli ingredienti escluso l'uovo. Lavorare un poco "di polso" e far lievitare la pasta per 10 minuti.

Ricavare dall'impasto dei salamini, chiuderli a forma di ciambella non troppo grossa (il diametro del roccocò cotto deve essere di 10 centimetri) e schiacciarne leggermente la parte superiore.

Spennellarne la superficie con l'uovo sbattuto a parte, poggiarli, distanziati, sulla leccarda del forno unta di burro e infornare.

❖ *301* Pan di Spagna Classico

*La farina, lo zucchero, le uova e la scorza di limone grattugiata
sono gli unici ingredienti della vecchia e originale ricetta del pan di Spagna.
Aggiungere il lievito in polvere significherebbe falsarne la sostanza e il sapore;
basta seguire gli accorgimenti consigliati in questa ricetta
per ottenere un pan di Spagna gonfio e leggero,
il più indicato per la preparazione di tante torte.*

Farina g 220 • zucchero g 220 • uova 10 • 1 scorza
Tempo di cottura: *50 minuti nel forno a 160 °C*

Con un frullino montare molto bene i tuorli con lo zucchero; quando saranno divenuti spumosi, far cadere a pioggia la farina, sempre lavorando, e aggiungere la scorza di limone grattugiata. Infine unirvi le chiare già montate a parte a neve ferma e mescolare delicatamente con un cucchiaio di legno.

Versare il composto al centro di una teglia dalle pareti sottili del diametro di 28 centimetri, unta di olio e infarinata e aspettare che si spanda da solo su tutto il fondo. Infornare e cuocere per il tempo indicato (v. *Cottura ... alle chiare d'uovo* alla voce "Forno" nei Consigli utili).

Perché un pan di Spagna riesca soffice bisogna montare molto bene le uova ed è necessario che la cottura avvenga a fuoco costantemente moderato.

✧ *302* PANETTONE DELLA NONNA

È un dolce buono, morbido, friabile; richiede pochi minuti di lavorazione
ed è fatto con ingredienti genuini.
Una ricetta antica e sperimentata della quale nulla va cambiato;
è essenziale che il cremore e il bicarbonato
non siano sostituiti con il lievito in polvere,
perché la crescita del panettone non sarebbe la stessa.

Farina g 450 • zucchero g 300 • uova 4 • latte cl 16 • olio d'oliva cl 14 •
cremore di tartaro g 14 • bicarbonato di sodio g 7 • uva passa g 80 •
cedro g 100 • 1 limone
Tempo di cottura: *40 minuti nel forno a 170 °C*

Con un frullino montare a spuma i tuorli con lo zucchero, poi versare a filo l'olio e il latte, far cadere a pioggia la farina e aggiungere la scorza di limone grattugiata.

Ottenuto un impasto omogeneo, unirvi l'uva passa, il cedro a pezzettini, il cremore e il bicarbonato sciolti in un po' di latte e in ultimo le chiare montate a neve ferma.

Ungere d'olio e cospargere di farina due teglie rettangolari di 10 per 26 centimetri e dalle pareti sottili, come quelle che si usano per il plum-cake.

Versare il composto equamente nelle due forme riempiendole per metà e infornare; è l'unico caso, questo, in cui si suggerisce di infornare insieme due teglie, e ciò perché esse insieme non superano i 500 grammi (v. *Cottura ... alle chiare d'uovo* alla voce "Forno" nei Consigli utili).

✧ *303* PANETTONE VARIEGATO

Farina g 450 • zucchero g 350 • uova 3 • burro g 100 • latte dl 2 •
cremore di tartaro g 8 • bicarbonato di sodio g 5 •
cacao amaro g 60
Tempo di cottura: *40 minuti nel forno a 170 °C*

Togliere il burro dal frigorifero 6-7 ore prima di usarlo per poterlo frullare bene. In una tazza, mescolare il cacao con 40 grammi di zucchero.

In una ciotola, montare a spuma con un frullino i tuorli con il rimanente zucchero; unirvi il burro frullato a parte, quasi tutto il latte e versare a pioggia la farina, continuando a montare il composto.

Sciogliere il cremore e il bicarbonato nel poco latte rimasto e unirli al composto senza però usare il frullino, ma un cucchiaio di legno. Aggiungere le chiare d'uovo montate a neve ferma, mescolando delicatamente.

Ungere d'olio e cospargere di farina una teglia sottile del diametro di 28 centimetri e versarvi nel centro due terzi del composto, facendo sì che si distribuisca in modo uniforme sul fondo.

Aggiungere all'altro terzo di composto il cacao precedentemente unito allo zucchero e mescolare con delicatezza.

Quindi versare questo amalgama sul primo strato, tracciando delle strisce a zigzag e livellando poi il tutto con una forchetta.

Infornare con prontezza per non dare tempo alle chiare e al cremore di smontare.

✧ *304* PLUM-CAKE ORIGINALE

Un classico dolce inglese originale e ottimo, anche se molto grasso.

Farina g 350 • zucchero g 250 • burro g 250 • uova 5 • uva passa g 80 •
cedro e arancia canditi g 130 • cannella in polvere g 1 •
rhum cl 1 $^1/_2$ • lievito in polvere g 5
***Tempo di cottura:** 50 minuti nel forno a 180 °C*

Contrariamente a quello dei nostri panettoni, il composto del classico plum-cake non deve risultare leggero né gonfio; a tale scopo i tuorli e le chiare d'uovo non vanno montati ma amalgamati semplicemente agli altri ingredienti.

Montare con un frullino il burro tenuto a temperatura ambiente 6-7 ore e unirvi lo zucchero, continuando a lavorarlo.

Quando sarà divenuto spumoso, aggiungervi le uova intere, una alla volta, sempre lavorando con il frullino, e metà dell'uva passa e dei canditi tagliati a pezzetti (v. n. 391). Far poi cadere a pioggia la farina, spolverizzare di cannella e amalgamare bene. Versare il rhum a gocce e, in ultimo, il lievito sciolto in poco latte.

Da questo momento mescolare il composto non più con il frullino ma con un cucchiaio di legno, delicatamente. Ungere di olio e cospargere di farina una forma rettangolare di 27 per 12 centimetri, dalle pareti sottili; versarvi il composto e distribuirvi sopra i rimanenti canditi a pezzetti e l'uva passa, facendoveli affondare un poco. Infornare; trascorso il tempo indicato aspettare che il plum-cake sia freddo prima di sformarlo.

Servirlo per un tè.

✧ *305* QUARESIMALI

*Il nome con cui vengono chiamati questi dolci ci indica il periodo dell'anno
in cui si usa prepararli, a Napoli con le mandorle, a Roma col miele.*

*Per 20 **quaresimali**: mandorle sgusciate g 400 • farina g 120 •
biscotti g 60 • zucchero g 360 • uova 3 • cremore di tartaro g 5 •
bicarbonato di sodio g3 • arancia 1 scorza •
arancia e cedro canditi g 100 • cannella e vaniglia g 4 • burro g 25*
Tempo di cottura: *15 minuti nel forno a 170 °C*

Mettere le mandorle sgusciate in acqua bollente, spellarle e abbrustolirle per pochi
minuti in forno tiepido.
Tritarne finemente 200 grammi e grossolanamente gli altri 200; unirvi la farina, lo
zucchero e i biscotti tritati. Disporre a fontana il composto sul tavolo e al centro
mettere il cremore e il bicarbonato precedentemente uniti e le uova. Con una forchetta amalgamare tutti gli ingredienti e, lavorando un poco "di polso", fare una
pasta liscia e omogenea; a tale scopo giudicare se è necessario usare tutte le uova indicate. Unirvi infine i canditi tagliati a pezzetti e le spezie (v. n. 391).
Dividere l'impasto in quattro parti e formare dei grossi salami. Schiacciarne leggermente la parte superiore, tagliare a ciascuno trasversalmente le due estremità e
poggiarli sulla leccarda del forno unta di burro, distanziati tra loro. Infornarli e farli cuocere per il tempo indicato (v. *Cottura ... al cremore* alla voce "Forno" dei
Consigli utili).
Una volta freddi, tagliarli in piccoli rombi.

✧ *306* PIGNOLATE

*Per 22 **pignolate**: mandorle sgusciate g 200 • zucchero g 380 •
1 chiara d'uovo • pinoli g 150 • burro g 25*
Tempo di cottura: *10 minuti nel forno a 130 °C*

Tenere per pochi minuti le mandorle in acqua bollente, poi spellarle, tritarle fine-
mente nel tritatutto e raccoglierle in una ciotola.
Con l'aiuto di una goccia di chiara d'uovo, rendere questa polvere una crema.
Unirvi poi lo zucchero e infine il resto dell'albume montato a neve ferma.
Con le mani bagnate staccare dall'impasto un pezzetto per volta e formare delle
palline morbide; rotolarle nei pinoli e porle man mano sulla leccarda unta di burro,
distanziate tra loro. Infornare in un piano alto del forno, alla temperatura indicata.
Il calore moderato fa lievitare, gonfiare e cuocere le pignolate.
Aprire il forno solo quando è completamente freddo.

✧ *307* STRÙFFOLI

È un dolce natalizio tradizionale nell'Italia del Sud.
Costituito da pezzetti di pasta fritti, conditi con miele, confettini e canditi,
è un'allegra preparazione di gusto particolare.

Per 10 persone: *per la pasta: farina g 400, uova 6, burro g 50, liquore cl 3, sale •*
miele g 550 • confettini colorati g 30 • confettini bianchi g 30 •
cedro g 50 • mandorle sgusciate g 50 • arancia $^1/_2$ scorza •
olio d'oliva per friggere dl 3 $^1/_2$
Tempo di conservazione: *6-7 giorni*

Disporre la farina a fontana e versarvi al centro il sale, il liquore, il burro e tante uova quante ne richiede un impasto morbido; non aggiungere acqua. Lavorare bene "di polso" fino a ottenere un impasto liscio. Con un coltello infarinato staccare un pezzetto di pasta alla volta e rotolarlo con le mani sul marmo formando tanti salamini stretti, lunghi e levigati; tagliarli in piccoli dadi non più grandi di un cece e poggiarli man mano su un piatto ricoperto di farina.

Versare l'olio in una padella di media grandezza e quando è molto caldo mettervi a friggere i dadini, facendoli cadere con prontezza dal piatto uno per volta, ben distanziati. Subito dopo abbassare un po' la fiamma; a contatto con l'olio caldo ogni dadino si gonfia e raddoppia di volume. Scuotere subito la padella affinché i dadi non si attacchino gli uni agli altri; quando saranno diventati gonfi e di colore biondo, sollevarli con un mestolo forato e deporli su della carta assorbente.

Far sciogliere bene il miele in una padella larga, a fuoco moderato, senza farlo brunire. Immergere gli strùffoli e rigirarveli con un cucchiaio di legno, tenendo la padella sul fuoco per non più di 5-6 secondi. Questa operazione va fatta due volte con la metà del miele e la metà dei dadini.

Sistemare gli strùffoli in un piatto da portata e poi, con le mani bagnate e servendosi di un cucchiaio di legno, accomodarli in forma di ciambella.

Ricoprire con i confettini colorati, con le mandorle spellate, tagliuzzate e passate nel miele, e con piccolissimi pezzettini di scorza d'arancia.

Guarnire infine con listarelle di cedro e con i confetti bianchi, un po' più grandi di quelli colorati. Non conservare in frigorifero.

✧ *308* KRAPFEN

Per 16 krapfen: *per la pasta: farina g 300, uova 3, burro g 75, zucchero g 60,*
lievito di birra g 25, sale g 3 • marmellata di amarene g 150 •
per la crema per farcire alla vaniglia: latte l $^1/_4$, zucchero g 60,
tuorli 2, amido di frumento in polvere g 36, vaniglia g $^1/_2$, $^1/_2$ limone •
olio di oliva per friggere dl 3 • zucchero g 100

Anonimo, *Venditore di taralli.*
Napoli, Museo Nazionale di Capodimonte.

Bartolomeo Pinelli, *Donna della conca di Venafri, della provincia
di Terra del Lavoro nel Regno di Napoli.*
Torgiano, Museo del vino.

Tempo di lievitazione: *2 ore e un quarto*
Tempo di cottura: *1 minuto per 2 krapfen*

Preparare la crema (v. n. 337) con le proporzioni sopra indicate e metterla in frigorifero a raffreddare.

Sciogliere il lievito di birra in poca acqua tiepida e unirlo a un terzo della farina indicata.

Lavorare per pochi minuti "di polso" e formare un "panetto" omogeneo.

Porre il panetto su un piatto infarinato, spolverizzarne la superficie di farina e lasciarlo lievitare per circa 30 minuti in un angolo caldo della cucina.

Versare la rimanente farina in un recipiente concavo, collocare al centro tutti gli ingredienti e il panetto sgretolandolo con le dita per amalgamarlo ai liquidi e, poi, poco per volta, alla farina.

Formare un impasto omogeneo e sodo, sollevarlo e sbatterlo con forza dentro il recipiente; ripetere l'operazione più volte, fino a che si vedrà l'impasto staccarsi con facilità dal fondo e dalle pareti della ciotola.

A questo punto lasciarlo nel recipiente a lievitare per la seconda volta.

Quando la pasta sarà ben cresciuta e gonfia con un coltellino infarinato staccarne un pezzetto per volta e dargli la forma di un salamino facendolo rotolare con i palmi infarinati sul piano di lavoro.

Sovrapporre infine le due estremità di questi cilindretti di pasta, lasciando fuori le punte, in modo da ottenere delle ciambelle di forma ovale.

Disporre tutte le ciambelle su un canovaccio infarinato e aspettare che lievitino per la terza volta. Dovranno risultare di circa 8 per 10 centimetri.

Versare l'olio, preferibilmente, in un pentolino di ferro per frittura del diametro di 13 centimetri alla base e 21 alla sommità, e alto 10 centimetri. Mettere a friggere i krapfen, due alla volta, in olio caldo ma non fumante perché, durante la frittura la lievitazione deve continuare. Dopo $1/2$ minuto girarli con prontezza e farli cuocere per l'altro $1/2$ minuto; man mano che sono pronti deporli su un piatto in cui sia stato messo lo zucchero, e rigirarli perché ne vengano coperti da ambo i lati.

Sistemarli nel piatto da portata e guarnirli poggiando sull'incrocio del nodo di ciascuno un cucchiaio di crema alla vaniglia, indurita in frigorifero, con sopra un cucchiaino di marmellata.

È bene servire i krapfen poco dopo la loro preparazione, per gustarne meglio la soffice leggerezza.

✧ *309* Zeppoline al Miele

Queste zeppoline sono una delizia benché semplicissime.

Per 30 zeppoline: *farina g 300 • sugna o burro g 10 • miele g 230 • sale •*
cannella in polvere g 2 • olio d'oliva per friggere dl 4

Tempo di cottura: 4-5 minuti per l'impasto
2 minuti per friggere 3 zeppoline

In una piccola pentola stretta e alta e dal fondo spesso, mettere 6 decilitri d'acqua, la sugna e poco sale e portare a ebollizione.

Al primo bollore versare a pioggia, velocemente e nel centro della pentola, la farina, mescolando energicamente e abbassando la fiamma.

Lavorare con il cucchiaio di legno per qualche minuto, fino a quando l'impasto si stacca dalle pareti della pentola; a questo punto esso sarà liscio, levigato e privo di acqua. Poggiarlo sul marmo unto d'olio dandogli una forma di palla; subito dopo, con un coltello pure unto d'olio, tagliare un pezzetto di pasta per volta, grande quanto una noce e farne dei salamini lunghi 15 centimetri e spessi 1 e mezzo.

Chiudere a ovale ogni salamino, accavallandone le estremità in modo che sporgano dal punto di intersezione.

Poggiare le zeppoline sul marmo e poi friggerne tre per volta in un pentolino di ferro alto 10 centimetri, con un diametro di 13 centimetri alla base e di 21 alla sommità; durante la frittura smuoverlo in modo che l'olio – che deve essere fumante – ricopra le frittelle e le faccia gonfiare; esse non vanno girate perché altrimenti la pasta cresce e scoppietta. Quando avranno assunto un colore dorato, sollevarle con un mestolo forato e adagiarle su della carta assorbente.

Riscaldare il miele e, quando è tiepido, rigirarvi dentro le zeppoline e metterle man mano nel piatto da portata. Sistemarle a strati, versando su ciascuno del miele, e cospargere l'ultimo di cannella.

✧ *310* STRUDEL DI MELE

Questo dolce un po' rustico è molto indicato per un tè,
per una merenda o per una gita.

Per 2 strudel: *mele annurche 8-10 •*
per la pasta: farina g 300, burro g 130, zucchero g 140, 1 uovo •
mandorle 25 • uva passa g 50 • cannella g 2
Tempo di cottura: *30 minuti nel forno a 200 °C*

Sbucciare le mele, tagliarle a fettine sottili e farle macerare con quattro cucchiai di zucchero.

Spellare le mandorle e tagliarle in due, nel senso della lunghezza.

Far fondere 110 grammi di burro in un tegamino. In un piatto sbattere l'uovo con tre cucchiai del burro fuso, non caldo.

Disporre la farina a fontana e mettervi al centro tre cucchiai di zucchero, l'uovo sbattuto con il burro e circa 9 centilitri d'acqua, giudicando se è necessario aumentare o diminuire tale dose per ottenere un impasto morbido.

Lavorare bene, "di polso", fino a quando la pasta diventa elastica e non si attacca sul marmo. Dividerla allora in due parti e, con il matterello infarinato, spianarle una per volta in due "pettole" molto sottili e rettangolari. La buona riuscita dello strudel dipende dalla sottigliezza della pasta: attenzione quindi a non romperla nello spianarla.

Un sistema consigliato è quello di mettere la pasta su un canovaccio infarinato e di tirare la sfoglia muovendo il matterello dal centro prima verso destra, poi verso sinistra e poi verso l'alto e verso il basso, cercando di non formare pieghe.

Trasformare ogni pettola in un rettangolo di 40 per 50 centimetri. La sua forma verrà poi resa regolare con un coltellino a lama diritta.

Distribuire sopra ogni rettangolo un cucchiaio di zucchero (che durante la cottura fuoriuscirà e si caramellerà) e metà del burro fuso avanzato, delle mandorle, dell'uva passa e delle mele con il loro liquido.

Spolverizzare sul tutto la cannella.

Arrotolare il rettangolo sul lato più lungo, aiutandosi con il canovaccio che va rimosso man mano che si arrotola la pettola.

Non stringere molto lo strudel che, crudo, deve avere un diametro di circa 6-7 centimetri; a cottura ultimata, questi diventeranno 9. Chiudere bene i due lati e tagliare la pasta di troppo.

Ungere di burro la leccarda del forno, adagiarvi sopra i due strudel e infornare. Dopo 15 minuti di cottura, rigirarli e versarvi sopra il caramello e il burro fuso che si sono raccolti nella leccarda (v. alla voce "Forno" nei Consigli utili). A cottura ultimata farli raffreddare e tagliarne delle fettine ogniqualvolta si devono servire.

✧ *311* BABÀ

Accompagnato da una crema Saint-Honoré leggera e delicata,
il babà acquista importanza senza che il suo sapore venga alterato.

Per 8 persone: *per la pasta per babà: farina g 250, margarina g 100, uova 4,*
zucchero g 40, lievito di birra g 20, sale g 3 •
per il giulebbe: acqua l $^1/_4$, zucchero g 150, limone 1 scorza •
per la crema Saint-Honoré: latte l $^1/_4$, zucchero g 60, tuorli 3,
chiare d'uovo 3, amido di frumento g 22, vaniglia g $^1/_2$, limone $^1/_2$ scorza •
burro g 30 • *rhum dl 2*
Tempo di lievitazione: *2 ore e mezzo*
Tempo di cottura: *25 minuti nel forno a 180°C*

Ungere di burro una teglia da babà a ciambella del diametro di 24 centimetri e col bordo alto. Fare la pasta per babà (v. n. 17); quando sarà lievitata per la terza volta, arrivando fino quasi all'orlo della teglia, infornare (v. *Cottura di brioche e babà* alla voce "Forno" dei Consigli utili).

Per preparare il giulebbe, far bollire l'acqua con lo zucchero e una scorza di limone, per 1 minuto a fuoco lento.

Porre il babà freddo su un piatto da cucina e versarvi sopra il giulebbe ancora caldo, in modo da bagnarlo completamente. L'operazione va ripetuta più volte perché l'assorbimento è lento.

Fare la crema (v. n. 341) con le proporzioni sopra indicate e tenerla in frigorifero.

Al momento di servire, mettere il babà sul piatto da portata, versarvi sopra dell'abbondante rhum e riempire il buco centrale con la crema Saint-Honoré.

✧ *312* CANNOLI CON RICOTTA

*In Sicilia i dolci con la ricotta sono particolari in quanto
si usa farla con il latte di pecora. I cannoli siciliani
sono farciti da entrambe le parti di crema bianca, noi preferiamo riempirne
una con la crema bianca e l'altra con crema al cioccolato.*

*Per 30 cannoli: per la pasta: farina g 300, sugna e olio g 35, zucchero g 50,
tuorli 4, marsala o altro vino cl 2, sale g 2 •
per il ripieno: ricotta kg 1,200, zucchero a velo g 600, cedro g 100,
cacao amaro g 70, zucchero a velo per il cacao g 70, cioccolato fondente g 50,
cognac e liquore bianco cl 2 • olio d'oliva per friggere dl 3
Tempo di cottura: 1-2 minuti per cannolo*

Tagliare il cedro in 30 fettine piccole, sottili e tonde e il rimanente in pezzettini. Tagliare il cioccolato in 30 pezzetti uguali e il rimanente in pezzetti piccoli.

Fare la fontana di farina e mettervi al centro lo zucchero, i tuorli, la sugna, l'olio, il vino e il sale.

Lavorare "di polso" la pasta per un po', poi spianarla in una sfoglia sottile e ricavarne tanti dischi, ciascuno di 13 centimetri di diametro, servendosi di una ciotola rovesciata.

Porre al centro di ogni disco una forma per cannoli e arrotolarvi la pasta intorno, facendo aderire i lembi con un goccio di acqua.

In una padella piccola colma di olio molto caldo, friggere 4-5 cannoli alla volta, per circa 1-2 minuti, facendo attenzione a che non brucino.

Aiutandosi con un canovaccio sfilare le forme calde per poter friggere gli altri cannoli nello stesso modo.

Se si vogliono conservare questi involucri di pasta per tre o quattro giorni, è opportuno chiuderli in un barattolo di zinco; altrimenti farcirli e servirli entro tre o quattro ore.

Per fare il ripieno, se la ricotta è acquosa chiuderla in un canovaccio e tenerla sospesa per 1 ora a sgocciolare, poi lavorarla con un cucchiaio, mescolarvi lo zucchero e lavorarla ancora.

Dividerla infine in due parti disuguali; a quella più grande unire i pezzettini di cedro e qualche goccia di liquore se non è abbastanza morbida.

All'altra unire 70 grammi di zucchero a velo mescolati in precedenza ai 70 grammi di cacao e amalgamare poi col cognac e il cioccolato a pezzettini.

Riempire un lato del cannolo con la crema bianca e fermarla con una fettina di cedro; l'altro con il ripieno di cioccolato, e fermarlo con uno dei 30 pezzetti di cioccolato. Per farcire aiutarsi con un cucchiaino perché la pasta, molto friabile, si rompe facilmente.

Disporre i cannoli sul piatto da portata e spolverizzarli di zucchero a velo.

✧ *313* MIGLIACCIO

Nella cucina napoletana con questo nome si usa indicare una torta di semolino o di farina gialla che tradizionalmente si prepara durante il Carnevale.

Per 10 persone: *semolino g 175 • latte l 3/4 • tuorli 7 • chiare d'uovo 2 •*
zucchero g 230 • burro g 75 • ricotta g 150 • sale • 1 limone •
vaniglia pura g 2 • uva passa g 40 • zucchero a velo g 25
Tempo di cottura: *3-4 minuti per il semolino*
1 ora nel forno a 200 °C per lo sformato

Ungere con 25 grammi di burro una teglia dalle pareti sottili del diametro di 26 centimetri e spolverizzarla di 30 grammi di zucchero.

Montare la ricotta in una ciotola con un cucchiaio di legno; a parte sbattere un po' le chiare e poi amalgamarle bene alla ricotta.

Mettere sul fornello una casseruola con il latte e mezzo cucchiaio di sale; al bollore, versare a filo nel centro il semolino, rimestando costantemente.

Far bollire a fuoco moderato fino a che l'impasto comincerà a staccarsi dalle pareti della teglia.

A questo punto togliere la casseruola dal fuoco, mettervi lo zucchero rimanente, i tuorli uno alla volta, i restanti 50 grammi di burro, la scorza di limone grattugiata, l'uva passa, la vaniglia in polvere e la ricotta.

Amalgamare bene il tutto e mettere il composto ancora tiepido nel tegame, livellandolo.

Infornare alla massima temperatura; dopo pochi minuti si vedrà friggere il grasso lungo il bordo della teglia: a questo punto abbassare a 200 °C e continuare la cottura per il tempo indicato.

Per sformare il Migliaccio, aspettare che sia completamente freddo, poi inserire la lama di un coltello a punta arrotondata tra lo sformato e la teglia spingendola anche un poco sotto la base del dolce.

Poi capovolgerlo e rimetterlo diritto in un piatto da portata col fondo piano.

Al momento di servirlo, spolverizzarlo di zucchero a velo.

✧ *314* MONTE BIANCO DI CASTAGNE

*Unire semplicemente lo zucchero alle castagne non è sufficiente
per ottenere un impasto raffinato.
È importante una buona preparazione del giulebbe
perché l'amalgama riesca perfetto.*

*Per 6 persone: castagne sbucciate g 500 • zucchero g 160 • vaniglia pura g 1 •
mandorle sgusciate g 50 • panna montata g 300*
*Tempo di cottura: 30 minuti per le castagne
10 minuti per il giulebbe
15 minuti per l'impasto*

Cuocere in acqua con poco sale le castagne, privarle della pellicina e setacciarle.
Tenere le mandorle per pochi attimi in acqua in ebollizione, spellarle e friggerle nell'olio.
Versare in un pentolino 4 decilitri di acqua e lo zucchero e far bollire molto lentamente per 10 minuti, per ottenere il giulebbe.
Mettere le castagne setacciate in una pentola con il fondo spesso e versarvi a filo il giulebbe caldo e liquido, mescolando. Portare la pentola sul fornello e far bollire l'impasto a fuoco basso per il tempo indicato, rimestandolo nel centro con un cucchiaio di legno. Quando il composto si staccherà dalle pareti della pentola, unirvi la vaniglia, mescolare e spegnere il fuoco.
Mettere al centro di un piatto da portata un bicchiere da whisky capovolto e setacciarvi sopra la pasta di castagne ancora calda, cercando, con una forchetta, di farvela aderire. Ottenuta una forma a cupola, sfilare dall'alto il bicchiere e riempire il vuoto con un po' di castagne avanzate e di panna.
Con la restante panna, aiutandosi con una siringa, disegnare delle piccole ghirlande sulla cupola del dolce e lungo il bordo del piatto. Completare la guarnizione del Monte Bianco incastonandovi delle mandorle intere.
Conservare in frigorifero, ma tenere il dolce a temperatura ambiente per 3 ore prima di servirlo. La mancanza di cacao, che molti mettono, permetterà di gustare il genuino sapore di castagna.

✧ *315* CROSTATA DI FRAGOLE

*Per 14 persone: per la pasta frolla: farina g 400, zucchero g 200,
burro g 200, uova 2 • fragoline g 750 • zucchero g 100 •
vino bianco dl 8 • maraschino cl 4 • 1 arancia • ¹/₂ limone •
panna montata g 200 (facoltativa) • burro g 25*
Tempo di cottura: 20 minuti nel forno a 180 °C
Tempo di conservazione: 1-2 giorni

Ungere di burro una teglia sottile del diametro di 28 centimetri e cospargerne l'interno di farina. Pulire le fragoline, lavarle nel vino e sgocciolarle bene.

Conservandone a parte dieci, metterle a macerare per 1-2 ore in metà del maraschino, al quale sono stati uniti il succo degli agrumi, lo zucchero e una scorza d'arancia grattugiata.

Fare la pasta frolla (v. n. 10), rivestire con essa il fondo e il bordo della teglia e formare un bel cornicione ripiegando su se stesso il bordo di pasta.

Bucherellare leggermente la pasta sul fondo della teglia, coprirla con un disco di carta oleata e poggiare su questa alcuni fagioli secchi, allineandoli anche sotto il cornicione che in tal modo, durante la cottura, non si abbasserà, poi infornare.

Sformare questa scodella di pasta frolla quando è fredda, togliere la carta e i fagioli e adagiarla sul piatto da portata.

Sistemarvi dentro le fragoline con un po' del loro liquido e con altre gocce di maraschino.

Guarnire la crostata con piccole piramidi di panna messe tutt'intorno lungo il cornicione e su ciascuna poggiare una delle fragoline tenute a parte, spolverizzando infine su tutte la scorza di limone grattugiata.

Questo dolce, fatto con una pasta frolla più consistente di quella originale, va tenuto in frigorifero per circa un'ora prima di essere servito.

✧ *316* CROSTATA DI MARMELLATA DI AMARENE

È la crostata di marmellata classica perché l'amarena,
dal sapore forte e particolare, è la più indicata per tale preparazione.

Per 12 persone: *per la pasta frolla originale: farina g 500, burro g 250,*
zucchero g 250, tuorli 5 • marmellata di amarene g 650 •
per la crema per farcire alla vaniglia: latte cl 8, zucchero g 20, 1 tuorlo,
amido di frumento in polvere g 8, limone 1 scorza, vaniglia g $^1/_4$ •
zucchero a velo g 20 • burro g 30
Tempo di cottura: *35 minuti nel forno a 180 °C*
Tempo di conservazione: *4 giorni*

Preparare la crema (v. n. 337) e tenerla in frigorifero per qualche ora affinché indurisca.

Fare la pasta frolla (v. n. 10) e, quando sarà divenuta consistente, con il matterello infarinato spianarne due terzi in tante piccole "pettole" spesse almeno 1 centimetro; con esse rivestire completamente una teglia di 28 centimetri di diametro unta di burro, saldandole una all'altra con la pressione delle dita, facendo attenzione a non diminuirne lo spessore.

Distribuire sulla pasta un sottilissimo strato di crema, che serve unicamente a ingentilire il gusto acre della marmellata.

Ricoprire lo strato di crema con la marmellata, che va un po' sgocciolata se è troppo liquida.

Spianare la pasta restante in un'altra pettola rettangolare di 1 centimetro di spessore, tagliarla a liste non più larghe di $^1/_2$ centimetro e disporle orizzontalmente e verticalmente a griglia, sullo strato di marmellata.

Spennellare con un po' di chiara d'uovo e ripiegare il bordo della pasta su se stesso, comprimendolo con le dita, in modo da ottenere un cornicione alto e spesso.

Infornare, rispettando il tempo indicato che inizia da quando il bordo della crostata dà segni di cottura.

Sformare la crostata quando è fredda, non conservarla in frigorifero perché la pasta frolla indurisce.

È ottima se consumata dopo uno o due giorni.

Al momento di servirla spolverizzarla di zucchero a velo.

✧ *317* Crostata di Mele

Per 14 persone: per la pasta frolla: farina g 400, burro g 200, zucchero g 200, tuorli 4 • mele annurche kg 1 • zucchero g 50 • cannella 1 bustina • per la crema per farcire alla vaniglia: latte cl 15, tuorli 2, zucchero g 40, amido di frumento g 16, vaniglia g $^1/_2$ • marmellata di albicocche g 150 • zucchero a velo g 20 • burro g 25
Tempo di cottura: 25 minuti nel forno a 180 °C
Tempo di conservazione: 3 giorni

Sbucciare le mele, tagliarle a fettine e farle macerare con 50 grammi di zucchero e la cannella.

Preparare la crema (v. n. 337) e tenerla in frigorifero perché indurisca.

Fare la pasta frolla (v. n. 10) e, quando sarà divenuta consistente, con il matterello infarinato spianarne delle "pettole" rettangolari spesse 1 centimetro.

Ungere di burro una teglia dalle pareti sottili del diametro di 28 centimetri e rivestirla completamente con i rettangoli di pasta frolla, saldandoli poi uno all'altro con la pressione delle dita, senza però abbassarne lo spessore. Ripiegare tutt'intorno il bordo formando un bel cornicione.

Distribuire la crema fredda sulla pasta e mettere metà delle mele affettate lungo il perimetro della teglia, in modo che il bordo di pasta durante la cottura non scenda; infornare e dopo 15 minuti aggiungere le altre fettine di mele, disponendole a cerchi concentrici e terminare la cottura (v. alla voce "Forno" nei Consigli utili).

A cottura ultimata versare sul dolce ancora caldo la marmellata calda, precedentemente fatta sciogliere sul fuoco con due cucchiai di acqua.

Sformare la crostata quando è fredda; posarla su un piatto da portata piano e, al momento di servirla, spolverizzarla di zucchero a velo.

✧ *318* CASSATA

La cassata originale, quella siciliana, ha un sapore caratteristico
che le viene conferito dalla ricotta di latte di pecora
che viene molto lavorata e raffinata.

Per 16 persone: *per il pan di Spagna: farina g 120, fecola di patate g 40,*
zucchero g 160, uova 7, limone 1 scorza •
ricotta kg 1 • zucchero g 450 • cioccolato fondente g 100 •
cedro candito g 150 • arance candite g 200 • rhum dl 1 $^1/_2$ •
per la glace royale: chiare d'uovo 1 $^1/_2$, zucchero a velo g 300,
succo di limone q.b. • pasta reale verde g 350
Tempo di cottura: *40 minuti nel forno a 160 °C per il pan di Spagna*
Tempo di conservazione: *2-3 giorni*

Preparare il pan di Spagna (v. n. 301), con le proporzioni sopra indicate e adoperando una teglia del diametro di 28 centimetri.

Tagliare il cioccolato fondente a pezzetti; conservare un'arancia candita piccola da mettere al centro della torta, dalle altre e dal cedro ricavare cinque striscioline sottili per la decorazione e tagliare quello che rimane in pezzetti piccoli che andranno uniti alla ricotta. Dividere il pan di Spagna in due dischi sottili e bagnarli con rhum abbondante.

Con un frullino lavorare la ricotta, unirvi lo zucchero e continuare a montare finché diventa fluida e cremosa. Mescolarvi allora i pezzettini di cioccolato, di arance e di cedro. Adagiare sul piatto da portata il primo disco di pan di Spagna e su questo distribuire tutta la ricotta. Coprire con il secondo disco di pan di Spagna.

Fare la glace royale (v. n. 332) e versarla sulla torta, levigandola immediatamente con un coltello.

Stendere la pasta reale verde con un matterello e, con le dita bagnate, farla aderire tutt'intorno alla torta formando un bel bordo alto e compatto (in mancanza di pasta reale verde, ricoprire la torta anche lateralmente di glace royale).

Sopra la glassa indurita poggiare come guarnizione le striscioline di cedro e di arancia alternate; al centro porre l'arancia candita intera.

Conservare a temperatura ambiente.

✧ *319* PASTIERA

A Napoli la pastiera è il tradizionale dolce pasquale.
Gli ingredienti sono sempre gli stessi, ma le proporzioni variano
secondo il gusto e l'uso di ogni famiglia.
Questa pastiera è un po' simile a quelle che si vendono nelle pasticcerie:
bassa, con molto grano e poca ricotta.

Per 20 persone: per la pasta frolla per pastiera: farina g 400,
burro o sugna g 100, zucchero g 200, tuorli 3, chiare d'uovo 2 •
grano in barattolo g 880 • latte l $^1/_4$ •
ricotta g 350 • zucchero g 450 • uova intere 6 • 1 arancia • 1 limone •
cannella in polvere g 2 • liquore Strega o di limone cl 4 •
acqua di fiori d'arancio cl 2 • sale g 3 • zucchero a velo g 20 • burro g 30
Tempo di cottura: 50 minuti nel forno a 200 °C
Tempo di conservazione: 4-5 giorni

Se si preferisce usare il grano duro, bisogna cuocerne 750 grammi in 1 litro di latte per 2 ore su fuoco moderato. Tuttavia è anche indicato il grano già cotto, in barattolo: sciacquarlo velocemente in acqua corrente per eliminare qualche residuo di amido e lasciarlo bollire per 30 minuti nel latte con il sale, sempre su fuoco moderato.

Il latte deve completamente asciugarsi, quindi durante l'ebollizione mescolare continuamente onde evitare che il grano si attacchi al fondo del tegame.

Tagliare le scorze degli agrumi in pezzetti sottili e piccolissimi. Setacciare o passare al tritatutto più della metà del grano cotto. Con un frullino o un cucchiaio di legno lavorare in una ciotola la ricotta per ammorbidirla, poi unirvi lo zucchero e le uova intere, una per volta, e mescolare bene. Aggiungere il grano, sia quello a chicchi, sia quello tritato, il liquore, l'acqua di fiori d'arancio, i pezzetti di scorza di agrumi, la cannella, e mescolare bene.

Fare la pasta frolla (v. n. 11) e, quando l'impasto sarà divenuto consistente, spianarne due terzi in tante piccole "pettole" spesse circa $^1/_2$ centimetro.

Ungere di burro una teglia dalle pareti molto sottili del diametro di 30 centimetri e rivestirla fino al bordo con le pettole. Poi versare il composto.

Spianare il terzo della pasta frolla tenuta a parte in una pettola rettangolare e con un coltello suddividerla in tante strisce non più larghe di $^1/_2$ centimetro.

Disporre queste strisce a copertura del ripieno, ponendone alcune in senso verticale, altre in senso orizzontale, a griglia.

Ripiegare il bordo su se stesso pressandolo con le dita, spennellare le strisce con un po' di chiara d'uovo e infornare (v. alla voce "Forno" nei Consigli utili).

Il tempo di permanenza in forno sopra indicato inizia da quando si notano segni di cottura lungo il bordo della teglia.

Sformare la pastiera quando è fredda; sistemarla in un piatto da portata dal fondo piano e, prima di servirla, spolverizzarne la superficie di zucchero a velo.

Conservare il dolce in ambiente fresco ma non in frigorifero.

✧ *320* Torta Caprese

Una torta tradizionale che a Capri ognuno interpreta
con qualche accorgimento personale.

Per 10 persone: mandorle sgusciate g 200 • noci sgusciate g 50 •
cioccolato fondente g 100 • uova 7 • burro g 70 • zucchero g 230 •
biscotti semplici g 70 • zucchero a velo g 20 •
per il gelato alla vaniglia: latte dl 3,75, zucchero g 110, tuorli 3, vaniglia g 1
Tempo di cottura: 50 minuti in forno a 160 °C
Tempo di conservazione: 5-6 giorni

Tenere il burro a temperatura ambiente per 6-7 ore prima di usarlo.

Tritare finemente le mandorle spellate, le noci, il cioccolato e i biscotti. Montare con un frullino i tuorli con lo zucchero e, quando saranno divenuti spumosi, unirvi il burro lavorato a parte, le noci, le mandorle, il cioccolato, i biscotti tritati, sempre lavorando con il frullino, e infine le chiare d'uovo montate a neve ferma; mescolare delicatamente con un cucchiaio di legno.

Ungere di olio e cospargere di farina una teglia dalle pareti sottili del diametro di 24 centimetri, versarvi il composto e infornare (v. *Cottura ... alle chiare d'uovo* alla voce "Forno" dei Consigli utili). Sformare la torta quando è fredda e, al momento di servirla, spolverizzarla di zucchero a velo, tagliarla a fette e mettere su ciascuna di esse un po' di gelato, preparato secondo la ricetta specifica (v. n. 360).

✧ *321* TORTA MILLEFOGLIE

Per 8 persone: per la pasta sfoglia classica: farina g 400,
margarina g 300, acqua dl 1, sale g 3 •
per la crema al burro leggera: latte cl 18, zucchero g 100,
tuorli 2, amido di frumento in polvere g 22, vaniglia g $^1/_2$, burro g 200 •
marmellata di amarene a pezzi senza liquido g 150 • mandorle fritte g 100 •
zucchero a velo g 40 • burro g 80
Tempo di cottura: 10 minuti nel forno a 200 °C per ciascun disco di sfoglia
Tempo di conservazione: 2 giorni

Tagliare dalla carta oleata quattro dischi di 28 centimetri di diametro e un altro disco di 40.

Fare la pasta sfoglia (v. n. 14) e dividerla in quattro pezzi. Lavorare un pezzo alla volta in questo modo: spianare una "pettola" molto sottile e ricavarne un disco del diametro di 26 centimetri servendosi di una teglia capovolta. Mettere questo disco di pasta in una teglia del diametro di 24 centimetri, unta di burro, bucherellarlo in vari punti, coprirlo di un disco di carta oleata unto, distribuirvi sopra alcuni fagioli perché non si gonfi e cuocerla nel forno già caldo.

Ripetere l'operazione con gli altri tre pezzi.

Per fare la crema al burro leggera, preparare la crema alla vaniglia (v. n. 337) e versarla a filo nel burro tolto dal frigorifero la sera prima e montato a spuma con il frullino. Metterla a indurire nel frigorifero.

Al disco di carta di 40 centimetri praticare un largo foro centrale e poi un taglio che vada dal foro al bordo esterno.

Distendere sul piatto da portata il foglio così preparato e disporvi sopra il primo disco di pasta; spalmarlo di un cucchiaio di crema e distribuirvi a fiocchetti quasi tutta la marmellata conservando 12 amarene per la guarnizione.

Coprire col secondo disco e su questo spalmare un po' di crema e distribuire un paio di cucchiaini di marmellata.

Coprire con il terzo disco e versarvi sopra la crema conservandone a parte due cucchiaini. Infine poggiare il quarto disco.

Spalmare i due cucchiaini di crema sulla superficie laterale del dolce e farvi aderire le mandorle tritate.

Spolverizzare di abbondante zucchero a velo, mettere al centro della torta un'amarena e circondarla con le altre undici, poi togliere delicatamente la carta oleata divaricando i lembi.

Conservare la torta in ambiente fresco e non in frigorifero.

✧ *322* TORTA MIMOSA

Questa torta fresca e soffice è piacevolissima;
la crema Chantilly deve essere fluida e abbondante.

Per 6 persone: per il pan di Spagna: farina g 220, zucchero g 220,
uova 10, limone 1 scorza •
per la crema Chantilly: tuorli 8, latte dl 6 ¹/₂, zucchero g 190, amido di frumento
in polvere g 50, vaniglia pura g 2, limone ¹/₂ scorza, panna montata g 600 •
ananas in scatola 10 fette • liquore Strega o liquore "ancien" dl 1
Tempo di cottura: 50 minuti nel forno a 160 °C per il pan di Spagna
Tempo di conservazione: 2 giorni

Preparare il pan di Spagna (v. n. 301); per maggiore comodità è possibile prepararlo il giorno prima di confezionare la torta e conservarlo avvolto in un foglio di carta oleata.

Servendosi di un coltello praticare un'incisione circolare sul pan di Spagna lasciando un bordo di 2 centimetri, quindi affondare la lama fino a 1 centimetro dal fondo e ruotarla fino a staccare tutta la parte centrale del dolce. Estrarre questo cilindro di pasta, aiutandosi con una forchettina, e tagliarne orizzontalmente la sommità in modo da ottenere un disco che in seguito servirà da coperchio.

Bagnare con il liquore sia il disco sia l'involucro di pan di Spagna.

Fare la crema Chantilly (v. n. 340) e unirvi tre fette di ananas tagliate a pezzetti.

Poggiare sul piatto da portata un disco di carta oleata del diametro di 40 centimetri; praticarvi un largo foro centrale e poi un taglio che vada dal foro al bordo esterno del disco.

Disporre sul piatto la "scatola" di pan di Spagna e riempirla di crema Chantilly conservandone quattro cucchiai.

Chiudere la torta con il disco e spalmarla interamente di crema.

Sbriciolare finemente i pezzi di pan di Spagna levati dall'interno del dolce e ricoprirne la torta dandole così il bell'aspetto di una mimosa.

Adagiare una fetta intera di ananas sulla sommità del dolce e distribuire le altre, tagliate in due, intorno a essa, con un po' di fantasia.

Togliere la carta oleata e conservare la torta in ambiente fresco e non in frigorifero perché si indurirebbe.

✧ *323* TORTA MOKA

Torta ad alto livello di pasticceria
per la raffinatezza degli ingredienti e della lavorazione.

Per 4 persone: per il pan di Spagna: farina g 140, zucchero g 140, uova 6 •
per la crema al burro originale francese al caffè: tuorli 10, burro g 500,
zucchero a velo g 500, chiare d'uovo 2, concentrato di caffè cl 2 •
liquore al caffè cl 15 • mandorle fritte g 150
Tempo di cottura: 40 minuti nel forno a 160 °C per il pan di Spagna
Tempo di conservazione: 2-3 giorni

Preparare con 24 ore di anticipo il liquore (v. n. 394), le mandorle fritte e il pan di Spagna (v. n. 301), che deve essere alto e soffice e cotto in una teglia di 24 centimetri di diametro.

Tritare non troppo finemente le mandorle fritte.

Dividere il pan di Spagna in tre dischi; quello bombato andrà messo per ultimo, capovolto, con la parte piana rivolta verso l'alto.

Ricavare da un foglio di carta oleata un disco di 40 centimetri di diametro; praticarvi un grande foro centrale e poi un taglio che vada dal foro al bordo esterno del disco. Porlo sul piatto da portata, poggiarvi sopra il primo disco di pan di Spagna e bagnarlo con un terzo del liquore al caffè.

Fare la crema al burro (v. n. 342) e dividerla in tre parti; con una formare uno strato sul disco di pan di Spagna poggiato sul piatto, levigarne la superficie con un coltello e coprirlo con il secondo disco.

Bagnare anche questo col liquore e ricoprirlo con un'altra porzione di crema, poggiarvi sopra il terzo disco, capovolto, e bagnarlo con il liquore rimasto.

A questo punto ricoprire tutta la torta con la restante crema, tracciare con la punta di un coltello delle virgole decorative e cospargere di abbondanti mandorle tritate.

Togliere la carta oleata e conservare la torta in luogo fresco ma non in frigorifero. perché la crema si indurirebbe.

✧ 324 TORTA SECCA DI MANDORLE E ARANCE

È la più classica delle torte secche d'epoca.

Per 12 persone: mandorle sgusciate g 300 • farina g 150 • zucchero g 300 •
arance 2 • uova 6 • limone 1 scorza • zucchero a velo g 25
Tempo di cottura: 40 minuti nel forno a 170 °C

Spremere le arance, che devono essere di buona qualità. Per questa ricetta sono necessari 16 centilitri di succo.

Tenere per qualche minuto le mandorle in acqua bollente; poi spellarle e tritarle molto finemente.

Con un frullino montare i tuorli con lo zucchero e, quando saranno diventati spumosi, unirvi poco per volta, continuando a montare, le mandorle, la farina, il succo delle arance, la scorza di limone grattugiata e in ultimo le chiare montate a neve ferma.

Ungere di olio e cospargere di farina una teglia dalle pareti sottili del diametro di 24 centimetri, quindi versarvi il composto e infornare.

Sformare la torta quando è del tutto fredda, metterla in un piatto da portata tondo e al momento di servirla ricoprirla di zucchero a velo.

✧ 325 TORTA SECCA MARGHERITA

Servita da sola è indicata per la prima colazione o per il tè;
accompagnata da una salsa di cioccolato in salsiera diventa un ottimo dessert.

Farina g 125 • fecola di patate g 125 • zucchero g 180 • burro g 100 •
uova 6 • limone 1 scorza • zucchero a velo g 25
Tempo di cottura: 40 minuti nel forno a 170 °C

La fecola può essere sostituita dalla farina (g 240 in totale) e il dolce risulta egualmente ottimo.

Con un frullino montare bene i tuorli con lo zucchero; quando saranno diventati spumosi, versarvi sopra il burro fuso e raffreddato. Sempre lavorando con il frullino aggiungere, spolverizzandole, la farina, la fecola e la scorza di limone grattugiata. Da ultimo unire le chiare montate a parte a neve ferma, amalgamandole con un cucchiaio di legno.

Ungere d'olio e cospargere di farina una teglia dalle pareti sottili, di 24 centimetri di diametro; versarvi il composto e infornare (v. *Cottura ... alle chiare d'uovo* alla voce "Forno" nei Consigli utili).

Sformare la torta quando è fredda. Spolverizzare di zucchero a velo e servire per una prima colazione o per il tè.

✧ *326* ZUPPA INGLESE

*Non è difficile a farsi, ed è un dolce ottimo
anche se servito due o tre giorni dopo la sua preparazione.*

Per 10 persone: per il panettone: farina e fecola di patate g 200, burro g 100,
zucchero g 125, uova 4, lievito in polvere g 4 $^1/_2$, succo di limone q.b. •
per la crema alla vaniglia: latte dl 3, zucchero g 60, tuorli 3,
amido di frumento in polvere g 32, limone $^1/_4$ di scorza, vaniglia g 1 •
per la crema al cioccolato: latte l $^1/_4$, cacao amaro g 30, tuorli 3,
zucchero g 90, amido di frumento in polvere g 25, limone $^1/_4$ di scorza •
cioccolato fondente g 100 • marmellata di amarene g 120 •
liquore Strega o liquore "ancien" cl 12 •
per la meringa: zucchero g 200, chiare d'uovo 3,
cremore di tartaro g 1 $^1/_2$, vaniglia g $^1/_2$
Tempo di cottura: *50 minuti nel forno a 160 °C per il panettone*
Tempo di conservazione: *4-5 giorni*

Preparare il panettone montando a spuma i tuorli con lo zucchero; unirvi poi il burro, tolto dal frigorifero 6-7 ore prima e lavorato a parte, la farina, la fecola e in ultimo le chiare montate a neve ferma. Sciogliere il lievito in poche gocce di succo di limone e amalgamarlo al tutto.

Ungere di olio e cospargere di farina una teglia ovale dalle pareti sottili di 26 per 18 centimetri, versarvi il composto e infornare.

Preparare la crema alla vaniglia (v. n. 337) e metterla in frigorifero a indurire.

Preparare la crema al cioccolato (v. n. 336).

Tagliare il panettone orizzontalmente in tre parti. In un piatto da portata ovale adagiare il primo disco, bagnarlo con un terzo di liquore, ricoprirlo con la crema al cioccolato ben fredda e dura e distribuirvi sopra il cioccolato fondente tagliato a pezzettini.

Coprire con il secondo disco, bagnarlo con un altro terzo di liquore, stendervi sopra la crema alla vaniglia bene indurita in frigorifero e distribuirvi sopra la marmellata a fiocchetti, privata del liquido.

Poggiare infine sul tutto il terzo disco e bagnarlo con il liquore rimasto.

Preparare la meringa (v. n. 333) e quando è ancora calda metterla in una siringa a becco largo e guarnire il dolce con disegni studiati in modo che ne venga totalmente ricoperto.

Mettere la torta in forno molto caldo ma spento, in modo che la meringa si colori; se ciò non avvenisse, accendere il forno per soli 5 minuti.

Dopo averla fatta raffreddare, conservare la zuppa inglese in frigorifero, ma tenerla 3 ore a temperatura ambiente prima di servirla.

CREME

✧ *327* CONCENTRATO DI CAFFÈ

Per aromatizzare diverse creme è molto semplice ed efficace
unire un forte caffè agli altri ingredienti.

Per 2 cl di concentrato: *caffè g 40 • acqua cl 7*

Riempire di polvere di caffè ben pressata una macchinetta per sei tazze, versarvi l'acqua e metterla sul fornello a fuoco moderato.
Si otterranno così 2 centilitri di concentrato perché i rimanenti 5 saranno stati assorbiti dal caffè in polvere in lavorazione sul fuoco.
I 2 centilitri corrispondono a 2 cucchiai di liquido.

✧ *328* FONDENTE NATURE AL CAFFÈ

Semplice e genuino, questo fondente è indicato per guarnire
gli éclairs o gli choux farciti di crema al caffè.

Caffè espresso dl 2 • zucchero g 150
Tempo di cottura: *10 minuti*

Preparare un caffè forte e versarlo in un pentolino con lo zucchero.
Far bollire a fuoco molto moderato, rimestando continuamente.
Man mano che il liquido si asciuga lo zucchero comincia a friggere e il fondente ad addensarsi.
Aspettare che si sia indurito quanto basta per poterlo spalmare, quindi toglierlo dal fuoco e guarnire il dolce preparato.
Usare il fondente quando è ancora tiepido perché, freddo, indurisce; se ciò dovesse avvenire, riscaldarlo a bagnomaria.

Anonimo, *Piatto*.
Torgiano, Museo del vino.

Anonimo, *Versatore*.
Torgiano, Museo del vino.

✧ *329* FONDENTE AL CIOCCOLATO

Il fondente viene usato per la copertura di torte farcite;
forma sulla torta una crosta dura e levigata che si può decorare a piacere
con la glace royale o con la panna.

Per una torta piccola: *cioccolato fondente g 125 •*
per il giulebbe: zucchero g 25, acqua dl 1
Tempo di cottura: *1 minuto*

Il fondente si spalma sulla torta immediatamente dopo essere stato preparato perché, come tutte le coperture, indurisce rapidamente. Fare quindi prima il dolce che si desidera ricoprire e poi prepararne la crosta di copertura.

Sciogliere il cioccolato in una piccola pentola, a bagnomaria.

A parte preparare il giulebbe, facendo bollire per 1 minuto, in un pentolino, l'acqua con lo zucchero, a fuoco molto moderato; esso deve rimanere liquido (la quantità di zucchero è molto modesta per non alterare il sapore della torta).

Versare a filo questo sciroppo caldo nel cioccolato liquefatto e caldo dopo aver spento il fuoco sotto la pentola per il bagnomaria, ma lasciandovi poggiato sopra il tegamino con il cioccolato che altrimenti, allontanato dal calore, indurirebbe. Amalgamare il giulebbe con il cioccolato, mescolando continuamente con un cucchiaio di legno.

A questo punto il fondente è pronto; versarlo subito sulla torta da ricoprire, levigandone la superficie con un coltello asciutto; se nel frattempo il fondente indurisce, rimetterlo di nuovo sul fuoco a bagnomaria per ammorbidirlo.

Dopo aver coperto il dolce, aspettare qualche minuto perché la crosta diventi dura, poi decorarla come richiesto dalla ricetta specifica.

✧ *330* SALSA DI CIOCCOLATO

Questa salsa dalle dosi minime di cacao e uova
risulta compatta e gustosa solo per il procedimento di lavorazione.
Servita in salsiera, accompagna molto bene budini, panettoni e torte secche.

Tuorli 2 • zucchero g 80 • fecola di patate g 15 • cacao amaro g 35 •
latte fresco intero dl 4 • vaniglia g 1
Tempo di cottura: *5 minuti*

Dare un bollore al latte. Mescolare il cacao alla fecola e diluire il tutto con poche gocce di latte.

Montare bene con un frullino i tuorli con lo zucchero; quando appaiono spumosi, unirvi un po' per volta il cacao con la fecola e versare a filo il latte ancora caldo, mescolando con un cucchiaio di legno.

Mettere il composto su fuoco moderato e continuare a mescolarlo per tutto il tempo della cottura; fare attenzione a che non entri in ebollizione e spegnere il fuoco quando si sente ispessire il composto.

Aggiungere la vaniglia in polvere e versare subito la crema sul dolce scelto o nella salsiera.

Non conservare in frigorifero. Servire a temperatura ambiente.

✧ 331 CREMA AL CAFFÈ NATURE

Crema delicata e particolarmente fluida, va servita in coppette o in salsiera,
per accompagnare un dolce secco.

Per 6 persone: *latte intero fresco dl 4 • tuorli 5 •*
zucchero g 120 • caffè concentrato cl 4
Tempo di cottura: *4–5 minuti a bagnomaria*
Tempo di conservazione: *3 giorni*

Preparare il concentrato di caffè (v. n. 327) e unirne quattro cucchiai al latte già bollito con lo zucchero.

Montare con un frullino i tuorli e contemporaneamente versarvi a filo il latte tiepido. Cuocere il tutto a bagnomaria mescolando continuamente durante i pochi minuti in cui l'acqua bolle.

Quando la crema diventa spessa, allontanarla dal fuoco prima che entri in ebollizione.

Conservarla in frigorifero.

✧ 332 GLACE ROYALE

È una glassa che serve a rivestire torte quali la cassata
o a decorarle con disegni e ornamenti.

Per una torta piccola: *1 chiara d'uovo • zucchero a velo g 200 •*
gocce di succo di limone 4-5

Questa glace indurisce subito dopo la preparazione; va fatta quindi quando la torta da ricoprire o guarnire è già pronta.

In un piatto fondo, montare la chiara con una forchetta, ma non renderla a neve. Versarvi a filo lo zucchero, continuando a mescolare finché l'amalgama diventi una crema densa e filante; a tale scopo giudicare se è necessario aumentare o diminuire la quantità di zucchero indicata. Aggiungere le gocce di limone e usare subito la glace prima che indurisca.

Se si deve rivestire una torta, è sufficiente versare la glace royale sulla sommità del dolce e poi stenderla su tutta la superficie di esso aiutandosi con la lama asciutta di un coltello.

Se si desidera solamente guarnire una preparazione, riempire con la glace un piccolo cono di carta oleata dal foro piccolissimo e, spremendolo, tracciare le decorazioni desiderate.

✧ *333* MERINGA

La meringa si prepara in diverse maniere;
questa è una tra le più semplici e di sicura riuscita.

Zucchero semolato g 200 • chiare d'uovo 3 •
cremore di tartaro g 1 ¹/₂ • vaniglia g ¹/₂
Tempo di cottura: *10 minuti a bagnomaria*

Mettere le chiare in un tegame e sbatterle con una forchetta per pochi secondi; unirvi poi lo zucchero e il cremore e cuocere a bagnomaria sul fornello, a fuoco moderato, per il tempo indicato.

Durante la cottura continuare a sbattere il composto.

Dopo 10 minuti circa esso si sarà addensato come una panna; a questo punto toglierlo dal fuoco, unirvi la vaniglia e amalgamarvela; poi usare il preparato secondo le indicazioni della ricetta.

Generalmente la meringa viene messa ancora calda nella siringa da dolci con la quale si eseguono le decorazioni desiderate. Qualche minuto in forno basterà a farle assumere un po' di colore.

✧ *334* CREMA PER COPPETTE ALLA VANIGLIA

Ai tempi delle nostre nonne questo era il classico dessert della domenica,
semplice, gustoso e nutriente.
È necessario rispettare la vecchia ricetta usando latte intero e fresco.

Per 6 coppette: *latte intero e fresco l ¹/₂ • zucchero g 80 • tuorli 6 •*
amido di frumento in polvere g 10 • limone 1 scorza • vaniglia pura g 1 •
biscotti tipo Maddalene g 40 • marmellata di amarene g 40 •
cognac o liquore di amarene cl 5
Tempo di conservazione: *5 giorni in frigorifero*

Preparare le sei coppette mettendo in ciascuna due pezzetti di biscotto; bagnare il biscotto con il liquore e poggiarvi sopra mezzo cucchiaino di marmellata di amarene; altre marmellate, troppo dolci, non sono indicate.

L'amido di frumento rende la crema delicata; non usare quello di mais o di riso, troppo leggeri e non adatti a rassodare bene la crema; non usare la farina, che l'appesantisce e la rende ordinaria.

Sciogliere quindi l'amido in una tazzina con un po' di latte freddo e, in una pentola non troppo grande, mescolarlo con i tuorli, lo zucchero, il latte e due fette di scorza di limone lavate e sgocciolate.

Porre la pentola su fuoco moderato e, con un cucchiaio di legno, girare continuamente il composto nel centro, sempre nello stesso verso e con uguale ritmo, senza mai fermarsi altrimenti la crema "impazzisce", diventa cioè grumosa e non è più possibile renderla liscia; ai primi cenni di bollore, quando la crema comincia a ispessirsi, allontanare la pentola dal fuoco, levare le scorze di limone, aggiungere la vaniglia, mescolare e versare subito nelle coppette già preparate.

Mettere infine le coppette in frigorifero e non servirle prima di 6-7 ore, per dar tempo alla crema di rassodarsi un poco, solo quel tanto che questa delicata ricetta richiede.

✧ 335 CREMA PER COPPETTE AL CAFFÈ

*Per 6 coppette: concentrato di caffè cl 5 • latte intero fresco cl 45 •
zucchero g 120 • tuorli 6 • limone 1 scorza •
amido di frumento in polvere g 20 • biscotti semplici g 40 •
marmellata di amarene g 40 • cognac o liquore al caffè cl 5*
Tempo di conservazione: 5 giorni in frigorifero

In una macchinetta da caffè da sei tazze mettere solamente 10 centilitri di acqua per ottenere 5 centilitri di caffè ristretto.

Unire il concentrato di caffè al latte e agli altri ingredienti sopra elencati e procedere come indicato nella ricetta "Crema per coppette alla vaniglia" (v. n. 334) dopo aver preparato nello stesso modo le coppette.

✧ 336 CREMA PER COPPETTE AL CIOCCOLATO

*Per 6 coppette: latte intero fresco l 1/2 • cacao amaro g 40 • zucchero g 150 • tuorli 5 •
amido di frumento in polvere g 8 • limone 1 scorza •
biscotti semplici g 40 • marmellata di amarene g 40 • cognac cl 5*
Tempo di conservazione: 5 giorni in frigorifero

Mettere in una tazza il cacao con lo zucchero e mescolare; versare a filo un po' di latte freddo per sciogliere bene il cioccolato senza formare grumi.

In una pentola non troppo larga porre i tuorli, l'amido sciolto in un po' di latte freddo, il cacao mescolato allo zucchero, il latte rimasto e la scorza di limone lavata e sgocciolata.

Procedere come indicato nella ricetta "Crema per coppette alla vaniglia" (v. n. 334), dopo aver preparato nello stesso modo le sei coppette.

✧ 337 CREMA PER FARCIRE ALLA VANIGLIA

*La crema per farcire i dolci deve essere un poco più consistente
di quella offerta in coppette.
È sufficiente aumentare la quantità di amido
e tenerla in frigorifero perché si addensi.*

*Latte intero fresco l $^1/_2$ • zucchero g 120 • tuorli 4 • 1 limone •
amido di frumento in polvere g 50 • vaniglia pura g 1*
Tempo di conservazione: *5 giorni in frigorifero*

Per preparare la crema procedere nel modo indicato dalla ricetta "Crema per coppette alla vaniglia" (v. n. 334) con gli ingredienti sopra indicati, senza considerare le coppette.

✧ 338 CRÈME CARAMEL

*È una crema squisita che si cuoce a bagnomaria.
Affinché risulti saporosa e consistente,
gli ingredienti che la compongono devono essere genuini.*

Per 6 persone: *per la crema: latte intero fresco l $^1/_2$,
zucchero g 100, uova 2, tuorli 4, vaniglia g $^1/_2$ •
per il caramello: zucchero g 100, acqua cl 1 $^1/_2$, succo di limone 4-5 gocce •
burro g 20*
Tempo di cottura: *4 minuti per il caramello
45 minuti a bagnomaria nel forno a 200 °C*
Tempo di conservazione: *2 giorni in frigorifero*

Preparare il caramello mettendo un tegamino con l'acqua, lo zucchero e le gocce di limone su fuoco moderato per 4 minuti.

Quando lo zucchero sarà diventato color nocciola, non farlo brunire oltre ma versarlo subito in una teglia alta 8 centimetri e con diametro di 14 centimetri, unta di burro. Smuovere la teglia affinché il caramello si spanda uniformemente sul fondo e sul bordo.

Per fare la crema, sbattere bene in un piatto le uova; unirvi poi lo zucchero, versare a filo il latte bollito a parte e caldo e aggiungere la vaniglia.

Versare il tutto nella teglia rivestita di caramello freddo.

Cuocere a bagnomaria in forno, calcolando il tempo di cottura da quando l'acqua del recipiente in cui è immersa la teglia inizia a bollire (v. alla voce "Bagnomaria" nei Consigli utili). A cottura ultimata far raffreddare la crema, poi sformarla in un piatto da portata rotondo col fondo piano. La crème caramel risulterà soda e ricoperta del caramello un poco liquefatto. Conservarla in frigorifero, ma servirla dopo averla tenuta a temperatura ambiente per 2 ore.

✧ *339* CRÈME PLOMBIÈRE

Come le ricette delle altre creme, anche questa della Plombière è antica.
La lavorazione la rende raffinata sia come crema sia come semifreddo.
Un tempo per raffreddarla la si teneva sotto delle lastre di ghiaccio.

Per 8 persone: *latte intero fresco dl 6 • tuorli 8 • zucchero a velo g 120 •*
farina di riso o fecola di patate g 8 • rhum dl 1 •
panna montata (facoltativa) g 200
Tempo di refrigerazione: *3 ore in frigorifero per la crema*
2 ore e mezzo in freezer per il semifreddo

Far bollire il latte e lasciarlo raffreddare.

In un tegame amalgamare la farina con poche gocce di latte, cercando di non formare grumi.

Aggiungervi il rimanente latte e i tuorli; mescolare bene e porre il tegame su fuoco moderato, mescolando continuamente con un cucchiaio di legno e sempre nello stesso verso.

Quando la crema comincia a rapprendersi, allontanare il tegame dal fuoco prima che entri in ebollizione e continuare a mescolare finché il composto diventa levigato e omogeneo. Unirvi allora lo zucchero, mescolare ancora e filtrare il tutto attraverso un colino da tè.

Versare la crema in otto coppette e tenerle in frigorifero per il tempo indicato. Al momento di servire, versare un poco di rhum in ogni coppetta.

Volendo ottenere un semifreddo versare la crema in un'unica coppa larga da freezer.

Mescolare due o tre volte durante le ore di refrigerazione e, al momento di servire, riempire col semifreddo le singole coppette nelle quali è già stato versato un po' di rhum e, se piace, decorarle con dei fiocchetti di panna.

✧ *340* Crema Chantilly

Il cuoco del principe di Condé, nel castello di Chantilly, creò per il suo padrone
la panna montata con zucchero a velo destinata a diventare famosa.
A essa è possibile aggiungere del cacao o altro
per ottenere creme raffinate come questa che segue.

Per la crema alla vaniglia: latte intero fresco l $^1/_2$, tuorli 6, zucchero g 140,
amido di frumento in polvere g 46, vaniglia pura g 1 $^1/_2$, limone 1 scorza •
panna montata g 450 • liquore bianco cl $^1/_2$
Tempo di conservazione: *12 ore in frigorifero*

Preparare la crema seguendo le indicazioni della ricetta "Crema per coppette alla vaniglia" (v. n. 334) ma con le proporzioni date e senza considerare le coppette. Quando si sarà raffreddata versare a filo il liquore e poi aggiungervi la panna montata. Se la Chantilly serve per farcire una torta, non mettere il liquore che la renderebbe troppo fluida.

✧ *341* Crema Saint-Honoré

È una crema leggera e raffinata che accompagna molto bene dolci
soffici e delicati come il babà.

Per la crema per coppette alla vaniglia: latte intero fresco l $^1/_2$, zucchero g 120,
tuorli 6, amido di frumento in polvere g 46, limone 1 scorza, vaniglia pura g 1 •
chiare d'uovo 6
Tempo di conservazione: *2-3 ore in frigorifero*

Preparare la crema (v. n. 334) con le proporzioni sopra indicate senza considerare le coppette. Montare le chiare a neve ferma e poi aggiungerle lentamente alla crema ancora calda, mescolando con delicatezza.
Conservare questa crema in frigorifero e servirla in salsiera per accompagnare una brioche morbida e dolce.

✧ *342* Crema al Burro Originale Francese al Caffè o al Cioccolato

Burro freschissimo g 400 • zucchero a velo g 400 • tuorli 8 •
chiare d'uovo 1 o 2 • concentrato di caffè cl 1 $^1/_2$ (o cioccolato fondente g 140)
Tempo di conservazione: *1-2 giorni in luogo fresco*

Preparare il concentrato di caffè (v. n. 327).

Togliere il burro dal frigorifero 6-7 ore prima dell'uso; montarlo con il frullino per 5-6 minuti, fino a farlo diventare spumoso; aggiungervi quindi lo zucchero e continuare a montare per una decina di minuti, finché i due ingredienti si saranno amalgamati bene fra loro e lo zucchero si sarà liquefatto.

Aggiungere un tuorlo per volta continuando a frullare; infine versarvi, goccia a goccia, il concentrato di caffè (o il cioccolato liquefatto a bagnomaria). È bene continuare ancora a frullare per altri 6-7 minuti.

Quando il tutto sarà diventato spumoso, incorporarvi a poco a poco le chiare già montate a neve ferma e, da questo momento, non adoperare più il frullino ma un cucchiaio di legno.

Affinché la crema rimanga compatta, valutare al momento la giusta quantità di chiare da amalgamare. Così pure, se si aumentano le proporzioni degli ingredienti per ottenere una crema più abbondante, non aumentare automaticamente anche le chiare d'uovo, ma vedere al momento quante ne sono necessarie.

Quando la crema è ben amalgamata e omogenea, usarla subito come le indicazioni della ricetta scelta richiedono.

Le creme al burro, a fine lavorazione, risultano spumose e soffici; non bisogna conservarle in frigorifero dove, indurendo, perderebbero queste caratteristiche.

✧ 343 MOUSSE ORIGINALE FRANCESE AL CIOCCOLATO

Oggi si usa chiamare mousse un composto di uova e panna.
La riuscita della mousse è assicurata ma, con la panna, i singoli ingredienti vedono offuscato il proprio sapore.
Questa antica ricetta dimostra come in pochi minuti si possa ottenere un'ottima mousse anche senza di essa.

Per 12 coppette: *uova 8 • cioccolato fondente g 200 •*
zucchero a velo g 120 • marmellata di amarene g 80 •
qualche biscotto tipo savoiardo • rhum dl 1
Tempo di conservazione: *7-8 ore*

Preparare le coppette poggiando in ciascuna di esse un paio di pezzetti di savoiardo bagnati con poco rhum. Sui biscotti, al centro, porre mezzo cucchiaino di marmellata d'amarene.

Sciogliere il cioccolato a bagnomaria.

Montare bene i tuorli con il frullino, amalgamarli con lo zucchero e continuare a lavorare.

Quando il composto sarà divenuto spumoso versarvi a filo il cioccolato tiepido e da ultimo incorporare le chiare montate a neve ferma, avvalendosi di un cucchiaio di legno mescolare con un movimento dal basso verso l'alto. Versare subito la mousse nelle coppette; riempirle fino a metà e in ciascuna infilare da un lato, diritto nella crema, mezzo savoiardo.

Non mettere in frigorifero e servire in giornata.

✧ *344* SANGUINACCIO

*È antica tradizione napoletana offrire, durante il periodo di Carnevale,
questa densa e gustosa crema al cioccolato della quale il sangue di maiale
è uno degli ingredienti indispensabili.*

*Per 12 coppette: sangue di maiale l 1/2 • latte intero fresco l 1/2 •
zucchero g 480 • cacao amaro g 150 • cioccolato fondente g 200 •
amido di frumento in polvere g 30 • vaniglia pura g 2 • cedro a pezzettini g 100 •
bacchetta di cannella 1 1/2 • biscotti savoiardi 12*
***Tempo di conservazione:** 2-3 giorni in frigorifero*

Mescolare in una tazza lo zucchero con il cacao, versarvi a filo poco latte e amalgamare bene.

Far sciogliere il cioccolato fondente a bagnomaria e l'amido in una tazzina con poco latte freddo.

Far bollire il sangue e setacciarlo perché tende a coagularsi.

Mettere in una pentola il sangue, il latte, il cacao amalgamato con lo zucchero, il cioccolato, l'amido e portare a ebollizione sul fuoco, mescolando con un cucchiaio di legno con vivacità, nel centro della pentola. Far bollire un paio di minuti molto lentamente, rigirando sempre il composto.

Allontanare dal fuoco il sanguinaccio e unirvi la cannella polverizzata e la vaniglia.

Filtrarlo e versarlo, ancora caldo, in 12 coppette.

Conservare le coppette in frigorifero ma tenerle a temperatura ambiente per 30 minuti prima di servirle; solo allora decorarle mettendo al centro di ognuna qualche pezzettino di cedro e infilandovi, di lato, mezzo savoiardo.

✧ *345* ZABAIONE IN COPPETTE

Una volta lo zabaione era molto diffuso per una sostanziosa prima colazione.

*Per 6 persone: tuorli 6 • zucchero g 90 • 1 chiara d'uovo •
marsala secco o all'uovo cl 8 • vino bianco cl 3 • biscotti lingue di gatto 9*
***Tempo di cottura:** 7-8 minuti a bagnomaria*
***Tempo di conservazione:** 20 minuti in frigorifero*

Preparare sei coppette di vetro mettendo in ciascuna un pezzetto di biscotto asciutto.

Servendosi del frullino montare i tuorli con lo zucchero, poi versarvi a filo il marsala e il vino bianco.

Porre questa crema in un pentolino a bagnomaria sul fornello e continuare a sbatterla con una forchetta fino a che si addensa. L'acqua del bagnomaria deve bollire moderatamente, ma la crema va levata dal fuoco prima che bolla.

Unire allo zabaione tre quarti di una chiara d'uovo già montata a neve mescolando con movimento lento, dal basso verso l'alto.

Versare la crema nelle coppette e infilarvi mezzo biscotto, lateralmente.

Offrire lo zabaione caldo ai vecchi buongustai, amanti della colazione mattutina, oppure fresco, dopo averlo tenuto in frigorifero non oltre il tempo indicato, come dessert.

SEMIFREDDI

✧ *346* BUDINO DI CIOCCOLATO

È di facile esecuzione, nutriente e si conserva bene in frigorifero.
Un risultato eccellente e la sicurezza di aver adoperato alimenti sani
compensano certamente il poco tempo speso per questa preparazione.

Per 6 persone: uova 2 • zucchero g 120 • burro g 100 •
cioccolato fondente g 120 • farina g 30
Tempo di cottura: 60 minuti a bagnomaria
Tempo di refrigerazione: 4 ore in frigorifero
Tempo di conservazione: 3 giorni in frigorifero

Togliere il burro dal frigorifero qualche ora prima di usarlo. Sciogliere il cioccolato fondente a bagnomaria.

Montare i tuorli con lo zucchero e versarvi a filo il cioccolato liquido e non molto caldo. Aggiungere la farina, il burro lavorato a parte a spuma e da ultimo le chiare d'uovo montate a neve ferma. Mescolare delicatamente e versare il composto in una forma a pareti lisce e alte del diametro di 14 centimetri, unta di burro e spolverizzata di farina.

Cuocere il budino sul fornello a bagnomaria. Farlo raffreddare, poi porlo in frigorifero per il tempo necessario. Infine sformarlo sul piatto da portata infilando una lama di coltello tra il budino e la parete della forma; rimetterlo nel frigorifero e tenervelo fino al momento di servirlo. Per valorizzare questo dessert si può versargli sopra una delicata crema alla vaniglia.

✧ *347* BUDINO ALLA NOCCIOLA

Per 6 persone: uova 2 • zucchero g 80 • burro g 120 •
cioccolato al latte nocciolato g 200 • farina g 30

Tempo di cottura: 60 minuti a bagnomaria
Tempo di refrigerazione: 4 ore in frigorifero
Tempo di conservazione: 3 giorni in frigorifero

Togliere il burro dal frigorifero 6-7 ore prima di usarlo.

Montare i tuorli con lo zucchero fino a farli diventare spumosi, poi versarvi a filo il cioccolato sciolto a bagnomaria.

Unirvi la farina, versata a pioggia, il burro lavorato a parte a spuma e infine le chiare d'uovo montate a neve ferma.

Versare il composto in una forma del diametro di 14 centimetri e il bordo alto e liscio, unta di burro. Cuocere il budino a bagnomaria sul fornello per il tempo indicato (v. alla voce "Bagnomaria" nei Consigli utili).

Farlo raffreddare, quindi porlo in frigorifero per il tempo necessario.

Sformarlo su un piatto da portata e tenerlo ancora in frigorifero fino al momento di servire. Accompagnare con biscotti.

✧ *348* MASCARPONE IN COPPETTE

È un semifreddo che richiede solo pochi minuti di preparazione.

Per 6 coppette: *mascarpone g 290 • tuorli 4 • chiare d'uovo 3 •*
zucchero g 75 • amaretti 12 • rhum cl 5
Tempo di conservazione: *24 ore in frigorifero*

Con un frullino lavorare i tuorli con lo zucchero.

Quando saranno diventati spumosi unirvi il mascarpone, quindi le chiare d'uovo montate a neve ferma.

Mettere in ciascuna coppetta due amaretti, bagnarli con il rhum e coprirli con il composto.

Servire la crema dopo averla fatta raffreddare in frigorifero.

✧ *349* CHARLOTTE DI CIOCCOLATO

Questa ricetta è una rielaborazione di quella della classica charlotte francese.

Per 14 persone: *latte intero fresco l 3/4 • chiare d'uovo 3 • tuorli 9 •*
zucchero g 225 • burro g 210 • cioccolato fondente g 375 •
fogli di colla di pesce 6 • biscotti rettangolari Marie 25 • cognac cl 6 •
per la crema per coppette alla vaniglia: latte l 1/2, zucchero g 80, tuorli 6,
amido di frumento in polvere g 10, limone 1 scorza, vaniglia pura g 1 • burro g 50

Tempo di cottura: *9 minuti*
Tempo di refrigerazione: *6 ore in frigorifero*
Tempo di conservazione: *2 giorni*

Preparare la crema (v. n. 334), versarla in una salsiera e conservarla in frigorifero.

Rivestire con un foglio di carta oleata unto di burro una teglia del diametro di 20 centimetri e con il bordo alto 8.

Disporre i biscotti sul fondo e lungo il bordo della teglia, sistemandoli un po' accavallati l'uno sull'altro, a scalino, in modo che possano in seguito contenere bene la crema.

Lavorare il burro tolto dal frigorifero qualche ora prima.

Far fondere il cioccolato a bagnomaria.

Montare i tuorli con lo zucchero e, quando sono spumosi, unirvi il burro e il cioccolato fuso e non troppo caldo.

Far bollire il latte e versarlo a filo, ancora caldo, nel composto continuando a montare col frullino.

Versare il tutto in un tegame e porlo su fuoco moderato mescolando fortemente, con un cucchiaio di legno, nel centro di esso.

Dopo 8-9 minuti il composto si addenserà, preannunciando il bollore; togliere quindi il tegame dal fuoco, perché questa crema non deve bollire, e poggiarlo in una ciotola più grande contenente acqua fredda, per fermare la cottura.

Spezzettare i fogli di colla di pesce, farli sciogliere in due o tre cucchiai di acqua calda, poi filtrare in un colino e versare nella crema appena tolta dal fuoco, mescolando.

Quando il composto si sarà raffreddato aggiungervi le chiare montate a neve ferma e versarlo nella teglia poggiandovi sopra un piattino ricoperto di carta oleata unta di burro sul quale andrà posato un piccolo peso affinché i biscotti non si smuovano.

Porre il tutto in frigorifero e osservare il tempo di refrigerazione indicato.

Preparare un piatto da portata con il fondo piano ricoperto da un tovagliolo.

Prima di sformare la charlotte, mettere la forma per un attimo in acqua tiepida e poi asciugarne il fondo.

Capovolgere due volte la charlotte affinché la superficie superiore sia la stessa che era esposta nella teglia; togliere la carta oleata dopo aver capovolto il dolce la prima volta.

È bene che il bordo formato dai biscotti risulti qualche centimetro più alto della crema.

Questo dolce non deve essere messo in frigorifero, ma va conservato a temperatura ambiente.

Al momento di servire, versare dall'alto, con un cucchiaio, il cognac su ogni biscotto.

È d'uso accompagnare la charlotte al cioccolato con una fresca crema alla vaniglia, servita in salsiera.

✧ *350* Semifreddo con Biscotti

Per 10 persone: biscotti semplici Marie g 150 •
per la crema al burro originale francese al cioccolato: tuorli 6, burro g 300,
zucchero a velo g 300, cioccolato fondente g 100 •
rhum dl 1 • pere candite 2
Tempo di refrigerazione: 4 ore in frigorifero
Tempo di conservazione: 4-5 giorni

Preparare la crema (v. n. 342) con gli ingredienti sopra indicati.
Rivestire di carta oleata, unta di burro sui due lati, una forma rettangolare di 10 per 26 centimetri; sistemarvi a strati alternati prima i biscotti, bagnati di rhum, poi la crema.
Terminare con la crema, i cui strati debbono essere spessi.
Tenere la forma in frigorifero per il tempo indicato, poi sformare il semifreddo su un piatto da portata, ricoperto da un tovagliolo con lo strato di crema volto verso l'alto. Guarnire con spicchi di pere candite, premendoli un poco nella crema.
Conservare in frigorifero il semifreddo ma servirlo dopo averlo tenuto 15 minuti a temperatura ambiente.

✧ *351* Semifreddo Federico

Per 10 persone: burro g 150 • zucchero a velo g 150 • tuorli 3 •
cioccolato fondente g 250 • latte cl 12 • cognac cl 8 • amaretti g 300 • burro g 30
Tempo di refrigerazione: 10 ore in frigorifero
Tempo di conservazione: 5-6 giorni

Con un frullino montare a spuma il burro, tolto dal frigorifero la sera precedente. Aggiungervi, lavorando sempre con il frullino, prima lo zucchero e poi i tuorli, uno per volta. Sciogliere il cioccolato a bagnomaria, amalgamarlo al latte caldo e versare il tutto a filo, non troppo bollente, nel burro.
Foderare con della carta oleata, unta di burro da ambo i lati, una forma rettangolare di 12 per 27 centimetri e sistemarvi uno strato di amaretti messi con la parte bombata a contatto della carta oleata. Bagnare gli amaretti con poco cognac e versarvi sopra la crema. Procedere così per quattro strati senza mettere la crema sull'ultimo.
Tenere il semifreddo in frigorifero per il tempo indicato, poi sformarlo capovolto su un piatto da portata rettangolare coperto da un tovagliolino e riporlo di nuovo in frigorifero.
Tenerlo 30 minuti a temperatura ambiente prima di servirlo.
Questo semifreddo non va guarnito perché il cioccolato, visibile tra un biscotto e l'altro, costituisce già un ornamento.

✧ *352* DOLCE FREDDO CON RICOTTA

Questo semifreddo è gustoso e di bella presenza.

Per 12 persone: *per il pan di Spagna: farina g 140, zucchero g 140, uova 6, limone 1 scorza • ricotta g 600 • zucchero g 400 • burro g 180 • cacao amaro g 60 • cioccolato fondente g 50 • cedro g 150 • cognac cl 14 • ciliegine candite 16 • zucchero a velo g 20*
Tempo di cottura: *30 minuti nel forno a 150 °C per il pan di Spagna*
Tempo di refrigerazione: *3 ore in frigorifero*
Tempo di conservazione: *24 ore*

Preparare il pan di Spagna (v. n. 301) che dovrà risultare alto e soffice.

Montare con un frullino la ricotta e renderla spumosa; lavorarla poi con lo zucchero fino a farla diventare una crema.

A parte montare a spuma il burro e unirlo alla ricotta.

Dividere il composto in due parti; in una mescolare il cedro tagliato a pezzetti, nell'altra, sempre montando con il frullino, il cacao e poi il cioccolato ridotto a piccoli pezzi.

Tagliare il pan di Spagna in tre dischi.

Adagiare il primo disco di pan di Spagna su un piatto da portata, bagnarlo con il cognac e ricoprirlo con tutta la ricotta lavorata con il cacao.

Poggiare sulla ricotta il secondo disco, bagnarlo di cognac e ricoprirlo con tutta la ricotta bianca con il cedro. Il terzo disco di pan di Spagna va messo a copertura sul tutto, con la parte bombata rivolta verso l'alto; bagnarlo con il cognac e, al momento di servire, spolverizzarlo di zucchero a velo.

Decorare con le ciliegine candite o, ancor meglio, con sedici bonbons, otto neri e otto bianchi, disposti in due cerchi concentrici; in tal caso seguire le indicazioni della ricetta "Bonbons di cioccolato bianchi e neri" (v. n. 291).

Porre il dolce in frigorifero. Non tenervelo più del tempo indicato, altrimenti il pan di Spagna indurisce.

SORBETTI

✧ *353* SORBETTO ORIGINALE DI LIMONE

La colla di pesce, molto usata nel passato,
permette di rendere compatto il composto liquido senza dover ricorrere
ad altri ingredienti che altererebbero il gusto di frutta del sorbetto.

Per 4 coppette: *succo di limone cl 15 • zucchero g 120 •*
colla di pesce 1 foglio • scorza di 2 limoni
Tempo di refrigerazione: *4 ore in freezer*

Prima di preparare un sorbetto è bene abbassare la temperatura del freezer e mettervi a raffreddare il contenitore in cui verrà versato il composto. Versare il succo
dei limoni con lo zucchero in un tegame; metterlo sul fuoco perché lo zucchero si
sciolga, senza però farlo bollire. Immergervi poi la scorza da limoni grattugiata finemente e lasciar riposare per 30 minuti. In un tegamino a parte far sciogliere la
colla di pesce in tre cucchiai di acqua bollente, versarla nel succo e amalgamare bene il tutto; infine filtrare attraverso un colino da tè. Riempire con il composto il
contenitore raffreddato; durante la permanenza nel freezer non è indispensabile
mescolare. Man mano che si deve offrire il sorbetto prendere la quantità necessaria
e metterla nella coppetta. Come tutti i sorbetti non si sforma.

✧ *354* SORBETTO ORIGINALE DI ARANCIA

Per 4 coppette: *succo di arancia cl 15 • succo di limone cl 2 • zucchero g 80 •*
colla di pesce 1 foglio • scorza di 2 arance
Tempo di refrigerazione: *4 ore in freezer*

Per la preparazione di questo sorbetto procedere come indicato nella ricetta "Sorbetto originale di limone" (v. n. 353) con gli ingredienti sopra indicati. Come tutti i
sorbetti non si sforma.

✧ *355* SORBETTO GENUINO DI ARANCIA

È una fantasia di arance che ho creato
per dare un tocco fresco e delicato a un pranzo raffinato.

Per 10 coppette: *succo di 3 arance • succo di limone •*
zucchero g 250 • uova 5 • arancia 1 scorza
Tempo di refrigerazione: *3 ore nel freezer*

Mettere nel freezer il contenitore in cui verrà versato il sorbetto. Far bollire un po'
dello zucchero indicato con il succo degli agrumi. Dopo qualche minuto, quando
il liquido si sarà un po' ristretto, allontanarlo dal fuoco e lasciarlo raffreddare.
Montare a spuma i tuorli con lo zucchero rimasto, unirvi il succo freddo e le chiare d'uovo montate a neve ferma.
Versare il tutto nel contenitore già freddo e metterlo nel freezer seguendo le indicazioni riguardanti il gelato nei Consigli utili.
Dopo il tempo indicato, al momento di servirlo, metterlo nelle singole coppette e
cospargere di scorza d'arancia grattugiata fine.
Come tutti i sorbetti, non si sforma.

✧ *356* SORBETTO GENUINO DI ALBICOCCHE

È necessario che le albicocche siano di qualità extra e molto mature.
Questo sorbetto, come il precedente, è un po' particolare perché contiene le uova.

Per 8 coppette: *albicocche dolci e piccole 10 • zucchero g 120 • uova 4*
Tempo di refrigerazione: *3 ore nel freezer*

Mettere a raffreddare in freezer il contenitore in cui verrà versato il composto.
Sbucciare le albicocche, snocciolarle e schiacciarle molto bene con una forchetta.
Montare i tuorli con lo zucchero, unirvi le albicocche con il loro succo e infine le
chiare montate a neve ferma.
Versare il tutto nel contenitore raffreddato e mettere nel freezer seguendo le indi-
cazioni riguardanti il gelato presenti nei Consigli utili.
Al momento di servirlo, distribuire il sorbetto in otto coppette. Come tutti i sor-
betti non si sforma.

GELATI

✧ *357* GELATO TIPO MOUSSE ALL'AMARENA

Per 7-8 persone: marmellata o sciroppo di amarene g 120 • uova 5 •
zucchero g 140 • panna montata g 200
***Tempo di refrigerazione:** 3 ore in freezer*

Mettere in freezer il contenitore in cui verrà versato il composto da gelare e una forma di 10 per 26 centimetri se si desidera sformare questo gelato.

Montare i tuorli con lo zucchero. Quando saranno divenuti spumosi, unirvi metà della marmellata o dello sciroppo di amarene, continuando sempre a lavorare.

Aggiungere la panna e da ultimo le chiare d'uovo montate a neve ferma.

Versare il composto nel contenitore raffreddato, mettere nel freezer e seguire le indicazioni riguardanti il gelato presenti nei Consigli utili.

Dopo 2 ore circa, mescolare per la terza volta, togliere metà gelato, versare a zigzag la restante marmellata e ricoprire nuovamente.

Rimettere il recipiente in freezer a gelare per l'altra ora necessaria.

Questo gelato si può sformare.

✧ *358* GELATO TIPO MOUSSE ALLA BANANA

Per 6 persone: banane piccole e mature 2 • tuorli 3 • chiare d'uovo 2 •
zucchero g 150 • panna montata g 100
***Tempo di refrigerazione:** 3 ore in freezer*

Mettere in freezer il contenitore in cui verrà versato il composto da gelare e una forma di 10 per 26 centimetri se si desidera sformare questo gelato.

Sbucciare le banane, porle in un piatto e con l'aiuto di una forchetta schiacciarle fino a farle diventare una crema.

Montare a spuma i tuorli con lo zucchero e unirvi le banane, continuando a lavorare.

Aggiungere infine la panna e le chiare montate a neve ferma.
Versare il tutto nel contenitore raffreddato e seguire le indicazioni riguardanti il gelato presenti nei Consigli utili.

✧ *359* GELATO TIPO MOUSSE TESTA DI MORO

Questo è un gelato gradito a tutti
per l'invitante amalgama degli ingredienti.

Per 7-8 persone: *cioccolato fondente g 120 • cioccolato al latte g 50 •*
uova 3 • zucchero g 55 • latte cl 2 $^1/_2$ • panna montata g 200
Tempo di refrigerazione: *3 ore in freezer*

Mettere in freezer il contenitore in cui verrà versato il composto da gelare e una forma di 10 per 26 centimetri se si desidera sformare questo gelato.
Far sciogliere a bagnomaria le due qualità di cioccolato, aiutandosi con il poco latte caldo indicato.
Montare i tuorli con lo zucchero fino a che diventano spumosi, poi aggiungervi il cioccolato, continuando a montare. Unire al composto la panna e le chiare rese a neve ferma. Versare il tutto nel contenitore raffreddato, metterlo in freezer e seguire le indicazioni riguardanti il gelato presenti nei Consigli utili.
Questo gelato si può sformare.

✧ *360* GELATO CLASSICO ALL'ANTICA

Per la preparazione di questo gelato è sufficiente un freezer a quattro stelle.
In due ore di tempo e con pochi, semplici ingredienti si ottiene un gelato ottimo,
che la gelatiera moderna non è in grado di imitare.

Per 8 coppette: *latte intero fresco l $^1/_2$ • tuorli 4 • zucchero g 150*
Tempo di refrigerazione: *2 ore in freezer*

Mettere a raffreddare per mezz'ora nel freezer un recipiente largo resistente al freddo. Far bollire il latte per evitare che si alteri.
Montare con un frullino i tuorli con lo zucchero e una volta divenuti spumosi versarvi a filo il latte caldo.
Mettere il composto in una piccola pentola tonda su fuoco molto basso e mescolare costantemente con un cucchiaio di legno, nel centro della pentola.
La crema non deve bollire; quando è ben calda e sul punto di bollire si ispessisce e diventa schiumosa.

Per verificare se è pronta prenderne una cucchiaiata e lasciarla ricadere nella pentola: se il cucchiaio di legno resta "vestito" di una patina trasparente è il momento di allontanare il recipiente dal fuoco e immergerlo in una ciotola più grande riempita di acqua fredda: ciò per fermare la cottura della crema.

Far raffreddare la crema, poi versarla nel recipiente gelato e rimetterlo nel freezer. Dopo 30-40 minuti, mescolarla a fondo con un cucchiaio di legno, con un movimento dal basso verso l'alto.

Riporla nel freezer e non muoverla per circa 2 ore.

Questo gelato deve essere spumoso e non duro; per giudicare se è pronto infilarvi dentro la lama di un coltello: se risulta molle, lasciarlo ancora in freezer; se al contrario è troppo duro, tenerlo a temperatura ambiente per 5-6 minuti prima di servire.

Servire in singole coppette, accompagnate da una torta secca come la torta caprese. Di questo gelato si possono preparare, con le stesse dosi e con l'aggiunta di qualche ingrediente a quelli di base, quattro diverse varianti.

Alla vaniglia: è ottimo per costituire la parte esterna di uno spumone perché indurisce bene e rapidamente.

Basta aggiungere 1 grammo di vaniglia pura nel latte già bollito, mescolare e procedere secondo le indicazioni della ricetta di base.

Alla nocciola: infornare 70 grammi di nocciole sgusciate per 10 minuti nel forno a 160 °C, smuovendole spesso.

Quando avranno assunto un color biondo scuro, spellarle e tritarle finemente e aggiungerle al composto quando, a cottura terminata, la pentola viene allontanata dal fuoco.

Mescolare bene e procedere come per la ricetta di base.

Alle mandorle: sgusciare e spellare 60 grammi di mandorle; tritarle finemente e aggiungerle al latte bollito e caldo.

Farle macerare, nel tegame coperto, per 15 minuti. Infine filtrare attraverso un colino il latte e procedere come per la ricetta di base.

Al cioccolato: richiede 3 ore di permanenza in freezer e non 2, perché il cioccolato rende più lento il congelamento.

Far sciogliere a bagnomaria 140 grammi di cioccolato di buona qualità (che può essere sia al latte sia fondente) e versarlo ancora tiepido nel composto di latte e uova quando la cottura della crema è terminata e la pentola viene allontanata dal fuoco.

Mescolare e procedere come per la ricetta di base.

✧ *361* Spumone Testa di Moro

*Questa ricetta si ispira a una tradizionale, rinomata specialità
di una pasticceria napoletana: la testa di moro gelata.
Non perdiamo il gusto di questa leccornia.*

Per 6 persone: per il gelato classico all'antica al cioccolato: latte intero cl 37,
tuorli 3, zucchero g 120, cioccolato fondente g 100 •
per il gelato tipo mousse testa di moro: tuorli 2, zucchero g 40,
cioccolato al latte g 110, panna montata non dolce g 130 •
per guarnire: soldi di cioccolato 5, palline di cioccolato 8
Tempo di refrigerazione: *3 ore e mezzo in freezer per i gelati*
7-8 ore in freezer per lo spumone

Si consiglia di preparare i due gelati indicati in questa ricetta il giorno prima della preparazione dello spumone.

Porre nel freezer due larghi recipienti resistenti al freddo, una forma conica del diametro di 12 centimetri per lo spumone e un cucchiaio di legno.

Preparare il gelato al cioccolato secondo la ricetta specifica (v. n. 360) ma con le proporzioni sopra indicate.

Riempire con il gelato uno dei due contenitori e riporlo nel freezer, ricordando di mescolare bene dopo i primi 40 minuti il gelato, che gela in 3 ore e mezzo.

Per il gelato di tipo mousse (v. n. 359), sciogliere a bagnomaria il cioccolato al latte; montare a spuma i tuorli con lo zucchero e aggiungervi il cioccolato tiepido, continuando a lavorare. Unire poi la panna e amalgamarla al tutto con un cucchiaio di legno. Versare la crema nell'altro contenitore freddo, ricordando di mescolare, per due volte, ogni 40 minuti il gelato, che gela in 2 ore.

Controllare la consistenza del gelato al cioccolato; se è diventato ben duro, metterlo nella forma da spumone fredda, bagnata e sgocciolata e rimetterlo subito nel freezer per circa 40 minuti.

Trascorsi i 40 minuti indicati, togliere dal freezer la forma e praticare un buco nel centro del gelato, pigiandolo sulle pareti alte della forma con il cucchiaio di legno freddo; inserire con prontezza il gelato tipo mousse, dopo averlo fatto ammorbidire qualche minuto a temperatura ambiente, e comprimerlo con il cucchiaio.

Fatto lo spumone, rimetterlo in freezer per le 7-8 ore richieste.

Mettere a gelare anche un piatto da portata coperto da un tovagliolino; quando lo spumone si sarà indurito, sformarlo capovolgendolo sul piatto freddo e levigarne con un coltello la superficie. Rimettere subito il piatto in freezer in attesa di servire.

Al momento di offrire il gelato, guarnirlo velocemente disponendo i soldi di cioccolato lungo il bordo, le palline sul piatto tutt'intorno e una pallina un po' più grande in cima allo spumone.

✧ *362* SPUMONE DI VANIGLIA E NOCCIOLA

Per preparare uno spumone è sufficiente un po' di creatività.
Per l'esterno è molto indicato il gelato classico all'antica
perché è più duro degli altri, per l'interno si sceglierà un gelato che armonizzi
con l'altro e gli si aggiungerà della panna montata per ammorbidirlo

Per 6 persone: per il gelato classico all'antica alla vaniglia: latte intero cl 37, zucchero g 110, tuorli 3, vaniglia g $^1/_2$ •
per il gelato classico all'antica alla nocciola: latte intero cl 12, zucchero g 80, tuorli 2, panna montata non dolce g 130, nocciole tostate g 35 •
per guarnire: nocciole intere tostate 9
Tempo di refrigerazione: 2 ore e mezzo in freezer per i gelati
2-3 ore in freezer per lo spumone

Si consiglia di preparare i due gelati, alla vaniglia e alla nocciola, il giorno prima di preparare lo spumone.

Mettere nel freezer due larghi contenitori destinati a contenere i due gelati, una forma conica di 12 centimetri di diametro per lo spumone alla vaniglia e un cucchiaio di legno.

Fare il gelato alla vaniglia secondo la ricetta specifica (v. n. 360) ma con le proporzioni sopra indicate; mescolarlo dopo 40 minuti di permanenza nel freezer e lasciarlo in totale per 2 ore e mezzo.

Fare il gelato alla nocciola secondo la ricetta specifica (v. n. 360), ma con le proporzioni sopra indicate e aggiungervi la panna alla fine, quando il composto, freddo, è pronto per essere messo in freezer; non dimenticare di mescolarlo bene dopo 40 minuti e che, per gelare, impiega 2 ore e mezzo.

Infine preparare lo spumone: controllare se il gelato alla vaniglia è diventato ben duro, in caso affermativo metterlo nella forma da spumone fredda, bagnata e sgocciolata e riporlo nel freezer ancora per 15 minuti circa; poi tirarlo fuori, praticarvi un buco al centro e pigiarlo sulle pareti alte della forma con il cucchiaio freddo. Se il gelato è ben duro, l'operazione è facile. Contemporaneamente ritirare dal freezer il gelato alla nocciola, tenerlo qualche minuto a temperatura ambiente per renderlo morbido e metterlo nell'interno del primo gelato già sistemato nella forma, comprimendolo bene.

Mettere a gelare lo spumone per almeno un paio d'ore perché diventi ben duro.

Porre nel freezer un piatto da portata coperto da un tovagliolino in modo che sia freddo quando il dolce viene sformato.

Trascorso il tempo indicato, sformare lo spumone, capovolgendolo sul piatto e, se la superficie non è troppo regolare, levigarla con un coltello. Rimettere nel freezer il piatto con lo spumone; al momento di servire, guarnirlo con le nocciole tostate, disponendole tutt'intorno al bordo e una al centro dello spumone.

✧ *363* Torta Gelata di Frutta

Per 10 persone: per il gelato classico all'antica all'ananas: latte intero dl 4, tuorli 4, zucchero g 130, polpa di ananas g 240 •
per la mousse all'ananas: polpa di ananas g 150, succo di ananas cl 8, zucchero g 50, panna montata g 220 • per guarnire: ananas 2 fette

Tempo di refrigerazione: *3 ore per i due gelati*
3-4 ore per la torta
Tempo di conservazione: *6-7 giorni*

Mettere nel freezer due contenitori per gelati, due cucchiai di legno e la forma per la torta tonda, liscia e conica, di 15 centimetri di diametro.

Fare il gelato all'ananas seguendo le indicazioni della ricetta "Gelato classico all'antica" (v. n. 360) con gli ingredienti sopra indicati: mettere circa 10 fette di ananas in un piatto e schiacciarle con una forchetta, non molto perché non perdano troppo umore e perché i pezzettini piccolini non nuocciano al gelato. Conservare tutto il liquido formatosi, pesare la polpa ottenuta e mescolarla al gelato classico in preparazione nel momento in cui la pentola viene allontanata dal fuoco e il composto si è un po' raffreddato. Non dimenticare di mescolarlo dopo 40 minuti; esso gelerà dopo 3 ore.

Per fare la mousse, schiacciare in un piatto circa 4 fette di ananas con una forchetta e poi pesarle senza liquido. Far bollire per un paio di minuti gli 8 centilitri di succo con lo zucchero indicato; quando si sarà raffreddato, unirlo alla polpa, aggiungere la panna montata, amalgamare, porre nell'altro recipiente raffreddato e mettere in freezer. Dopo 1 ora mescolare questa mousse; essa gelerà dopo 2 ore.

Quando il gelato all'antica si sarà indurito bene metterlo nella forma conica per torta e riporre subito nel freezer per 40 minuti, affinché indurisca di nuovo.

Estrarre dal freezer la mousse e ammorbidirla con un cucchiaio freddo.

Estrarre dal freezer la forma conica e con gesti rapidi praticare un buco nel gelato all'antica, comprimendolo con un cucchiaio freddo contro le pareti del contenitore, quindi inserire la mousse schiacciandola bene con l'altro cucchiaio; livellare la superficie dei due gelati e rimettere subito in freezer.

Sformare la torta dopo il tempo indicato, disporla su un piatto da portata coperto da un tovagliolino e servirla subito dopo averla guarnita con dodici pezzetti di ananas, quattro al centro e otto disposti a cerchio lungo il bordo superiore.

CAPITOLO VI

CONSERVE

LIQUORI

CONSERVE

✧ 364 POMODORI IN BOTTIGLIA

Così preparati, questi pomodori sono più freschi dei pomodori... freschi!

Pomodori maturi San Marzano kg 2 ¹/₂ • basilico 1 mazzetto
Tempo di cottura: *40 minuti*

Immergere per un attimo i pomodori in acqua bollente, sgocciolarli e spellarli.
Infilarli, senza romperli e dopo averne fatto uscire un po' d'acqua, in bottiglie o
barattoli a imboccatura larga e chiusura ermetica. Aggiungere una foglia di basilico
lavata e asciugata. È bene usare contenitori a chiusura ermetica che non abbiano la
guarnizione di gomma; chiuderli e deporli in una pentola alta che li contenga ben
serrati, coprendoli completamente di acqua.
Porre la pentola, con coperchio, sul fuoco e, al primo bollore, diminuire la fiamma
e far cuocere per il tempo indicato.
Non togliere le bottiglie dall'acqua prima che si siano raffreddate.
I pomodori preparati in questo modo si conservano anche 2 anni se, durante la stagione estiva, sono tenuti in ambiente fresco.

✧ 365 POMODORI PASSATI IN BOTTIGLIA

Pomodori maturi San Marzano kg 3 • basilico 1 mazzetto
Tempo di cottura: *1 ora e 20 minuti complessivamente*

Lavare i pomodori e tagliarli a pezzi con la pelle. Cuocerli in una pentola larga e su
fuoco vivace per circa 40 minuti, rimestandoli sovente. Quando avranno raggiunto la densità desiderata, passarli al tritaverdure e metterli in vasi a imboccatura larga e a chiusura ermetica per una capienza totale di 1 litro e mezzo. Si possono anche usare bottiglie da birra, se si è in grado di chiuderle con tappi a corona per

mezzo dell'apposita macchinetta; importante è non usare contenitori che abbiano la guarnizione di gomma.

Aggiungere una foglia di basilico lavata e asciugata, chiudere le bottiglie e deporle in una pentola alta coprendole completamente d'acqua. Mettere sul fuoco e far cuocere per 40 minuti come indica la ricetta precedente.

✧ 366 Conserva di Pomodoro

È sufficiente un piccolo terrazzo per poter preparare facilmente questa conserva,
così usuale nelle cucine di una volta. Essa viene usata per dare il sapore di
pomodoro concentrato a un sugo fatto con carni, come il classico ragù napoletano.

Per g 400 di conserva: *pomodori maturi San Marzano kg 8 •*
basilico 1 mazzetto • sale g 12
Tempo di cottura: *1 ora e mezzo*
Tempo di esposizione al sole: *5 giorni*

Lavare i pomodori molto maturi, tagliarli a pezzetti e cuocerli con la pelle in due pentole larghe scoperte, a fuoco medio, rimestandoli continuamente. Quando si saranno trasformati in un amalgama ristretto e senza neanche un poco di liquido, salarlo e setacciarlo in un tritaverdure; porlo quindi in 2 piatti di terraglia larghi e piani, in uno strato non alto.

Esporre al sole, coprire con un velo e mescolare bene due o tre volte al giorno. Quando il sole se ne va, ritirare i piatti e il giorno dopo ripetere l'esposizione; sono sufficienti cinque giorni per ottenere una salsa secca e dura come un miele grezzo e dal color porpora scuro.

Ungere di olio un barattolo di terracotta, mettervi uno strato di conserva, porvi sopra due foglioline di basilico bene asciutte e procedere così, a strati, fino a esaurimento.

Coprire con un po' di olio, non chiudere ermeticamente bensì con della carta oleata che va poi legata attorno al collo del barattolo con uno spago. Man mano che se ne vuole usare una parte, aprire e richiudere con la stessa carta. Si conserva fino ai mesi estivi.

✧ 367 Melanzane sott'Olio

Molti usano conservare la melanzana cruda, sott'olio, in barattolo chiuso,
dopo averla fatta macerare per qualche ora nell'aceto; con questo sistema,
anche se dà risultati ottimi, si può però rischiare la formazione del botulino,
bacillo velenoso che a volte si sviluppa in alimenti conservati
che non siano stati sottoposti a ebollizione.

*Pertanto i cibi da conservare in bottiglia vanno bolliti
prima di essere sistemati nei contenitori, o dopo che questi sono stati chiusi.*

*Melanzane piccole kg 2 • aceto dl 8 • acqua dl 7 • aglio, origano e
peperoncino q.b. • sale • olio d'oliva per riempire i vasetti l 1 ³/₄*
Tempo di cottura: *30 secondi*

Tagliare a fette tonde e spesse le melanzane; sbucciarle se si desidera una maggiore raffinatezza.

Unire l'aceto e l'acqua, versarli in una pentola e, al bollore, immergervi le melanzane e lasciarvele per pochi istanti.

Sollevarle delicatamente con un mestolo forato e poggiarle su un canovaccio ad asciugare per circa 1 ora.

Infine sistemarle in barattoli a chiusura ermetica, alternandole con poco aglio tritato, pochissimo origano e sale.

Coprirle d'olio, aggiungere un peperoncino rosso e chiudere i barattoli.

Dopo 5-6 giorni riaprire i barattoli perché fuoriesca l'aria formatasi, aggiungere ancora un po' d'olio e chiudere bene.

In questo modo le melanzane si conservano fino all'estate successiva.

Se si vuole protrarre la conservazione, tenere il barattolo in frigorifero; naturalmente una volta messo il cibo in frigorifero, non lo si può più togliere se non per consumarlo.

Queste melanzane sono indicate per accompagnare delle carni arrostite.

✧ 368 PEPERONI SOTT'OLIO

*Peperoni già puliti kg 1 ¹/₂ • aceto l 1,200 • acqua l 1,200 • spicchi d'aglio 2 •
origano q.b. • olio d'oliva per riempire i vasetti l 1*
Tempo di cottura: *30 secondi*

Tagliare i peperoni a pezzi grossi se sono piccoli, a liste se sono grandi.

Far bollire in una pentola l'aceto con l'acqua; immergervi i peperoni e lasciarli cuocere per i pochi secondi indicati, rimestando.

Sollevarli con un mestolo forato e adagiarli, sgocciolati, su un canovaccio ad asciugare per circa 1 ora.

Quando saranno ben asciutti sistemarli in barattoli a chiusura ermetica con l'aglio tritato e poco origano.

Coprirli d'olio e chiudere.

Dopo 5-6 giorni aprire i barattoli, farne fuoruscire l'aria, aggiungere ancora un po' d'olio e coprire con un disco di carta oleata; infine chiudere ermeticamente.

Per la durata della conservazione vedi "Melanzane sott'olio" (n. 367).

Questi peperoni accompagnano bene un piatto di carni bollite.

✧ *369* FUNGHI SOTT'OLIO

Funghi di bosco kg 2 circa • aceto l 1 • acqua dl 8 • aglio, origano e
peperoncino q.b. • olio d'oliva per riempire i vasetti l 1 circa
Tempo di cottura: *50 secondi*

Raschiare i funghi con un coltellino, poi lavarli, tagliarli a fettine spesse e metterli a
bollire nell'aceto unito all'acqua.
Sollevarli dalla pentola con un mestolo forato e disporli su un canovaccio ad asciugare, per qualche ora. Una volta asciutti, metterli nei vasi con un poco di aglio tritato, di origano e di peperoncino; versarvi sopra l'olio d'oliva e chiudere ermeticamente. Dopo 3-4 giorni aprire il vasetto per farne fuoriuscire l'aria formatasi,
aggiungere l'olio necessario per coprirli bene e richiudere.
Per il tempo di conservazione vedi "Melanzane sott'olio" (n. 367).
Questi funghi accompagnano bene un piatto di carne arrosto.

✧ *370* CARCIOFINI SOTT'OLIO

Carciofi teneri, freschi e piccoli 15 • aceto non forte dl 4 • acqua dl 2 •
1 limone • olio d'oliva per riempire i vasetti dl 2 circa • sale
Tempo di cottura: *1 minuto e mezzo*

Pulire i carciofi, privandoli di tutte le foglie dure, in modo che rimangano solo i
piccoli cuori; sfregarli bene con il limone, lavarli e sgocciolarli.
Per regolarsi circa la dimensione dei barattoli considerare che, dopo cotti, i carciofi
diventano più piccoli.
Versare l'aceto e l'acqua in un pentolino, porlo sul fuoco e, al bollore, immergervi i
carciofi. Farli cuocere non oltre il tempo indicato, rimestando.
Sollevarli con un mestolo forato e poggiarli su un canovaccio ad asciugare. Quando si saranno raffreddati, sistemarli nei barattoli coprendoli di solo olio e pochissimo sale. Chiudere i barattoli ermeticamente. Per la durata della conservazione vedi "Melanzane sott'olio" (n. 367).
Questi carciofini sono molto indicati per un antipasto rustico, insieme a dei salumi
o delle caciotte.

✧ *371* PEPERONI AGRODOLCI

Peperoni grandi e puliti kg ¹/₂ • aceto non forte dl 2 •
olio d'oliva dl 2 • zucchero g 150
Tempo di cottura: *1 minuto*

Tagliare i peperoni freschi a liste uguali tra loro; lavarli e sgocciolarli.

Versare in una pentola larga l'aceto, lo zucchero e l'olio; portare la pentola sul fuoco e, al bollore, immergervi i peperoni.

Far cuocere non oltre il tempo indicato, per evitare che diventino molli. Sollevarli con un mestolo forato, adagiarli su un canovaccio e aspettare che si raffreddino.

Una volta freddi, sistemarli nei barattoli a chiusura ermetica e coprirli col liquido di cottura, anch'esso freddo.

Se necessario, aggiungere ancora olio d'oliva.

Chiudere ermeticamente e conservare. Per la durata della conservazione vedi "Melanzane sott'olio" (n. 367).

Questi peperoni accompagnano bene delle carni bianche o possono essere inseriti in un'insalata mista.

✧ *372* OLIVE BIANCHE DA TAVOLA

Ogni qualità di oliva richiede una diversa preparazione.
Questa ricetta è adatta alle olive nostrane, grandi e dal nocciolo grosso;
esse vengono colte non molto mature, ancora verdi e, dopo conciate,
assumono un colore verde pallido. In Puglia, terra ricca di questo frutto,
le olive verdi vengono chiamate olive bianche da tavola, forse perché,
oltre a essere grandi e dolci, sono di un verde chiarissimo, quasi bianco.

Olive kg 1 • soda caustica g 15 • sale grosso g 100
Tempo di macerazione: *12 ore*

Far sciogliere bene la soda in poca acqua calda; aggiungervi dell'acqua fresca e far raffreddare il tutto.

Introdurre le olive appena colte in una damigiana o in un'anfora a collo largo.

Versare sulle olive l'acqua con la soda e lasciarle macerare per 12 ore; in seguito cambiare l'acqua continuamente per tre giorni. Quando essa risulterà limpida senza alcuna traccia di soda, rimettere le olive nel recipiente e preparare la salamoia per la conservazione.

Far sciogliere il sale in acqua in ebollizione, lasciare che essa si raffreddi, poi versarla sulle olive; se necessario, aggiungerne quanta ne occorre per coprirle completamente. Poggiarvi sopra un panno onde evitare che, galleggiando, le olive fuoriescano dall'acqua perché in tal caso si ammollerebbero. Dopo circa 10 giorni sono pronte.

Durante i mesi che seguono, se l'acqua si riduce, aggiungerne altra senza sale.

Così preparate, le olive diventano bianche e dolci e, nella salamoia, si conservano per molti mesi.

Una preparazione meno raffinata ma più facile consiste nel tenere per 40 giorni le olive appena colte in una damigiana con abbondante acqua, cambiandola ogni 2 3 giorni. Poi, dopo averle sgocciolate vanno messe nello stesso recipiente, con la salamoia preparata come sopra.

Naturalmente, non essendo state trattate con la soda, risultano non molto dolci né tanto chiare, ma sono egualmente saporite.

✧ *373* OLIVE DI GAETA

Le olive di Gaeta sono piccole e polpose. Vengono colte mature,
quando sono di un colore marrone scuro, e si conservano in acqua e sale.

Olive kg 1 • sale grosso g 30
***Tempo di macerazione:** 30 giorni*

Immergere in acqua le olive appena colte e tenerle così per circa un mese, cambiando l'acqua ogni due giorni. Infine sgocciolarle e introdurle in una damigiana piccola.

Sciogliere il sale in acqua in ebollizione, farla raffreddare e versarla sulle olive nella damigiana; se necessario aggiungerne altra, fino a che ne risultino ben coperte. Poggiarvi sopra un panno in modo che le olive affiorate in superficie ne vengano protette e non si alterino.

Chiudere la damigiana con un piatto e aspettare 30 giorni prima di consumare le olive. In questa salamoia esse si conservano per mesi; se l'acqua si riduce, aggiungerne altra senza sale.

✧ *374* ALICI SOTTO SALE

Alici grandi fresche kg 1 • sale grosso g 180
***Tempo di macerazione:** 4 mesi*

Togliere alle alici la testa e tirarla via facendo in modo che le interiora che vi sono attaccate fuoriescano con essa; in tal modo l'alice rimane intatta.

Lavare i pesci e sgocciolarli molto bene.

In un barattolo grosso e largo disporre uno strato sottile di sale e allinearvi sopra le alici; coprirle con un altro strato di sale e su questo allineare altre alici; continuare così fino a esaurimento, terminando con uno strato di sale; su questo porre un disco di cartone dello stesso diametro interno del barattolo e poggiarvi sopra un peso.

Dopo un po' di tempo, capovolgere il barattolo perché fuoriesca quel po' di acqua che si sarà formata. Dopo quattro mesi le alici salate sono pronte per essere consumate. Man mano che le si usa, sfilettarle e sciacquarle bene.

✧ *375* Tonno sott'Olio

Un'altra ricetta d'altri tempi, semplice e sbrigativa.

Tonno fresco a trance spesse g 600 • sale grosso g 130 per ogni litro d'acqua •
olio d'oliva per riempire i vasetti dl 2 circa
Tempo di cottura: *1 ora e mezzo*

Sciacquare le trance di tonno, intaccarne la pelle nera in due o tre parti e metterle a bollire, ben coperte di acqua, col sale necessario, a fuoco moderato e per il tempo indicato.

Privarle poi dell'ossicino interno e della pelle e poggiarle su un canovaccio ad asciugare in ambiente fresco per 24 ore, rigirandole ogni tanto.

Sistemarle infine a pezzi grossi in contenitori a chiusura ermetica e coprirle di olio.

✧ *376* Fichi Secchi

Tempo di esposizione al sole: *6 giorni*

Procurarsi dei bei fichi maturi bianchi o neri che siano di stagione e non i primaticci.

Aprirli con le mani in due parti, lasciandole unite alla base dal picciolo, in modo che in seguito si possa ricomporre il frutto.

Stendere i fichi così aperti su un canovaccio e tenerli esposti al sole per 6 giorni.

Per "un giorno" si intendono 7-8 ore di sole; quindi se esse dovessero essere di meno, aumentare il numero dei giorni.

Ogni sera, riportare in casa i fichi coprendoli con un canovaccio per evitare la formazione di moscerini.

Rigirarli ogni giorno; dopo 2-3 giorni aggiustarne con le mani la sagoma, senza rompere i bordi.

Quando saranno divenuti secchi ma non duri, richiudere le due metà di ogni fico dopo aver inserito una mandorla o un pezzetto di cioccolato.

Conservarli in un cestino, racchiusi in un foglio di carta da imballaggio.

✧ *377* Ciliegie allo Spirito

Ciliegie grandi e dure kg 1 • zucchero g 250 • 1 chiodo di garofano •
cannella g ¹/₂ • alcool a 90° per riempire i vasetti dl 7
Tempo di conservazione: *2-3 anni*

Lavare e asciugare bene le ciliegie. Rendere tutti i gambi della stessa misura.

Sistemare le ciliegie in barattoli a chiusura ermetica e unirvi le spezie e lo zucchero.

Versare l'alcool fino a due dita sotto l'orlo, in modo che dopo due o tre giorni si possano aggiungere altre ciliegie.

Chiudere ermeticamente e dopo qualche giorno smuovere i barattoli perché lo zucchero possa sciogliersi bene.

Le ciliegie sono pronte dopo 2 mesi e si conservano anche per 2-3 anni, tuttavia dopo 3 anni risultano un po' raggrinzite.

✧ *378* AMARENE ALLO SPIRITO

Amarene snocciolate kg 1 • zucchero kg ¹/₂ • olio o liquore dl 18
***Tempo di conservazione:** 2 anni*

Lavare le amarene, sgocciolarle e togliere loro il gambo.

Privarle del nocciolo, cercando di non romperle, e disporle in un solo strato su un piatto largo, ricoperte di zucchero.

Tenerle al sole per non meno di 8 ore, rigirandole ogni tanto (se il sole se ne va proseguire l'esposizione in seguito, quando ritorna).

Sistemarle quindi in barattoli a chiusura ermetica, versarvi sopra l'alcool, che deve coprire bene tutte le amarene, e chiudere ermeticamente.

Se si vuole dare alle amarene un sapore più deciso unire all'alcool il liquore di mandarino; per un gusto più delicato sostituire all'alcool del rhum unito al maraschino.

Offrirle mettendone cinque o sei in una coppetta.

✧ *379* UVA ALLO SPIRITO

La scelta dell'uva da mettere in alcool è importante.
È preferibile la Regina ma si possono usare anche altre qualità.

Uva scelta kg 1 ¹/₂ • zucchero g 250 • alcool a 90° l 1
***Tempo di conservazione:** 3-4 anni*

Preparare gli acini d'uva – che devono essere bianchi, duri e grandi – lasciando a ognuno un po' di picciolo.

Lavarli, asciugarli e metterli in un barattolo da 2 litri, a chiusura ermetica, riempiendolo; unirvi lo zucchero e coprire di alcool.

Chiudere ermeticamente. L'uva sarà pronta dopo 2 mesi circa.

Servire in coppetta con gli aperitivi.

✧ *380* COMPOSTA DI CILIEGIE

Questa frutta cotta era molto gradita nell'Ottocento,
come dessert e come ingrediente per dolci.
La si conservava in vasi di cristallo, o di porcellana, con coperchio.

Ciliegie snocciolate g 400 • zucchero g 50 • acqua cl 8 • vaniglia pura g 1
Tempo di cottura: *12 minuti*
Tempo di conservazione: *5-6 giorni*

Per fare una buona composta, la frutta non deve cuocere molto, in quanto deve conservare il suo profumo; per questo è bene non aggiungere alcuna essenza o liquore.
Inoltre, al contrario di quanto richiesto per la preparazione della marmellata, la frutta non deve essere necessariamente matura.
Lavare le ciliegie, sgocciolarle e privarle del nocciolo.
Versare in un tegame la quantità di acqua indicata con lo zucchero e le ciliegie; far cuocere a tegame scoperto e su fuoco vivace per il tempo indicato.
Se dopo tale tempo lo sciroppo non si è ancora addensato, togliere le ciliegie dal tegame e far bollire ancora per qualche minuto il giulebbe, profumandolo con la vaniglia.
Infine versarlo, denso e caldo, sulle ciliegie, mescolare e conservare la composta in un vaso con coperchio.
Servirla in coppette oppure usarla per farcire torte, in sostituzione della marmellata.

✧ *381* COMPOSTA DI PERE

Molte qualità di frutta legano bene con il vino rosso in sostituzione dell'acqua.

Pere dure sbucciate g 600 • zucchero g 80 • vino rosso l $1/_4$
Tempo di cottura: *20 minuti*
Tempo di conservazione: *5-6 giorni*

Lavare e far sgocciolare bene le pere; tagliarle in quattro spicchi.
In una pentola larga far restringere un po', su fuoco vivace, il vino con lo zucchero; dopo 5-6 minuti disporvi le pere in un solo strato e farle cuocere per circa 15 minuti, senza coprirle e rigirandole una per una.
Lo sciroppo deve addensarsi ma la frutta non deve cuocere oltre il tempo indicato; regolare quindi bene la fiamma.
Conservare la composta in vaso con coperchio.
Servirla in coppette oppure usarla per crostate.

✧ *382* COMPOSTA DI COTOGNE

Cotogne sbucciate g 400 • zucchero g 200 • vino rosato dl 2
Tempo di cottura: *20 minuti*
Tempo di conservazione: *5-6 giorni*

Lavare e sgocciolare bene le cotogne e tagliarle a spicchi.
In un tegame largo cuocere le cotogne con il vino e lo zucchero, su fuoco moderato e coperte; la cotogna richiede un tempo di cottura più lungo di quello necessario per altro tipo di frutta.
Trascorsi i minuti indicati, quando il vino si sarà asciugato, spegnere il fuoco anche se lo sciroppo non appare ancora addensato; raffreddandosi, la composta si rassoda.
Servirla in coppette.

✧ *383* MARMELLATA DI AMARENE

*È la regina delle marmellate, la più usata nella preparazione
di dolci classici, come la millefoglie o la zuppa inglese.
Grave errore è sostituirla con il cioccolato, come oggi si usa fare.*

Amarene snocciolate kg 1 • zucchero g 850
Tempo di cottura: *2 ore e 10 minuti*
Tempo di conservazione: *6-7 anni*

Fare molta attenzione alla cottura di questa marmellata perché, se cuoce troppo, raffreddandosi diventa dura.
Lavare, snocciolare, pesare le amarene e porle in un tegame con lo zucchero e seguire le indicazioni riguardanti la marmellata presenti nei Consigli utili.
Trascorso il tempo di cottura indicato, lasciare intiepidire la marmellata, quindi metterla in barattoli di vetro a chiusura ermetica; lasciarli aperti per 24 ore, poi versare sulla marmellata un cucchiaino di alcool e chiudere ermeticamente.
Ricordare che da questa marmellata si ricava un ottimo sciroppo (v. n. 392) e che dai noccioli delle amarene si ottiene il "Liquore ancien" (v. n. 396).

✧ *384* MARMELLATA DI CILIEGIE

Ciliegie snocciolate kg 1 • zucchero g 700
Tempo di cottura: *2 ore e un quarto*
Tempo di conservazione: *6-7 anni*

Come le amarene, anche le ciliegie non contengono molta acqua, per cui la marmellata, raffreddata, diventa più dura delle altre. Peraltro, è proprio la mancanza di acqua nella frutta che consente di conservare inalterata la marmellata per molti anni.

Lavare e snocciolare le ciliegie privandole del gambo e poi pesarle; versarle in un tegame con lo zucchero; quindi seguire le indicazioni riguardanti la marmellata presenti nei Consigli utili.

Durante la cottura rimestare sovente con un cucchiaio di legno.

Una volta cotta, lasciare intiepidire la marmellata, quindi metterla in barattoli di vetro a chiusura ermetica; lasciarli aperti per 24 ore, poi versare un cucchiaino d'alcool sulla marmellata e chiudere ermeticamente.

✧ *385* MARMELLATA DI ALBICOCCHE

Se preferiamo impiegare delle albicocche grandi
che possano rimanere intatte anche dopo la cottura, è opportuno
cuocerle per un'ora soltanto a fuoco un po' vivace,
senza rimestarle troppo;
questo tipo di marmellata deve però essere consumato
entro un anno dalla sua preparazione.

Albicocche dolci snocciolate kg 1 • zucchero g 700
***Tempo di cottura:** 2 ore e mezzo*
***Tempo di conservazione:** 3 anni*

Lavare bene le albicocche, spaccarle in due, privarle del nocciolo e pesarle; metterle in un tegame con lo zucchero e portare dolcemente a ebollizione e seguire le indicazioni riguardanti la marmellata presenti nei Consigli utili.

Durante la cottura rimestare sovente con un cucchiaio di legno.

Una volta cotta lasciare intiepidire la marmellata, quindi metterla in barattoli di vetro a chiusura ermetica, lasciarli aperti per 24 ore, poi versare sulla marmellata un cucchiaino di alcool e chiudere ermeticamente.

✧ *386* MARMELLATA DI ARANCE

Le arance devono essere di buona qualità, mature e con la scorza spessa.

Arance mature e dalla scorza spessa kg 1 • zucchero g 800
***Tempo di cottura:** 1 ora*
***Tempo di conservazione:** 3-4 anni*

Bucherellare con un ago da lana le arance. Metterle in una terrina ben coperte di acqua e tenervele per due giorni, cambiando l'acqua due volte al giorno.

Dopo questo periodo, sgocciolarle e tagliarle a fettine sottilissime, tonde e uguali fra loro considerando che, durante la cottura, la polpa si liquefa ma la scorza rimane intatta; per tale motivo fare in modo che lo spessore della scorza non sia superiore ai 2-3 millimetri.

Disporre le fettine, private dei semi, in un tegame con lo zucchero e pochissima acqua e far cuocere per il tempo indicato a fuoco moderato, mescolando sovente con un cucchiaio di legno.

Una volta pronta, lasciare intiepidire la marmellata e infine travasarla in barattoli di vetro a chiusura ermetica; lasciarli aperti per 24 ore, poi versare sulla marmellata un cucchiaino di alcool e chiudere ermeticamente.

✧ 387 MARMELLATA DI PRUGNE

Per ottenere una buona marmellata le prugne più indicate
sono le "francesi" e le "pappacone":
le prime, piccoline, rotonde e di colore verde chiaro, maturano in agosto;
le seconde, grosse, ovali e rossastre, maturano a fine luglio.
Ambedue sono molto saporite e zuccherine.

Prugne snocciolate kg 1 • zucchero g 600
Tempo di cottura: *2 ore e un quarto*
Tempo di conservazione: *2-3 anni*

Lavare le prugne senza sbucciarle, snocciolarle, pesarle e sistemarle in un tegame con lo zucchero, poi seguire le indicazioni riguardanti la marmellata presenti nei Consigli utili.

Mettere la marmellata tiepida in barattoli a chiusura ermetica; lasciarli aperti per 24 ore, poi versare sulla marmellata un cucchiaino di alcool e chiudere ermeticamente. In Francia si usa unire a 4 chilogrammi di prugne, 1 chilogrammo di albicocche e due bicchierini di cognac; il procedimento è lo stesso, ma la marmellata è più raffinata.

✧ 388 MARMELLATA DI LIMONI

Come la marmellata di arance, quella di limoni è particolare e molto gradita
a chi ama la freschezza degli agrumi.
I limoni debbono essere di buona qualità, ben maturi,
con la scorza spessa e di colore giallo.

Limoni maturi e dalla scorza spessa kg 2 • zucchero kg 1,900 • acqua dl 9
Tempo di cottura: 3 ore
Tempo di conservazione: 4 anni

Bucherellare i limoni con un ago da lana.

Metterli in un recipiente ben coperti d'acqua e tenerli così per tre giorni, cambiando l'acqua due volte al giorno.

Trascorso questo periodo, tagliarli a fettine sottilissime e rotonde: lo spessore della scorza non deve superare il millimetro. Mettere le fettine sul fuoco con l'acqua necessaria e lo zucchero; la pentola deve essere larga, altrimenti l'acqua non riesce a evaporare nelle tre ore previste per la cottura. Durante la cottura mescolare sovente con un cucchiaio di legno.

Travasare la marmellata intiepidita in barattoli a chiusura ermetica; lasciarli aperti per 24 ore, poi versare sulla marmellata un cucchiaino di alcool e chiudere ermeticamente.

✧ *389* COTOGNATA

Preparata in piccole formette e conservata nelle antiche fresche dispense,
era la classica e gradita merenda dei bambini
o il dolce sempre pronto per un ospite improvviso.

Cotogne passate kg 1 • zucchero g 650
Tempo di cottura: 2 ore
Tempo di conservazione: 1 anno

Sbucciare le mele cotogne e tagliarle a spicchi sottili.

Metterle in una pentola larga, coperte di acqua, e farle cuocere, senza coperchio, su fuoco vivace.

Dopo 10 minuti, scolarle e adagiarle su un panno poi, ancora calde, passarle in un tritatutto fino a ottenere una polpa cremosa.

Pesare il passato di cotogne, quindi metterlo in una pentola con lo zucchero, su fuoco moderato: far cuocere per un'ora e mezzo o poco più, secondo la qualità delle mele. Rimestare continuamente fino a quando la marmellata si staccherà dalle pareti della pentola: ciò significa che la cotognata è pronta.

Allineare 15 formette di alluminio piccole, lisce o ondulate, ungerle di olio e riempirle di cotognata calda, pressandola e levigandone la superficie con un coltellino unto. Dopo 24 ore sformare le cotognatine e lasciarle scoperte per 5-6 giorni, rigirandole ogni giorno perché si asciughino bene da tutti i lati.

Infine, ungere d'olio della carta oleata e avvolgervi due o tre cotognatine per volta, chiudendo bene i pacchetti. Per una più lunga conservazione sistemare i pacchetti con le cotognate in barattoli di zinco o di porcellana.

✧ 390 Mostarda di Uva

*Particolarità pugliese, appartiene ai dessert semplici e genuini
delle scorse generazioni.*

*Per 8 porzioncine: uva bianca kg 1 • uva nera kg 1 • cioccolato fondente g 200 •
mandorle sgusciate g 50 • cannella g 2 • chiodi di garofano q.b.*

Per ottenere una buona mostarda l'uva deve essere dolce e matura.
Unire all'uva nera l'uva bianca, lavarla e staccare gli acini facendo attenzione a non
disperderne il succo.
Porla in una pentola su fuoco moderato e farla cuocere per un paio d'ore. Quando
è ancora calda, passarla al tritaverdure e rimetterla nella stessa pentola in cui è stata
cotta; tenerla su fuoco moderato, rigirandola, fino a che il composto risulti consistente come un purè.
Fare raffreddare l'amalgama, poi mescolarvi il cioccolato a pezzetti, le mandorle
spellate, abbrustolite e tagliuzzate, e un po' di cannella e di chiodi di garofano in
polvere.
Conservare questa mostarda per diversi giorni in una mostardiera oppure sistemarla in un piatto da portata piano guarnendola con dei pezzetti di cioccolato e di
mandorla.

✧ 391 Scorzette di Arancia Candite

*Sono ottime per guarnire torte e come ingrediente di ripieni o impasti.
Inoltre, tagliate a bastoncini, si possono servire in coppette per un tè.*

Arance dalla scorza spessa 2 • zucchero g 100
***Tempo di macerazione:** 2 giorni*
***Tempo di cottura:** 20 minuti*
***Tempo di conservazione:** 8 giorni*

Togliere alle arance la scorza con tutto il bianco (albedine).
Tenere la scorza in ammollo per 2 giorni, cambiando l'acqua due volte al giorno,
quindi tagliarla in tante liste larghe 1 centimetro e asciugarle in un canovaccio.
Disporre le liste in una padella larga, coprirle di zucchero e farle cuocere a fuoco
molto moderato per il tempo indicato, girandole sovente con un cucchiaio di
legno.
Una volta cotte, devono essere trasparenti ma non secche.
Adagiarle, distanziate, sul marmo unto di olio e lasciarle raffreddare. Per conservarle, chiuderle in un barattolo di vetro.

Liquori

✧ *392* Sciroppo di Amarene

Per l $^1/_2$ *di sciroppo:* amarene snocciolate kg 4 • zucchero kg 3,400
Tempo di conservazione: 2 anni

Preparare la marmellata di amarene (v. n. 383) e, cinquanta minuti prima che abbia termine la cottura della marmellata, togliere dalla pentola mezzo litro di liquido. Versarlo in una bottiglia asciutta che possa contenerlo fino all'orlo.
Il giorno successivo tappare bene la bottiglia e conservare.

✧ *393* Liquore di Amarene

Un tempo era il classico liquore che accompagnava il dessert.
Oggi è troppo dolce per i nostri gusti, ma è ottimo per bagnare torte e biscotti
quando la ricetta richiede il gusto dell'amarena.

Per l 1 $^1/_2$ *di liquore:* foglie dell'albero di amarena 100 • vino rosso l 1 •
zucchero g 550 • alcool a 90° l $^1/_2$
Tempo di macerazione: 25 giorni
Tempo di cottura: 3-4 minuti
Tempo di conservazione: 3-4 anni

Le foglie devono essere prese dall'albero quando il frutto è molto piccolo, verso i primi giorni di giugno. Metterle a macerare in un vino rosso di buona qualità, facendo attenzione a che il recipiente che le contiene sia ben chiuso e il vino arrivi fino all'orlo.
Dopo il periodo indicato, filtrare il vino in un panno bagnato e strizzato e farlo bollire molto lentamente con lo zucchero; schiumarlo, farlo raffreddare e unirvi l'alcool.
Versare il liquore ottenuto in una bottiglia asciutta e chiuderla bene.

✧ *394* LIQUORE AL CAFFÈ

Questo liquore si prepara in pochi minuti.
Non è un liquore da offrire, ma è molto indicato per bagnare torte e dolci
in cui è richiesto l'aroma del caffè.

Per dl 2 di liquore: concentrato di caffè cl 10 • alcool a 90° cl 10 • zucchero g 50
Tempo di conservazione: 7 giorni

Riempire bene di caffè in polvere una macchinetta per sei tazze, con soli 10 centilitri di acqua. Si ottengono in tal modo 5 centilitri di caffè ristretto; ripetere l'operazione due volte.
Far bollire il concentrato di caffè con lo zucchero per un attimo e quando questo giulebbe si sarà raffreddato unirlo all'alcool.
Versare il liquore ottenuto in una bottiglia asciutta e chiuderla bene.

✧ *395* LIQUORE DI MANDARINO

Per l 2 di liquore: mandarini 12 • alcool a 90° l 1 • acqua l 1 • zucchero g 400
Tempo di macerazione: 1 mese
Tempo di invecchiamento: 1 mese
Tempo di conservazione: 3 anni

Tagliare con un coltellino affilato la pellicola dei mandarini, che debbono essere freschi e maturi al punto giusto.
Mettere queste pellicole a macerare nell'alcool in una bottiglia ben chiusa, per non meno del tempo indicato.
Trascorso questo tempo, far bollire a fuoco moderato e per soli 30 secondi l'acqua con lo zucchero e lasciarla ben raffreddare.
Filtrare attraverso un telo bagnato e strizzato l'alcool in cui sono state a macerare le pellicole dei mandarini e unirlo al giulebbe freddo.
Mescolare e filtrare il tutto attraverso una carta da filtro.
Versare il liquore così ottenuto in una bottiglia e offrirlo solo dopo il mese di invecchiamento.

✧ *396* LIQUORE ANCIEN

Una ricetta rara, per un liquore forte, molto digestivo.
Fatto con i noccioli delle amarene è particolarmente adatto, nonostante il nome,
al gusto moderno.

Per l 1 ¹/₂ di liquore: alcool a 90° l 1 • noccioli di amarene g 300 •
acqua dl 4 • zucchero g 220
Tempo di macerazione: *2 mesi*
Tempo di invecchiamento: *6 mesi*
Tempo di conservazione: *4-5 anni*

Mettere a macerare nell'alcool, in una bottiglia ben chiusa, i noccioli di amarene (da circa tre chili di amarene se ne ricavano i 300 grammi).
Trascorso il tempo necessario alla macerazione, far sciogliere sul fornello lo zucchero nell'acqua che però non deve arrivare a ebollizione.
Filtrare l'alcool attraverso un telo bagnato e strizzato e unirlo all'acqua zuccherata raffreddata.
Mescolare e filtrare il tutto attraverso una carta da filtro.
Versare il liquore in una bottiglia, tapparla bene e non offrire questo liquore prima dei sei mesi necessari all'invecchiamento.

✧ 397 LIQUORE PERFETTO AMORE

Un liquore puro, dolce e gradevole come l'amore dell'Ottocento.

Per l 1 ¹/₄ di liquore: alcool a 90° l 1 • ¹/₂ limone •
vaniglia pura g 1 • ¹/₂ pera • acqua dl 4 • zucchero g 200
Tempo di macerazione: *1 settimana*
Tempo di invecchiamento: *1 mese*
Tempo di conservazione: *8-9 mesi*

Far macerare nell'alcool la pellicola del limone, tagliata molto sottilmente, insieme alla vaniglia e alla mezza pera sbucciata (oppure essenza di ambretta che però oggi si trova difficilmente).
Dopo il periodo indicato, far sciogliere lo zucchero in acqua calda senza giungere a bollire.
Quando il giulebbe si sarà raffreddato, unirlo all'alcool già privato della pera e della membrana di limone.
Mescolare e filtrare in una tela e poi in una carta da filtro; chiudere in bottiglia questo liquore dolce e profumato.

✧ 398 NOCINO

Il nocino, un liquore molto alcolico, non va offerto prima del tempo necessario all'invecchiamento, perché le essenze devono avere il tempo di fondersi.

*Per l 1 ¹/₄ di liquore: noci 22 • alcool a 90° l 1 • acqua dl 3 • zucchero g 225 •
chiodi di garofano g 2 • cannella g 2 ¹/₂ • ¹/₂ noce moscata*
Tempo di macerazione: *3 mesi circa*
Tempo di invecchiamento: *8-10 mesi*
Tempo di conservazione: *2-3 anni*

Le noci vanno raccolte verso la fine di giugno, quando il loro guscio è ancora tanto tenero da poter essere perforato da un ago.
Tagliare le noci in quattro spicchi e metterli nell'alcool a macerare per il tempo indicato, in un barattolo di vetro a bocca larga e a chiusura ermetica.
Anticamente si usava tenerle al sole durante la macerazione; ma non è necessario.
Dopo i tre mesi filtrare l'alcool attraverso un telo bagnato e strizzato e mettervi a macerare per almeno 20 giorni tutte le spezie, schiacciate.
Infine sciogliere lo zucchero nell'acqua calda senza portarla a ebollizione.
Filtrare di nuovo l'alcool e unirlo all'acqua zuccherata raffreddata.
Mescolare bene e filtrare il tutto attraverso una carta da filtro.
Questa operazione richiede molte ore, per cui, quando la carta non filtra più bene, sostituirla con un altra.
Versare il liquore in bottiglia e da questo momento contare i mesi necessari all'invecchiamento.

✧ 399 ORZATA

*Sciroppo d'epoca dal bel colore bianco e dal sapore genuino.
Richiederebbe un'aggiunta di 10 grammi di mandorle amare;
nel caso se ne possa disporre, aumentare lievemente la dose di zucchero.*

*Per l ¹/₄ di sciroppo: mandorle 200 • zucchero g 400 •
acqua millefiori cl ¹/₂ • acqua l ³/₄*
Tempo di cottura: *20 minuti*

Spellare le mandorle dopo averle immerse in acqua bollente e poi tritarle in un tritatutto, bagnandole con poche gocce di acqua millefiori.
Mettere le mandorle trasformate in poltiglia in ¹/₃ dell'acqua indicata e filtrarle attraverso un telo, premendo bene perché oltre all'acqua fuoriesca tutto l'umore delle mandorle.
Raccogliere e tenere da parte il liquido, poi tritare nuovamente la pasta; immergerla in un altro ¹/₃ di acqua e ripetere l'operazione per una seconda e una terza volta.
Versare tutto il liquido così ricavato in un pentolino, unirvi lo zucchero e far bollire a fuoco moderato per il tempo indicato, mescolando continuamente.
Far raffreddare lo sciroppo così ottenuto, poi versarlo in una bottiglia asciutta.

✧ *400* Vov

Questo liquore alle uova, genuino, poco alcolico e nutriente,
una volta veniva preparato al mattino per il pomeriggio.
Il latte fresco ne permette una conservazione di breve durata.

Per l 1 ¹/₂ di liquore: *latte intero l 1 • zucchero g 500 • tuorli 6 •*
marsala secco dl 2 • alcool a 90° dl 2
Tempo di conservazione: *2 giorni*

Far bollire il latte a fuoco moderato, per pochi attimi soltanto, poi aggiungere lo zucchero e dare un bollore.

Rigirare i tuorli in una ciotola.

Unire l'alcool al marsala e versarlo a filo nei tuorli; aggiungere poi, goccia a goccia, il latte freddo.

Versare il liquore in una bottiglia e chiuderla bene.

INDICE

*In questo indice sono riportate in ordine alfabetico
le ricette che compongono il volume,
seguite dal numero della ricetta (in corsivo)
e dal numero di pagina (in tondo)*

A

B

G

I

K

L

M

S

T

U

V

Z